L'HÉRITAGE DU PASSÉ

DU MÊME AUTEUR

Le Cœur à vif, Belfond, 2004, et J'ai Lu (nº 7 803), 2005
La Dernière Trahison, Belfond, 2005

JULIE GARWOOD

L'HÉRITAGE DU PASSÉ

Traduit de l'américain
par Valérie Bourgeois

belfond
12, avenue d'Italie
75013 Paris

Titre original :
KILLJOY
publié par Ballantine, New York.

Si vous souhaitez recevoir notre catalogue
et être tenu au courant de nos publications,
vous pouvez consulter notre site internet,
www.belfond.fr
ou envoyer vos nom et adresse, en citant ce livre,
aux Éditions Belfond,
12, avenue d'Italie, 75013 Paris.
Et, pour le Canada,
à Interforum Canada Inc.,
1050, bd René-Lévesque-Est,
Bureau 100,
Montréal, Québec, H2L 2L6.

ISBN 2-7144-4089-4

À Mary K. Wahlstedt Murphy, ma sœur et mon amie.
Par ta force, ta grâce et ton sens de l'humour, tu contribues à rendre ce monde meilleur.

Prologue

La mère d'Avery Elizabeth Delaney, Jilly, était une folle de la pire espèce. Par bonheur, elle partit sans laisser d'adresse trois jours après la naissance de sa fille, qui fut élevée par sa grand-mère Lola et sa tante Carrie. Dès lors, trois générations de femmes cohabitèrent en toute quiétude dans une maison en bois de Barnett Street, à deux pas du square municipal de Sheldon Beach, en Floride. Tout avait changé après le départ de Jilly. Le calme ayant succédé aux chamailleries incessantes, Carrie réapprit à rire et, durant cinq merveilleuses années, leur vie fut presque idyllique.

Mais la vie avec Jilly avait laissé des traces. Lola, désormais une vieille dame fatiguée, commença à éprouver des douleurs à la poitrine le jour où Avery fêta ses cinq ans. C'est à peine si elle parvint à glacer le gâteau d'anniversaire de sa petite-fille sans s'asseoir pour se reposer un peu.

Elle n'en parla à personne, pas même à son médecin traitant de Sheldon Beach, de peur qu'il ne soit incapable de tenir sa langue. Qui sait, il aurait très bien pu avoir la lubie d'informer Carrie de sa maladie. Elle prit donc rendez-vous auprès d'un cardiologue à Savannah et s'y rendit seule. Après un examen complet, son diagnostic fut des plus pessimistes. Il lui prescrivit des médicaments pour atténuer la souffrance et soulager son cœur, lui enjoignit de se ménager et lui suggéra avec tact de mettre ses affaires en ordre.

Lola ignora ses conseils. Qu'y connaissait-il, ce charlatan ? Elle avait peut-être un pied dans la tombe, mais elle comptait bien garder l'autre fermement arrimé au sol. Elle devait élever sa petite-fille et il était pour elle hors de question de disparaître avant d'avoir accompli sa mission.

Lola n'avait pas son pareil pour prétendre que tout allait bien. Après des années passées à essayer de dompter Jilly, elle maîtrisait même cet art à la perfection, à tel point que, sur le chemin du retour, elle s'était persuadée d'être en pleine forme.

Et elle n'en démordit pas.

Malgré le désir d'Avery d'en savoir toujours plus sur sa mère, Lola refusait de discuter de Jilly. Chaque fois que la fillette l'interrogeait, elle pinçait les lèvres et lui opposait la même réponse :

— Espérons qu'elle est heureuse. Et surtout loin de chez nous.

Puis elle détournait la conversation sans lui laisser le loisir d'insister, ce qui, bien sûr, n'était pas de nature à satisfaire la curiosité d'une enfant de cinq ans.

Carrie représentait la seule source d'informations dont disposât Avery, une source intarissable dès qu'il s'agissait des mille et une méchancetés commises par Jilly.

Avery idolâtrait sa tante, qu'elle considérait comme la plus belle femme du monde, et ne souhaitait qu'une chose : ressembler à cette femme plutôt qu'à sa mère indigne. Carrie avait des cheveux couleur de confiture de pêches et des yeux gris-bleu, semblables à ceux d'un chat blanc qu'elle avait admiré dans un livre de contes illustré. Grande, sexy, constamment au régime – même si sa nièce estimait qu'elle n'en avait nul besoin –, elle avait tout l'air d'une princesse quand, pour étudier ou travailler, elle attachait ses cheveux avec l'une de ses barrettes scintillantes. Avery adorait aussi son parfum au gardénia, dont Carrie affirmait qu'il était sa signature. Lorsque sa tante s'absentait et qu'elle se sentait seule, la petite se glissait dans sa chambre afin de s'en asperger les bras et les jambes. Elle l'imaginait alors dans la pièce d'à côté.

Mais Avery aimait par-dessus tout la façon dont Carrie s'adressait à elle, comme à une grande personne et non comme à un bébé, contrairement à sa grand-mère. « Je ne vais pas embellir la vérité juste parce que tu es une enfant. Tu as le droit d'être au courant », lui déclarait-elle avec son franc-parler habituel dès qu'elle évoquait Jilly.

Une semaine avant que sa tante s'envole vers la Californie, Avery voulut l'aider dans ses préparatifs. Excédée de l'avoir sans cesse dans les jambes, Carrie finit par l'installer devant sa coiffeuse avec une boîte à chaussures remplie de bijoux fantaisie, son cadeau d'au revoir acquis lors d'un vide-grenier. Tout émerveillée, la fillette se mit aussitôt à les essayer devant le miroir ovale.

— Pourquoi il faut que tu ailles en Californie, Carrie ? Ta place est ici, avec mamie et moi.

— Vraiment ? s'amusa Carrie.

— C'est la maman de Peyton qui l'a dit. Tu es déjà allée à l'université, alors maintenant tu dois rester ici et aider mamie à s'occuper de moi vu que je ne suis pas facile.

Peyton était la meilleure amie d'Avery et, parce qu'elle était son aînée d'un an, le moindre de ses propos était parole d'Évangile. De l'avis de Carrie, sa mère, Harriet, n'était qu'une fouineuse, mais sa gentillesse envers Avery l'incitait à tolérer ses intrusions occasionnelles dans leur vie privée.

Après avoir plié et rangé dans sa valise son pull bleu favori en angora, Carrie tenta une fois de plus de faire comprendre sa décision à Avery.

— J'ai obtenu une bourse, tu te souviens ? Je veux décrocher une maîtrise et je t'ai déjà expliqué au moins cinq fois pourquoi ces cours sont si importants. Je dois y aller. C'est une occasion en or pour moi. Dès que j'aurai créé mon entreprise et fait fortune, mamie et toi viendrez me rejoindre. On vivra dans une grande maison à Beverly Hills, avec des domestiques et une piscine.

— Je ne pourrai plus prendre de leçons de piano alors ? Mme Burns dit que j'ai intérêt à continuer parce que j'ai des oreilles musicales.

Carrie se retint de rire tant sa nièce semblait sérieuse.

— Non, tu as *l'oreille* musicale. Ça signifie que, à force de travail, tu finiras par très bien jouer. Mais tu pourras aussi étudier le piano en Californie. Et suivre des cours de karaté.

— J'aime bien ceux d'ici, moi. Sammy dit que je frappe de plus en plus fort. Et puis, j'ai entendu mamie raconter à la maman de Peyton que ça ne lui plaisait pas que je fasse du karaté parce que ce n'est pas très féminin.

— Tant pis. C'est moi qui paie ton inscription au club et je veux que tu apprennes à te défendre.

— Pourquoi ? La maman de Peyton a demandé pourquoi à mamie.

— Parce que je refuse que quelqu'un te marche un jour sur les pieds comme Jilly l'a fait avec moi. Il est hors de question que tu grandisses avec la peur au ventre. Et puis, je suis sûre qu'il y a de très bons cours de self-défense en Californie, avec des entraîneurs aussi sympa que Sammy.

— La maman de Peyton dit que Jilly est partie pour devenir une star de cinéma. Tu veux aussi être une star, Carrie ?

— Non, je veux monter une entreprise et gagner plein d'argent en transformant les autres en stars.

Avery se contempla de nouveau dans le miroir, parée de boucles d'oreilles en pierres du Rhin vertes et d'un collier assorti.

— Tu sais ce que la maman de Peyton a dit d'autre ? Que quand Jilly m'a eue, elle était assez grande pour avoir un peu plus de jugeote.

— C'est exact, lui confirma Carrie en déversant son tiroir de chaussettes sur le lit afin de les assembler par paires. Ta mère avait dix-huit ans.

— Mais qu'est-ce que ça veut dire ? Pourquoi elle aurait dû avoir un peu plus de jugeote ?

— Eh bien, Jilly aurait dû prendre ses précautions.

Le tiroir tomba par terre. Carrie le ramassa et le remit en place dans la commode avant de terminer son tri.

— Qu'est-ce que ça veut dire ? s'entêta Avery, qui enfilait un deuxième collier en grimaçant devant le miroir.

Carrie ignora sa question. Elle n'avait aucune envie de s'embarquer dans une discussion interminable sur le sexe et la contraception. Sa nièce était trop jeune pour y être initiée.

— Tu as de la chance, Avery, lança-t-elle dans l'espoir de distraire son attention.

— Parce que mamie et toi, vous vous occupez de moi ?

— Oui. Et aussi parce que Jilly ne buvait pas comme un trou et ne se gavait pas de pilules du bonheur. Si elle avait avalé toutes ses saletés pendant sa grossesse, tu serais née avec de graves problèmes.

— La maman de Peyton dit que j'ai déjà de la chance d'être née.

— La maman de Peyton parle décidément beaucoup de Jilly ! s'énerva Carrie.

— Mmmm, acquiesça la fillette. C'est mauvais, les pilules du bonheur ?

— Tout à fait. On peut en mourir.

— Alors pourquoi les gens en prennent ?

— Parce qu'ils sont stupides. Range ces bijoux et viens m'aider à fermer cette valise.

Avery replaça soigneusement les boucles d'oreilles et les colliers dans la boîte à chaussures. Puis elle grimpa sur le lit à baldaquin.

— Tu me le donnes ? s'enquit-elle en s'emparant d'un petit cahier à la couverture en vinyle bleu.

— Non, c'est mon journal intime.

Carrie le lui arracha des mains et le fourra dans sa valise, qu'elle verrouilla avec peine.

Elle aidait sa nièce à redescendre du lit quand celle-ci lui demanda :

— Pourquoi tu n'attends pas la semaine prochaine pour vider ta chambre ? Mamie dit que tu fais tout à l'envers.

— Vider ma chambre avant de la repeindre, ce n'est pas faire les choses à l'envers. Au moins, mes habits ne gêneront pas et tu seras bien installée au moment de mon départ. Demain, je t'accompagnerai pour choisir la couleur des murs.

— Je sais. Carrie ?

— Oui ?

— Est-ce que ma maman m'a détestée quand elle m'a vue ?

Carrie sentit la rage l'envahir devant l'inquiétude perceptible de l'enfant. Même absente, Jilly continuait à blesser ses proches. Cesserait-elle jamais ?

Carrie se remémora alors le soir où elle avait appris que sa sœur allait être mère.

Par un doux vendredi de mai, Jilly avait gâché la fête censée célébrer la fin de ses études secondaires en annonçant qu'elle était enceinte de six mois. Son ventre commençait seulement à s'arrondir.

Sous le choc, Lola n'avait d'abord songé qu'à la honte et à l'embarras que cela provoquerait.

— Nous sommes une famille, avait-elle néanmoins déclaré après s'être ressaisie. On va s'en sortir. On trouvera un moyen. N'est-ce pas, Carrie ?

Debout près de la table du salon, celle-ci se servait une tranche du gâteau que sa mère avait passé la matinée à décorer.

— À notre époque et à notre âge, il faut vraiment être idiote pour tomber enceinte. Tu n'as jamais entendu parler de contraception ou tu es débile, Jilly ?

Adossée au mur, les bras croisés, sa sœur l'avait gratifiée d'un regard noir. Lola s'était hâtée d'intervenir, dans l'espoir d'éviter une querelle entre ses deux filles.

— Épargne-nous tes sarcasmes, Carrie. Nous devons ménager Jilly.

— Toi, peut-être.

— Carrie, pas d'impertinence avec moi !

Contrite, elle avait baissé la tête et placé sa part de gâteau sur une assiette.

— Oui, m'man.

— Bien sûr que j'y ai pensé, avait riposté Jilly. Je suis allée voir un médecin à Jacksonville pour me débarrasser du bébé, seulement il a refusé sous prétexte que la grossesse était trop avancée.

— Tu es allée voir un médecin..., s'était écriée Lola en s'effondrant dans un fauteuil et en se couvrant le visage d'une main.

Mais Jilly, que cette conversation lassait, était déjà affalée sur le canapé du salon à regarder la télévision.

— Elle provoque un scandale et ensuite elle s'en lave les mains, avait marmonné Carrie. En nous laissant, bien sûr, tout arranger à sa place. Ce n'est pas nouveau.

— Ça suffit, Carrie ! l'avait suppliée sa mère. Jilly ne prend pas toujours le temps de réfléchir à ses actes, c'est tout.

— Et pourquoi le ferait-elle ? Tu es là à chaque fois pour réparer ses erreurs. Tu lui pardonnes tout parce que tu ne supportes pas ses crises de nerfs. À mon avis, tu as peur d'elle.

— C'est ridicule, avait bafouillé Lola en se levant pour aller faire la vaisselle. On forme une famille, on va s'en sortir. Et tu as intérêt à y mettre du tien, Carrie. Jilly a besoin de nous.

Carrie avait serré les poings de frustration. Quand sa mère comprendrait-elle qu'elle avait élevé un monstre d'égoïsme ? Pourquoi refusait-elle de voir la vérité en face ?

Elle ne gardait que de mauvais souvenirs de la fin de cet été. Fidèle à ses habitudes, sa sœur s'était montrée capricieuse, tandis que Lola s'épuisait à satisfaire ses moindres demandes. Employée par chance dans un restaurant durant ses vacances, Carrie s'était débrouillée pour effectuer un maximum d'heures supplémentaires et rentrer ainsi chaque soir le plus tard possible.

Jilly avait accouché à la fin du mois d'août. Après un bref coup d'œil à ce bébé au visage marbré qui l'avait tant fait souffrir, elle avait décrété qu'elle ne voulait pas être mère. Jamais. Si les médecins avaient été d'accord, elle se serait fait ligaturer les trompes le jour même.

Lola avait obligé Carrie à l'accompagner à l'hôpital. À peine étaient-elles entrées dans sa chambre que Jilly leur avait annoncé qu'elle se trouvait trop jeune et trop belle pour s'encombrer d'un enfant. Un vaste monde lui tendait les bras au-delà de Sheldon Beach, mais aucun homme fortuné ne s'intéresserait jamais à une femme qui trimbalait un bébé partout avec elle. Non, la maternité n'était décidément pas son fort. Sans compter qu'elle projetait de devenir une star de cinéma. Elle débuterait en se faisant couronner Miss Amérique. Elle avait tout prévu, leur expliqua-t-elle. Se jugeant bien plus jolie que les laiderons qui avaient défilé en maillot de bain à la télévision l'année précédente, elle ne doutait pas d'être élue dès que les juges l'apercevraient.

— Seigneur, tu n'as rien dans le crâne ! avait grondé Carrie. Ils ne couronnent pas les filles-mères.

— C'est toi qui n'as rien dans le crâne, Carrie.

— Taisez-vous, toutes les deux ! avait ordonné Lola. Vous voulez que les infirmières vous entendent ?

— Je m'en fiche, qu'elles nous entendent !

— Je t'ai dit de te taire, Jilly. Enfin, tu es mère maintenant.

— Je ne veux pas être mère ! Je veux être une star !

Serrant dans une main la plante qu'elle avait apportée, Lola, mortifiée, avait tiré Carrie dans la chambre en lui demandant de fermer la porte – et ne l'avait pas lâchée ensuite de peur qu'elle ne se sauve.

Contrariée, Carrie s'était appuyée contre le chambranle et avait fusillé sa sœur du regard.

— Écoute, avait grondé Lola à voix basse. Je me moque de ce que tu veux.

Parce qu'elle n'employait que rarement ce ton face à Jilly, Carrie avait soudain dressé l'oreille.

— Sois raisonnable, avait ajouté Lola avec le plus grand sérieux tout en se dirigeant vers le lit. Tu vas être une bonne mère, et Carrie et moi t'aiderons à prendre soin de l'enfant. Tout ira bien, ne t'inquiète pas. Je crois aussi que tu devrais appeler le père de ce bébé... (Le rire de Jilly l'avait interrompue.) Qu'y a-t-il de si drôle ?

— Toi. Tu as déjà planifié toute ma vie, hein ? Tu essaies encore de me dicter ma conduite. Maman, j'ai dix-huit ans. Et je fais ce que je veux.

— Mais, Jilly, le père a le droit de savoir.

Jilly avait bâillé bruyamment en tapotant son oreiller.

— J'ignore qui est son père. Peut-être cet étudiant de Savannah, mais je n'en suis pas sûre.

— Comment ça, tu n'en es pas sûre ? s'était indignée Lola. Tu m'as affirmé...

— J'ai menti. Tu veux que je te dise ? Une douzaine d'autres hommes pourraient être son père.

— Arrête ! Dis-moi la vérité.

— Mon Dieu, Jilly ! s'était alors exclamée Carrie.

Jilly adorait choquer et sentir sur elle l'attention générale.

— Mais je dis la vérité ! J'ai perdu le compte de tous les types avec qui je suis sortie, ne t'attends donc pas à ce que je te nomme le père. Je t'ai blessée ? avait-elle demandé, franchement ravie, devant la mine offusquée de sa mère. Les hommes m'adorent. Ils sont prêts à tout pour me plaire. Ils m'offrent des cadeaux luxueux et de l'argent aussi que j'ai toujours cachés jusqu'à maintenant pour m'épargner votre jalousie et vos grands airs vertueux. Vous m'auriez tout confisqué, je parie. Sauf que je ne vous en ai pas donné la possibilité. Je suis plus futée que tu ne le crois, maman.

Lola avait fermé les yeux, en proie à la nausée.

— Combien d'hommes y a-t-il eu ?

— Aucune idée. Tu n'as donc rien écouté ? Je viens de t'expliquer que j'ai perdu le compte. Je n'avais qu'à coucher avec eux quelque temps. Ils me vénèrent – je les laisse faire. Je suis plus belle que toutes les actrices de Hollywood réunies, et je serai plus célèbre qu'elles. Tu verras. Et puis, j'aime le sexe. C'est agréable, il suffit d'avoir un bon amant. Tu ne comprends rien aux femmes modernes, maman. Tu es vieille et toute desséchée à l'intérieur. Tu ne te souviens peut-être même pas du plaisir qu'on peut avoir à s'envoyer en l'air.

— Accepter de l'argent en échange de rapports sexuels ? Tu as conscience de ce que ça fait de toi ?

— Une femme libérée.

— Faux, s'était interposée Carrie. Ça fait de toi une putain, Jilly. Et tu ne seras jamais rien d'autre.

— Tu n'y connais rien ! Les hommes ne te désirent pas comme ils me désirent, moi. Je les rends fous alors que tu n'existes même pas pour eux. Tu es jalouse, c'est tout.

— Allons-nous-en, maman, avait lancé Carrie avec douceur.

— Oui, partez. J'ai sommeil, il faut que je me repose.

Carrie avait soutenu Lola, en proie à un immense désarroi, jusqu'à la voiture.

Alors qu'elles s'éloignaient, sa mère avait fixé la vitre d'un air absent.

— Tu as toujours vu clair en elle et tu as tenté de m'avertir, mais j'ai fait la sourde oreille. J'ai vécu dans le brouillard, n'est-ce pas ?

— Jilly a un problème. Sa cruauté dépasse… elle n'est pas normale.

— Je suis responsable, à ton avis ? Ton père la choyait trop et, après son départ, j'ai pris le relais. Est-ce ma faute si elle devenue un tel monstre ?

— Je ne sais pas.

Puis plus un mot jusqu'à la maison. Carrie avait garé la voiture dans l'allée, et coupé le moteur. Elle ouvrait sa portière quand Lola, en larmes, lui avait saisi le bras.

— Je regrette tellement la façon dont je t'ai traitée. Tu es un ange et j'ai toujours considéré ta gentillesse comme un dû. Nos vies n'ont cessé de tourner autour de Jilly, n'est-ce pas ? J'ai l'impression de ne m'être préoccupée que de l'apaiser... et de veiller à son bonheur durant la majeure partie de ces dix-huit dernières années. Mais je suis fière de toi, Carrie. Je ne te l'avais jamais dit, j'imagine ? Il m'a fallu vivre ce cauchemar pour m'apercevoir quelle perle tu es. Je t'aime, ma chérie.

Carrie s'était sentie désarçonnée. Avait-elle jamais eu droit à une telle déclaration de la part de sa mère ? Il lui semblait avoir remporté une sorte de compétition, mais par défaut : l'image de l'enfant chérie brisée, elle était restée seule en lice.

Elle réclamait davantage.

— Que vas-tu faire au sujet de Jilly ?

— La forcer à agir comme il se doit, bien sûr.

— Tu planes complètement, avait-elle rétorqué en s'écartant. Elle n'agira pas comme il se doit. Je me demande même si elle en est capable. C'est une malade, maman.

— Elle a été trop gâtée, mais je ferai en sorte que...

— Tu vis dans un monde chimérique, l'avait interrompue Carrie, avant de claquer sa portière et de s'engouffrer dans la maison.

Lola l'avait suivie jusque dans la cuisine et s'était emparée d'un tablier accroché à une patère.

— Tu te souviens du jour de mes huit ans ? l'avait questionnée Carrie.

— Pas maintenant, ma chérie. Mets donc la table pendant que je prépare à manger, avait éludé sa mère.

— Tu m'as offert la poupée Barbie dont je rêvais.

— Carrie, je ne tiens pas à aborder ce sujet.

— Assieds-toi. Il faut qu'on en parle.

— Tout ça, c'est du passé. Pourquoi revenir dessus ?

Mais Carrie n'avait pas l'intention de céder, cette fois.

— Je suis entrée dans ta chambre ce soir-là.

— Carrie, je ne...

— Assieds-toi, bon sang ! avait-elle explosé, prise d'une

soudaine envie de la secouer pour lui faire entendre raison. Tu dois affronter la réalité, maman. Assieds-toi.

Lola avait obtempéré et s'était installée en face de sa fille, les mains dignement jointes sur ses genoux.

— Ton père a été très affecté par tes accusations, et Jilly pleurait. Tu as réveillé toute la maison cette nuit-là.

— Elle voulait ma poupée et parce que j'ai refusé de la lui donner, elle a menacé de m'arracher les yeux. Quand je me suis réveillée vers minuit, elle se tenait près de moi avec tes ciseaux de couturière à la main et un sourire dément sur les lèvres. Elle n'arrêtait pas de faire cliqueter les lames – le bruit était horrible. Et puis elle m'a montré ma poupée. Elle lui avait crevé les yeux, maman, et ce sourire qu'elle affichait... c'était effrayant. Au moment où j'allais crier, elle s'est penchée vers moi et a murmuré : « Maintenant, c'est ton tour. »

— Tu étais jeune, Carrie. Ce n'était qu'un petit incident dont tu as exagéré l'importance, voilà tout.

— Oh, non ! Les choses se sont bien passées ainsi. Tu n'as pas vu son regard à cet instant, mais je te jure, moi, qu'elle avait l'intention de me tuer. Et c'est ce qu'elle aurait fait si j'avais été seule à la maison avec elle.

— Non, non, elle essayait juste de t'effrayer. Elle t'aime et aurait été incapable de te blesser.

— Si papa et toi n'aviez pas été là, elle m'aurait attaquée. Elle est folle, maman. Je me fiche de ce qui peut lui arriver, mais le sort d'un bébé innocent est désormais en jeu. Je pense que nous devrions encourager Jilly à le confier à l'adoption.

— Certainement pas ! s'était insurgée Lola, outrée, en abattant sa main sur la table. Cette enfant est ta nièce et ma petite-fille. Il est hors de question que des étrangers s'occupent d'elle à notre place.

— Elle n'a pas d'autre espoir de connaître un avenir décent. Avec une mère comme la sienne, elle part déjà avec un lourd handicap. Tout ce que j'espère, c'est que la tare de Jilly n'est pas héréditaire.

— Oh, Seigneur ! Ta sœur a juste l'habitude de n'en faire qu'à sa tête. Beaucoup de jeunes femmes ont des aventures aujourd'hui. Elles ont tort, s'était hâtée de préciser Lola, mais je comprends pourquoi Jilly souhaite avoir les hommes à ses pieds. Son père l'a abandonnée et elle tente de…

— Tu te rends compte de ce que tu dis ! Je croyais que tu avais enfin perçu la vraie nature de Jilly, mais il semblerait que je me sois trompée. Tu refuseras toujours d'admettre la vérité : il n'y a pas cinq minutes, tu craignais d'avoir élevé un monstre, tu as déjà oublié ?

— Je ne nie pas que son attitude ait été monstrueuse, mais c'est une mère, à présent. Tu verras quand je la ramènerai de l'hôpital avec le bébé. Elle sera redevenue raisonnable.

Carrie avait le sentiment de se heurter à un mur.

— Parce que tu t'imagines que son instinct maternel va se réveiller comme ça ?

— Oui. Tu verras, avait-elle répété. Jilly assumera ses responsabilités.

Carrie avait abandonné. Écœurée, elle s'était réfugiée dans sa chambre et n'en avait pas bougé de toute la soirée. Le lendemain matin, elle avait trouvé un mot sur la table de la cuisine. Sa mère était partie acheter un lit d'enfant, des habits et une poussette.

— Elle rêve, avait grommelé Carrie.

Le lundi suivant, Lola était allée à l'hôpital chercher Jilly et le bébé – toujours dépourvu de prénom. Carrie, bien décidée à ne pas l'accompagner, avait prétendu devoir travailler tôt au restaurant ce jour-là et filé avant que Lola ait pu mettre sa parole en doute.

Déjà prête, Jilly attendait sa mère en se brossant les cheveux devant le miroir de sa salle de bains. Elle avait désigné le bébé en pleurs, abandonné au milieu du lit défait dès l'instant où l'infirmière était sortie de sa chambre. Lola pouvait le garder, le vendre, le donner – peu lui importait. Elle avait ensuite ramassé son sac et quitté l'hôpital en emportant, caché dans son soutien-gorge, l'argent mis de côté par sa sœur pour financer ses études.

Le retrait n'était apparu sur les relevés bancaires que deux semaines plus tard – au grand dam de Carrie, qui avait trimé dur pour économiser cette somme. Lola s'était toutefois opposée à ce qu'elle porte plainte.

— Nos affaires de famille ne concernent que nous, avait-elle décrété.

Carrie avait été reçue à ses examens au printemps suivant et avait cumulé deux boulots durant l'été, tandis que Lola puisait dans ses économies pour l'aider à payer son inscription à l'université. Elle avait ensuite déniché un poste à temps partiel sur le campus afin de couvrir une partie de ses dépenses. À son retour pour les vacances de Noël, c'était à peine si elle avait réussi à regarder l'enfant de Jilly.

Le bébé ne possédait toutefois pas un tempérament propre à s'accommoder d'une telle indifférence. Quelques risettes baveuses avaient suffi à arracher un sourire à Carrie et leurs liens s'étaient ensuite renforcés à chacun de ses séjours à la maison. La petite adorait sa tante, qui le lui rendait bien – même si elle ne l'admettait jamais ouvertement.

Avery était une enfant intelligente et adorable pour laquelle, à tout point de vue, Carrie était devenue une mère. Elle témoignait en tout cas d'un véritable instinct maternel à son égard et aurait entrepris n'importe quoi afin de la protéger.

Et pourtant, au bout de cinq ans, elle ne pouvait empêcher Jilly de les faire encore souffrir.

— Hein ? Elle m'a détestée ? lui demandait Avery

Carrie se força à se concentrer sur la question.

— Pourquoi tu te soucies de ce qu'elle pensait de toi ? répondit-elle enfin, les poings sur les hanches.

Avery haussa les épaules.

— Je ne sais pas.

— Très bien. Ta mère te détestait peut-être, mais pas à cause de ce que tu es ni de la tête que tu avais à la naissance. Tu étais un très beau bébé. Simplement, Jilly ne voulait avoir à s'occuper de personne. (Elle lui désigna la chaise à côté de son lit.) Je vais te confier un secret, alors assieds-toi et écoute-moi attentivement.

Avery se dépêcha d'obéir.

— Tu es peut-être trop jeune mais tant pis, je prends le risque : ta mère était une folle de la pire espèce.

La fillette fut déçue, elle qui espérait tant une nouvelle révélation.

— Tu me l'as déjà dit, Carrie. Plein de fois.

— Ce n'était qu'un rappel. Jilly n'a jamais été saine d'esprit. En fait, elle aurait dû être enfermée dans un asile il y a longtemps.

L'idée que sa mère puisse être enfermée intrigua Avery.

— C'est quoi un asile ?

— Un endroit où vont les malades mentaux.

— Jilly est malade ?

— Oui. Mais pas le genre de malade dont on a pitié. Elle est méchante, odieuse et complètement détraquée. Il faut l'être pour rejeter quelqu'un d'aussi formidable que toi. (Carrie se pencha et repoussa en arrière une mèche de cheveux qui tombait sur les yeux de sa nièce.) Il manque quelque chose d'essentiel à ta mère. Elle n'a peut-être pas le profil exact d'une sociopathe, mais, bon Dieu, c'est tout comme.

Avery en resta bouché bée.

— Carrie, tu viens de dire « bon Dieu » ! souffla-t-elle.

— Je sais ce que j'ai dit, et je parle en connaissance de cause.

L'enfant la rejoignit sur le lit.

— Je ne comprends pas, se plaignit-elle en s'accrochant à sa main.

— Je vais t'expliquer. Un sociopathe est un individu qui n'a pas de conscience. Et la conscience, c'est ce qui, à l'intérieur de ta tête, te signale que tu t'es mal comportée. À cause d'elle, tu te sens… mauvaise.

— Comme quand j'ai raconté à mamie que j'avais

travaillé mon piano, alors que ce n'était pas vrai ? J'étais une gentille fille d'après elle, mais je savais bien que non puisque j'avais menti. Et je me suis sentie mauvaise.

— Voilà. Ta mère n'avait pas de cœur et pas d'âme non plus. Je t'assure.

— Un cœur et une âme pareils que dans la chanson que tu chantes tout le temps ?

— Oui. Jilly est incapable d'éprouver des sentiments si elle ne peut pas en tirer un bénéfice.

Avery s'appuyait contre elle en la fixant avec ses merveilleux yeux bleu-violet, tellement plus beaux que ceux de sa mère. Carrie lisait presque l'innocence et la bonté de cette enfant en eux.

— Jilly se soucie trop de sa petite personne pour s'attacher à qui que ce soit, ajouta-t-elle, mais ne perds pas ton temps à te poser les mauvaises questions. Tu n'as rien à te reprocher. Tu me crois, n'est-ce pas ?

Avery acquiesça avec solennité.

— C'est la faute de ma vilaine maman.

— Oui.

— Et moi, j'ai une âme ?

— Bien sûr. Tout le monde en a une à part ta mère.

— Et Whiskers, il en avait une avant de mourir ?

— Peut-être, concéda Carrie en songeant au chaton que sa sœur avait cruellement tué.

— Où elle est ?

— Ton âme ? (Carrie réfléchit quelques secondes.) Enveloppée autour de ton cœur. Elle est aussi pure que celle d'un ange, et j'ai bien l'intention de t'aider à la conserver ainsi. Tu n'as rien de commun avec Jilly, Avery.

— Je lui ressemble pourtant.

— Ton apparence physique est secondaire. C'est ce qu'il y a en toi qui compte.

— Elle vous déteste aussi, mamie et toi ?

— Je pensais avoir été claire, s'énerva sa tante. Jilly n'aime personne en dehors d'elle-même. Elle n'aime pas mamie, elle ne m'aime pas, et elle ne t'aime pas. Tu saisis ?

Avery hocha la tête.

— Je peux jouer avec les bijoux maintenant ?

Carrie sourit. La fillette était passée à des préoccupations plus importantes. Elle l'observa prendre place devant sa coiffeuse et farfouiller dans la boîte.

— Tu sais quelle est ta plus grande chance dans la vie ?

— Que tu sois ma tante, répliqua Avery sans lui faire face.

— Vraiment ? s'étonna Carrie, ravie. Pourquoi donc ?

— Parce que tu me l'as dit.

— Oui, eh bien il y a mieux encore.

— Quoi ?

— Tu ne grandiras pas comme moi en ayant tout le temps peur. Jilly ne reviendra pas... jamais. Voilà ta plus grande chance.

Un frisson lui parcourut l'échine sitôt ces mots prononcés. Tentait-elle le diable en fanfaronnant ainsi ? Pouvait-on faire surgir un démon rien qu'en niant son existence ? Ce froid dans le dos lui parut une prémonition. Mais non, voyons. Elle s'alarmait sans raison. Chassant ces lugubres pensées de son esprit, elle se remit au travail.

La semaine suivante fut bien remplie. Avery choisit du rose pour les murs de sa future chambre et Carrie y ajouta des moulures blanches. Au final, la pièce avait des allures de gros chewing-gum Malabar, mais Avery l'adorait. Elle y fut installée dès le dimanche après-midi. Pour sa dernière nuit à Sheldon Beach, Carrie dormirait dans le vieux canapé convertible de la fillette.

Leur menu ce soir-là comporta ses plats favoris, tous ceux qu'elle s'interdisait dans le cadre de son régime perpétuel : poulet frit, purée nappée de sauce et haricots mijotés dans de la graisse. Bien que Lola eût également préparé une salade composée avec les légumes du jardin, Carrie y toucha à peine. Elle avait décidé de s'accorder une journée de répit – une merveilleuse journée à pouvoir manger sans culpabiliser –, et elle se resservit de tout avec enthousiasme.

Après le repas, Lola lut une histoire à Avery et la borda

dans son lit. Carrie vint ensuite l'embrasser, puis descendit boucler ses bagages.

Une tâche menant à une autre, il était plus de vingt-trois heures lorsqu'elle remonta à l'étage. Lola dormait déjà. Carrie glissa un œil dans la chambre d'Avery – comme elle allait lui manquer, sa petite princesse – et faillit éclater de rire à la vue de sa nièce allongée sur le dos au milieu de son grand lit, un vieil ours en peluche dans les bras. L'enfant ne portait pas moins de cinq colliers et quatre bracelets. Un diadème terni, qui avait perdu la plupart de ses pierres en verre, penchait de travers sur sa tête. Carrie s'assit au bord du lit et entreprit de lui ôter ses colifichets sans la réveiller.

Elle les rangea dans leur boîte et ressortit à pas feutrés.

— Bonne nuit, Carrie, chuchota Avery.

Le temps qu'elle se retourne, la fillette avait déjà les yeux clos. La douce lueur émanant des réverbères de la rue lui donnait l'air d'un chérubin, et Carrie songea qu'elle ne l'aurait pas aimée davantage si elle avait été sa propre fille. Un désir de la protéger la submergea soudain, et l'idée de partir lui sembla exécrable. Elle avait trop l'impression de l'abandonner.

Il le faut pourtant, se répéta-t-elle. L'avenir d'Avery dépendait d'elle. Une fois à l'abri du besoin, elle serait en mesure d'offrir à sa mère et à sa nièce le style de vie qu'elles méritaient. Certes, elle s'en voulait de les laisser seules, mais il n'était pas question que cela entrave ses projets. Elle avait des buts et des rêves à concrétiser, dont Avery et Lola faisaient partie intégrante.

— J'ai pris la bonne décision, murmura-t-elle en longeant le couloir vers la salle de bains.

Elle tentait encore de s'en convaincre en entrant dans la douche.

Carrie venait juste d'ouvrir à fond le robinet quand un claquement de portières et un rire grave tirèrent Avery de son sommeil. Elle bondit à la fenêtre. Dehors, à côté d'une voiture cabossée, un couple discutait.

L'homme, aussi brun que sa compagne était blonde, serrait quelque chose dans sa main. Avery les épia en se collant contre le mur à côté de sa fenêtre, de peur qu'ils ne l'aperçoivent et ne lui disent de se mêler de ses affaires. L'inconnu leva une bouteille et but longuement au goulot avant de la tendre à la femme, qui fit de même.

Que fabriquaient-ils devant la maison de sa mamie ? Avery s'agenouilla derrière ses rideaux et vit la femme pivoter sur ses talons et s'engager dans leur allée. Le type ne bougeait pas, lui. Appuyé contre l'aile de la voiture, pieds croisés, il vida la bouteille qu'il envoya ensuite rouler sur la chaussée. Avery poussa une exclamation qui se fondit dans le bruit du verre brisé. C'était mal de jeter des détritus par terre, lui avait appris Lola.

L'homme surveillait les environs, aussi la fillette se redressa-t-elle pour mieux l'examiner. Elle distingua un objet qui dépassait de sa poche au moment où il revint vers son véhicule. Qu'était-ce ? Une canette ?

Avery laissa échapper un nouveau cri. Ce que l'homme sortit de sa poche n'avait rien d'une canette. C'était un revolver noir, luisant, semblable à ceux qu'elle avait vus à la télévision.

Elle était trop excitée pour s'affoler. Quand elle raconterait ça à Peyton ! Devait-elle avertir mamie et Carrie ? Peut-être appelleraient-elles un gentil policier qui se dépêcherait alors d'embarquer ce sale bonhomme.

Avery sursauta en entendant quelqu'un frapper violemment à la porte d'entrée. Ce devait être la dame qui voulait parler à sa grand-mère.

Une série de jurons accompagnèrent les coups. Avery courut se réfugier sous ses couvertures au cas où Lola viendrait s'assurer de son sommeil avant de descendre ordonner à cette femme d'arrêter son vacarme. Elle devinait sans mal ce qu'elle lui dirait. « Vous essayez de réveiller les morts ? » Oh oui, ça ne faisait aucun doute. C'était ce qu'elle reprochait toujours à Carrie quand celle-ci mettait la télévision ou la chaîne hi-fi trop fort. Mais si Lola la trouvait debout, alors elle ne saurait jamais ce qui se tramait.

Il faut parfois mal agir pour glaner des informations importantes. Peyton lui avait affirmé que ce n'était pas un crime d'écouter les autres en cachette, du moment qu'on ne rapportait à personne ce qu'on avait entendu.

Les coups redoublèrent de violence et la femme hurla à Lola de la laisser entrer.

Celle-ci ouvrit la porte. L'inconnue vociféra encore, et ses mots parvinrent distinctement aux oreilles d'Avery, qui n'éprouva soudain plus la moindre curiosité à son égard. Terrifiée, elle rejeta le drap, sauta à terre et rampa à plat ventre sous le lit. Là, elle se roula en boule, les genoux sous le menton. Elle était une grande fille, trop grande pour pleurer. Les larmes qui roulaient sur ses joues étaient simplement dues au fait qu'elle fermait les yeux si fort. Elle plaqua les mains sur ses oreilles pour étouffer ces cris abominables.

Avery avait compris qui était la méchante dame. C'était sa vilaine maman, Jilly, qui était venue la chercher.

1

L'attente rendait Avery folle. Assise dans son box de travail, dos au mur et jambes croisées, elle tambourinait du bout des doigts sur son bureau, une poche de glace sur son genou blessé. Pourquoi était-ce si long ? Pourquoi Andrews ne l'avait-il pas encore convoquée ? Elle fixa le téléphone en le sommant mentalement de sonner. Rien. Pas un bruit. Elle fit pivoter sa chaise et, pour la énième fois, consulta son horloge à affichage numérique : 10 h 5, soit la même heure que dix secondes plus tôt. Enfin quoi, elle aurait déjà dû avoir des nouvelles.

Mel Gibson se leva et se pencha par-dessus la cloison qui séparait leurs box respectifs afin de lui jeter un regard compatissant. Ce nom était bel et bien le sien, même s'il estimait qu'il le freinait dans sa carrière parce que personne au FBI ne le prendrait jamais au sérieux avec un tel patronyme. Il n'en refusait pas moins de le changer légalement en « Brad Pitt », ainsi que ses charitables collègues le lui avaient suggéré.

— Salut Brad, lança Avery, testant comme les autres ce prénom pour voir s'il lui allait.

Il avait déjà eu droit à « George Clooney » la semaine précédente, ce qui l'avait tout autant irrité qu'à cet instant.

— Ce n'est pas George, ni Brad, ni Mel, mais *Melvin*. Tu devrais le savoir !

Elle préféra l'ignorer. Grand, excentrique, avec une pomme d'Adam très proéminente, Mel avait la manie agaçante d'utiliser son majeur pour remonter ses épaisses lunettes sur son nez. Margo, une autre de leurs collègues, soutenait qu'il le faisait exprès. C'était sa manière de leur montrer à tous trois combien il se sentait supérieur à eux.

Avery ne partageait pas son avis. Mel se conformait trop à une éthique, d'après lui indissociable du FBI, pour adopter sciemment un comportement si déplacé. Dévoué, responsable, bûcheur, ambitieux, il apportait à sa tenue un soin conforme au poste auquel il aspirait… à un petit détail près. Alors qu'il n'avait que vingt-sept ans, il évoquait par sa mise les agents des années 1950 : costumes noirs, chemises blanches à manches longues et à col boutonné, fines cravates noires, chaussures noires lustrées à motifs perforés, et coupe de cheveux très courte rafraîchie toutes les deux semaines chez le coiffeur.

Si l'on exceptait ses étranges habitudes – il était capable de citer n'importe quelle réplique du film *La police fédérale enquête*, dans lequel jouait James Stewart –, il constituait un coéquipier idéal, à l'esprit incroyablement vif. Il avait juste besoin de se décrisper un tantinet. Rien de plus.

— Franchement, tu n'es pas d'accord avec moi ? insista-t-il, l'air aussi inquiet qu'elle.

— Il est encore tôt, répondit-elle, avant de songer qu'il faisait allusion à sa plaisanterie sur son prénom. Tu as raison, nous devrions le savoir depuis le temps.

— Non, la corrigea-t-il. *Tu* devrais le savoir. Lou, Margo et moi ne sommes pour rien dans ta décision de faire intervenir la brigade antigang.

Seigneur, mais à quoi pensait-elle donc ?

— En clair, tu ne veux pas essuyer de critiques s'il apparaît que j'ai eu tort ?

— Je ne veux pas essuyer un blâme, surtout. Il me faut ce poste. Je n'en décrocherai jamais un qui soit aussi approchant de celui d'agent. Avec ma myopie…

— Oui, Mel.

— Melvin, la reprit-il aussitôt. Et les avantages sont conséquents.

Margo se joignit à la conversation.

— Mais la paie est minable.

— Les locaux aussi. Enfin bon... Ça reste le FBI, nuança Mel.

— Qu'est-ce que vous reprochez à nos locaux ? s'étonna Lou en se levant à son tour.

Son bureau jouxtait celui de Margo et d'Avery ; Mel et Avery, eux, se faisaient face. Surnommée affectueusement « le bagne », la pièce sordide dans laquelle ils travaillaient était située derrière la salle des machines, où chaudières et compresseurs produisaient un bruit insupportable.

— Non mais, honnêtement, qu'est-ce que vous leur reprochez ? répéta Lou, déconcerté.

Il se montrait aussi ingénu qu'à l'accoutumée – et aussi attachant, songea Avery. L'image de Pig-Pen, le personnage toujours sale de la BD *Snoopy*, s'imposait à elle chaque fois qu'elle le voyait. Lou était sans cesse débraillé. Si brillant fût-il, il semblait incapable de localiser sa bouche lorsqu'il mangeait, de sorte que ses habits étaient toujours maculés. Ce matin-là, une tache de beignet à la framboise dominait les traces d'encre noire laissées par son stylo à plume sur la poche de sa chemise.

— J'aime bien bosser ici, moi, déclara-t-il. C'est confortable.

— On est au sous-sol et on n'a pas de fenêtres, objecta Margo.

— Et alors ? Ce n'est pas pour autant qu'on est inutiles. On fait partie d'une équipe.

— J'apprécierais de faire partie d'une équipe qui dispose de fenêtres.

— On peut pas tout avoir. Hé ! Avery, comment va ton genou ? enchaîna-t-il sans transition.

Elle souleva délicatement la poche de glace et examina les dégâts.

— Il a désenflé.

— Que t'est-il arrivé ? s'enquit Mel – le seul à ignorer encore tous les détails de son accident.

— Une vieille dame a failli la tuer, lui expliqua Margo en passant les doigts dans ses courtes boucles brunes.

— Avec sa Cadillac, renchérit Lou. Dans son parking souterrain. La femme n'a pas dû la voir. Il faudrait vraiment introduire une limite d'âge au permis de conduire.

— Elle t'a renversée ? demanda Mel à Avery.

— Non. J'ai plongé sur le capot d'une Mercedes quand elle a surgi en trombe et je me suis cogné le genou. J'ai reconnu la Cadillac. Elle appartient à Mme Speigel, une dame qui vit dans mon immeuble. Elle doit avoir quatre-vingt-dix ans et n'est plus censée prendre le volant, mais je sais qu'elle se sert de sa voiture de temps en temps pour faire ses courses.

— Elle s'est arrêtée ?

— Non. Je pense qu'elle ne s'est même pas rendu compte de ma présence. Et à la vitesse où elle allait, je suis juste soulagée qu'il n'y ait eu personne d'autre sur son chemin.

— Tu as raison, Lou, intervint Margo. Il devrait y avoir un âge limite pour conduire. Avery nous a dit que cette femme était si petite qu'on voyait à peine sa tête dépasser du volant. Elle a juste distingué une masse de cheveux gris.

— Nos corps rapetissent avec les années, renchérit Mel. Tu imagines, Margo ? À quatre-vingt-dix ans, personne ne te verra plus.

— Je mettrai de plus hauts talons, répliqua sans se vexer l'intéressée, qui mesurait à peine un mètre cinquante-cinq.

Le téléphone sonna au même instant, interrompant leur discussion. Avery sursauta et jeta un œil à son horloge. 10 h 14.

— Nous y voilà, murmura-t-elle.

— Décroche, lui enjoignit anxieusement Margo.

Avery s'exécuta à la troisième sonnerie.

— Avery Delaney.

— M. Carter aimerait vous voir dans son bureau à 10 h 30, mademoiselle Delaney.

Elle reconnut la secrétaire de Carter à son accent du Maine.

— J'y serai.

Trois paires d'yeux la dévisagèrent lorsqu'elle reposa le combiné.

— Flûte, soupira-t-elle.

— Quoi ? la pressa Margo, la plus impatiente du groupe.

— Carter souhaite me parler.

— Oh-oh. Ça ne présage rien de bon, commenta Mel, avant d'ajouter, comme s'il regrettait ces paroles : Tu veux qu'on t'accompagne ?

— Tu ferais ça ? s'étonna-t-elle.

— Oui, même si je n'en ai aucune envie.

— Très bien. C'est moi qui porterai le chapeau.

— On devrait tous y aller, trancha Margo. Licenciement collectif. On est impliqués dans cette affaire nous aussi, non ?

— En effet, acquiesça Avery. Mais vous m'aviez déconseillé de m'adresser à Andrews. Vous vous souvenez ? Moi seule ai commis une faute.

Elle se redressa, plaça la poche de glace au sommet d'un meuble de rangement et prit sa veste.

— Ça ne présage rien de bon, répéta Mel. Ils court-circuitent la hiérarchie. Il faut vraiment qu'il y ait du grabuge pour que le chef du chef en personne s'en mêle. Carter vient juste d'être promu à la tête des opérations internes.

— Ce qui signifie qu'il est maintenant le chef du chef de notre chef, souligna Margo.

— Je me demande s'ils seront là tous les trois, s'interrogea Lou.

— Bon, marmonna Avery. Peut-être qu'ils désirent me virer chacun à leur tour. (Elle boutonna sa veste.) De quoi j'ai l'air ?

— De quelqu'un qu'on a tenté de renverser, répondit Mel.

— Tes collants sont troués, nota Margo.

— Je sais. J'étais persuadée d'en avoir une autre paire dans mon tiroir.

— J'en ai une, moi.

— Merci, Margo, mais tu es plus petite que moi. Mel, Lou, tournez-vous ou asseyez-vous.

Avery ôta ses collants sitôt ses collègues retournés puis rechaussa ses talons hauts.

Elle se mordait les doigts d'avoir mis un tailleur. Elle portait d'ordinaire un pantalon et un chemisier, mais, en raison d'un déjeuner prévu ce midi-là, elle avait opté pour l'élégance d'un ensemble Armani avec jupe fendue sur le côté.

— Attrape ! fit Margo en lui jetant une boîte. Ce sont des tailles uniques. Ils t'iront très bien. Et puis, tu n'as pas le choix. Tu connais le code vestimentaire.

Avery vérifia ses dires sur l'étiquette avant de se rasseoir.

— Merci.

Ses longues jambes lui firent craindre de déchirer les collants en les remontant jusque sur ses hanches, mais ça avait l'air de tenir.

— Tu vas être en retard, lui signala Mel alors qu'elle ajustait sa jupe.

Pourquoi n'avait-elle pas remarqué plus tôt combien celle-ci était courte ? L'ourlet lui arrivait tout juste au-dessus du genou.

— J'ai encore quatre minutes devant moi.

Elle se passa du gloss sur les lèvres, attacha ses cheveux et renfila ses chaussures. À cet instant seulement, elle nota que son talon droit menaçait de se détacher. Elle avait dû le casser en heurtant le capot de la voiture.

Trop tard, songea-t-elle. Elle inspira profondément, redressa le buste et boitilla vers le couloir. Une douleur lui vrillait le genou gauche à chaque pas.

— Souhaitez-moi bonne chance.

— Avery ! cria Mel. (Il attendit qu'elle se soit retournée pour lui lancer son badge.) N'oublie pas ça.

— Mouais, ils tiendront à me le confisquer avant de m'escorter vers la sortie.

— Hé ! intervint Margo. Vois les choses du bon côté : s'ils te flanquent dehors, tu n'auras pas à te soucier du travail qui s'accumulera pendant que ta tante et toi vous la coulerez douce dans cette station thermale.

— Je ne me suis pas encore décidée. Carrie croit toujours que j'accompagne des gamins en visite à Washington.

— Mais maintenant que ça a été annulé, c'est à toi d'être pouponnée.

— Margo a raison, tu devrais y aller, renchérit Lou. Tu pourrais séjourner un mois à Utopia et en profiter pour mettre ton CV à jour.

— Vous parlez d'un soutien, grommela Avery en s'éloignant sans un regard derrière elle.

Le bureau de Carter se trouvait quatre étages plus haut. Elle était plutôt du genre à emprunter les escaliers, histoire de faire un peu d'exercice, mais là, elle souffrait trop du genou et sa chaussure droite vacillait dangereusement. Le temps de rejoindre l'ascenseur, elle était épuisée. Elle ne cessait de ressasser les arguments qu'elle opposerait à son patron quand il exigerait d'elle des explications sur son récent comportement.

Les portes de l'ascenseur coulissèrent. Au moment où elle s'engageait dans la cabine, son talon se coinça dans l'interstice entre l'ascenseur et le couloir. Elle se baissa afin de le dégager, et les portes se refermèrent sur sa tête, l'entraînant dans une chute tandis que la cabine s'ébranlait.

Arrivée au quatrième, à peine remise de ses émotions, elle enfila clopin-clopant le couloir interminable qui menait au bureau de Carter. L'entrée vitrée était si loin qu'elle lisait à peine le nom gravé au-dessus de la poignée en laiton.

Du nerf, se tança-t-elle. Elle avait parcouru la moitié de

la distance quand elle s'arrêta pour vérifier l'heure et reposer sa jambe. Plus qu'une minute. C'était jouable, estima-t-elle en se remettant en marche. Elle souhaitait presque que la voiture de Mme Speigel l'ait vraiment rétamée. Elle n'aurait pas eu alors à fournir la moindre excuse, et Carter aurait pu l'appeler à l'hôpital pour lui signifier son renvoi.

Du nerf, se répéta-t-elle. À ce stade, la situation ne pouvait de toute façon guère empirer.

Et pourtant si. À la seconde même où elle poussait la porte, son collant commença à descendre sur ses hanches. Il ne tenait plus à grand-chose lorsqu'elle s'avança vers la réceptionniste, qui parut décontenancée par sa dégaine.

— Mademoiselle Delaney ?

— Oui.

— Vous êtes pile à l'heure. M. Carter appréciera. Il a un emploi du temps si chargé.

Avery se pencha vers elle alors qu'elle décrochait son téléphone pour l'annoncer.

— Y a-t-il des toilettes par ici ?

— Au bout du couloir, sur la gauche après les ascenseurs.

Avery se retourna et considéra les solutions qui se présentaient à elle : piquer un sprint le long du couloir pour se débarrasser de ces fichus collants – au risque d'être en retard à son rendez-vous –, ou bien…

— M. Carter va vous recevoir tout de suite, déclara la réceptionniste, interrompant le fil de ses pensées échevelées.

Elle demeura immobile.

— Vous pouvez entrer, insista l'autre.

— C'est juste que…

— Oui ?

Avery se raidit lentement. Le collant resta en place.

— J'y vais alors, fit-elle d'un air enjoué.

Elle pivota sans se départir de son sourire, agrippa le bord du bureau, puis s'efforça de marcher comme si sa chaussure était encore entière. Il n'y avait plus qu'à espérer que Carter, malgré son sens de l'observation très aiguisé, n'y verrait que du feu.

Grand, distingué, les cheveux grisonnants et le menton carré, Tom Carter se leva pour l'accueillir. Elle boitilla jusqu'au fauteuil situé en face de lui et, malgré son désir de se laisser tomber dedans, attendit qu'il l'invite à s'asseoir.

Carter tendit le bras par-dessus son bureau, et c'est à ce moment-là, alors qu'elle aussi s'inclinait vers lui, que son collant capitula. L'entrejambe glissa au niveau de ses genoux. Paniquée, Avery serra vigoureusement la main de son supérieur, et se rendit compte trop tard qu'elle n'avait pas lâché son talon. Elle n'avait pas transpiré autant depuis son examen d'entrée en troisième cycle universitaire.

— C'est un plaisir de vous rencontrer, monsieur. Un honneur, même. Vous vouliez me parler ? Seigneur, ce qu'il fait chaud ici ! Vous permettez que j'ôte ma veste ?

Malgré l'incohérence de ses propos, son commentaire sur la température de la pièce éveilla l'attention de Carter. Dieu merci, les rumeurs à son sujet étaient fondées : il possédait bien un thermostat individuel et aimait maintenir un froid glacial autour de lui. On se serait cru en Alaska.

Carter acquiesça avec enthousiasme et ne mentionna pas le talon tombé sur une pile de dossiers.

— Moi aussi je trouve qu'il fait chaud, mais mon assistante ne cesse de me répéter le contraire. Je vais baisser le chauffage d'un cran.

Sitôt qu'il eut le dos tourné, elle s'empara de son talon et, bien qu'il ne lui en eût pas encore donné la permission, s'affaissa sur son siège – en notant au passage que les dossiers portaient son nom et celui des autres membres du bagne. Elle déboutonna ensuite frénétiquement sa veste, l'enleva et en couvrit ses genoux.

Quelques secondes plus tard à peine, elle frissonnait de froid.

Du nerf. Tout irait bien. Une fois Carter assis, elle pourrait ôter lentement ses collants. Il ne s'apercevrait de rien.

Son plan était parfait et aurait probablement marché si Carter y avait mis du sien, mais il s'approcha d'elle au lieu de prendre place sur son fauteuil et s'appuya contre le bord de son bureau. Avery, qui était pourtant loin d'être petite, dut pencher la tête en arrière pour le fixer en face. Une drôle de lueur brillait dans ses yeux, ce qui lui confirma les rumeurs qui couraient à son sujet, sur le plaisir qu'il éprouvait à renvoyer les gens.

— J'ai remarqué que vous boitiez. Que vous est-il arrivé ? s'enquit-il en ramassant sa barrette, qui s'était détachée.

— Un accident.

Elle récupéra l'accessoire et le laissa choir sur sa jupe. La mine perplexe de Carter lui indiqua cependant que sa réponse ne l'avait pas satisfait.

— Une vieille… une très vieille dame, même, au volant d'une grosse voiture, a failli me renverser. Ça s'est passé dans mon parking. J'ai dû sauter sur le côté pour l'éviter et j'ai atterri sur le capot d'une Mercedes. C'est là que j'ai brisé mon talon et que je me suis blessée. (Avant qu'il ait pu commenter sa mésaventure, elle enchaîna rapidement.) En fait, le talon tenait encore juste après. Je l'ai cassé dans l'ascenseur, quand les portes se sont refermées sur ma tête. (Constatant qu'il la dévisageait comme si elle avait perdu l'esprit, elle s'excusa.) J'ai eu une matinée difficile, monsieur.

— Alors je m'armerais de courage si j'étais vous, répliqua-t-il d'une voix soudain sévère. Parce qu'elle est loin d'être finie.

Avery courba le dos à ces mots tandis que Carter allait enfin s'asseoir. Elle profita de l'occasion pour retirer son collant – l'entreprise s'avéra malaisée mais réalisable, et elle réussit cet exploit en ayant tout au plus l'air de gigoter nerveusement. Puis, pendant qu'il ouvrait son dossier et commençait à lire les notes qu'un autre ou lui-même avait rassemblées à son encontre, elle saisit ses bas et les roula en boule. Elle avait renfilé ses chaussures lorsqu'il leva les yeux sur elle.

— J'ai reçu un coup de fil de Mike Andrews, l'informa-t-il d'un ton toujours aussi sec.

— Et ? lâcha-t-elle, déjà démoralisée.

— Je pense que vous le connaissez ?

— Oui, monsieur. Mais pas très bien, se hâta-t-elle d'ajouter. Je me suis procuré son numéro et je l'ai appelé avant de quitter mon bureau.

— Vous l'avez persuadé d'envoyer une brigade antigang à la First National Bank, sur...

Il se plongea de nouveau dans ses fiches, à la recherche de l'adresse. Elle la lui débita et précisa :

— Près de la frontière de l'État.

— Dites-moi ce que vous savez sur ces braquages, la somma-t-il en croisant les bras et en s'adossant à son fauteuil.

Avery essaya de se détendre. Elle était en terrain sûr à présent. Elle maîtrisait la situation. Elle avait tapé elle-même les rapports de tous les agents et étudié toutes les bandes des caméras de surveillance ; par conséquent, cette affaire n'avait aucun secret pour elle.

— Ces voleurs se surnomment les Politiques, expliqua-t-elle. Ils sont trois.

— Continuez.

— Il y a eu trois attaques au cours des trois derniers mois. Des individus, tous vêtus de blanc, ont pénétré le 15 mars dans la première banque, la First National Bank and Trust, située dans la 12e Rue, trois minutes exactement après l'ouverture. Ils ont menacé le personnel et un client avec leurs revolvers, mais n'ont pas fait feu. Celui qui criait les ordres a pressé un couteau sur la gorge du garde. Il l'a poignardé au moment où les deux autres couraient vers la porte et a abandonné son arme par terre avant de s'enfuir. Le garde n'avait rien tenté qui justifiât un tel geste. Il n'y avait aucune raison de le tuer.

— En effet.

— La deuxième attaque s'est produite le 13 avril à la Bank of America, dans l'État du Maryland, et a coûté la vie à la directrice de l'agence. Le chef du groupe s'apprêtait à sortir quand il s'est retourné et lui a tiré une balle à bout portant – là encore sans raison apparente, parce que les employés avaient tous coopéré de leur mieux.

— Et le troisième vol ?

— Celui-là s'est déroulé le 15 mai à la Goldman's Bank and Trust, toujours dans l'État du Maryland. Comme vous le savez, ils sont montés d'un cran dans la violence. Deux personnes ont été abattues et une troisième laissée pour morte. C'est un miracle qu'elle ait survécu.

— D'accord, jusqu'ici les choses sont claires. Maintenant, j'aimerais comprendre comment vous avez deviné qu'une petite agence de la First National Bank en Virginie serait leur prochaine cible.

Son regard la déstabilisa, si bien qu'elle baissa la tête pour réfléchir avant de l'affronter de nouveau. Elle se souvenait bien sûr des étapes de son raisonnement, mais les exposer à son chef n'allait pas être simple.

— Je suppose que mon angle d'approche y est pour beaucoup. Tout était là, dans ce dossier… enfin presque tout.

— Personne d'autre ne s'en est aperçu, souligna-t-il. Trois établissements différents avaient été visés, et pourtant vous avez convaincu Andrews qu'ils s'en prendraient une nouvelle fois à la First National.

— Oui, en effet.

— Vous avez fait preuve d'une force de persuasion… remarquable.

— Pas vraiment, rétorqua-t-elle pour tempérer ses propos, en espérant qu'Andrews ne lui avait pas rapporté toute leur conversation.

— Vous vous êtes servie de mon nom.

Elle grimaça intérieurement.

— Oui, monsieur.

— Vous avez affirmé à Andrews que l'ordre émanait de moi. Est-ce exact, Delaney ?

Nous y voilà, pensa-t-elle. La grande scène du « Vous êtes virée » !

— Oui, monsieur.

— Tenons-nous-en d'abord aux faits, voulez-vous ? Je voudrais élucider un point : les Politiques ont frappé le 15 mars, le 13 avril et le 15 mai. Nous ignorions pourquoi ils avaient choisi ces dates précises, mais pas vous, n'est-ce pas ? C'est ce que vous avez déclaré à Andrews, lui rappela-t-il. Sans toutefois lui fournir d'explications.

— Le temps pressait.

— Plus maintenant. Comment êtes-vous arrivée à vos conclusions ?

— Grâce à Shakespeare, monsieur.

— Shakespeare ?

— Oui, monsieur. Les hold-up suivaient tous le même schéma opérationnel, un peu à la façon d'un rituel. Je me suis donc procuré le détail des opérations bancaires réalisées au cours de la semaine précédant le premier braquage, et j'ai procédé de même avec les deux autres banques. Je me disais qu'un lien quelconque finirait bien par apparaître entre ces vols. (Elle se tut un instant et secoua la tête.) Mon bureau croulait sous les listings, mais j'ai effectivement mis le doigt sur un élément curieux. Par chance, j'avais aussi les fichiers informatiques de ces agences et j'ai pu tout vérifier sur ordinateur.

Carter se massa la mâchoire, ce qui la perturba. Elle sentait son impatience.

— Je n'en ai plus pour très longtemps, monsieur. La première banque a été attaquée le 15 mars. Cette date ne vous évoque rien ? (Avant qu'il ait pu répondre, elle se lança.) Les ides de mars ? Jules César ?

Il acquiesça.

— La pièce de théâtre devait trotter dans un coin de ma tête hier soir pendant que j'étudiais ces données parce que j'ai remarqué qu'un certain Nate Cassius avait effectué un retrait à un distributeur automatique. Je n'avais pas encore reconstitué tout le puzzle alors, admit-elle, mais je me suis rendu compte que, si je ne me trompais pas – et je priais pour ça –, le chef des Politiques semait des indices derrière lui. Peut-être jouait-il à un jeu tordu avec nous. Peut-être aussi attendait-il de voir combien de temps il nous faudrait pour saisir son manège.

Toute l'attention de Carter était à présent rivée sur elle.

— Ensuite ?

— Comme je vous l'ai dit tout à l'heure, les dates me posaient problème... du moins jusqu'à ce que j'entreprenne des recherches. En consultant le calendrier romain, j'ai découvert que le jour des ides avait été déterminé en même temps qu'était calculée la durée des différents mois. Nous savons grâce au *Jules César* de Shakespeare que celles de mars tombent le 15. Seulement, ce n'est pas toujours le cas. Certaines tombent aussi le 13. À partir de là, j'ai examiné les noms des personnes qui s'étaient servies des distributeurs automatiques des deux autres banques la semaine avant leur braquage, et devinez quoi ?

— Nate Cassius figurait sur les relevés ?

— Non. Mais un certain William Brutus, oui, ainsi qu'un Mario Casca la fois suivante... De plus, ces opérations précédaient les attaques de deux jours exactement, ce qui porte à croire qu'ils en profitaient pour repérer les lieux.

— Continuez.

— Ce n'est qu'à la dernière minute que tout s'est éclairé. Auparavant, j'ai dû éplucher les transactions des différentes banques de la région depuis le 11 du mois.

— En raison de ce décalage de deux jours entre les retraits et les hold-up ?

— Oui. J'ai passé une bonne partie de la nuit à tester mon hypothèse à l'aide des fichiers informatiques dont je disposais, et il s'est avéré que j'avais vu juste. Un dénommé John Ligarius avait retiré de l'argent à la First National à 3 h 45 du matin. Les noms de Cassius, Brutus, Casca et

Ligarius correspondaient à ceux des conjurés contre César. Je n'ai pas eu le temps d'enquêter sur les propriétaires de ces cartes de crédit, mais j'ai constaté que chacune avait été émise par une banque d'Arlington. Tout concordait. Ligarius s'était manifesté dans une agence de la First National Bank. Par conséquent, celle-ci était leur prochaine cible. J'ai estimé alors qu'il n'y avait pas une minute à perdre. Seulement, mon supérieur, M. Douglas, n'était pas disponible. Il venait de filer prendre un avion et il m'était impossible de le joindre. J'ai donc agi de ma propre initiative. Je préférais me tromper et être licenciée plutôt que garder le silence et apprendre après coup que j'avais raison. Monsieur, mes conclusions et les choix qui en ont découlé apparaîtront dans le rapport que je suis en train de taper. Vous remarquerez à sa lecture que j'assume l'entière responsabilité de mes actes. Mes coéquipiers ne sont pour rien dans ma décision d'appeler Andrews. Je précise cependant à ma décharge, se hâta-t-elle d'ajouter, que je suis titulaire d'une maîtrise, tout comme les membres de mon département, et que nous faisons ensemble du bon travail. Nous ne sommes pas de simples sténodactylos tout juste aptes à entrer les notes des agents dans des ordinateurs. Nous analysons les renseignements que nous recevons.

— Nos programmes informatiques aussi.

— Oui, sauf qu'ils n'ont ni cœur ni instinct, contrairement à nous. Et puisque nous en sommes à discuter de compétences professionnelles, j'aimerais attirer votre attention sur le fait que le salaire minimum a été revalorisé, mais pas le nôtre.

— Vous me réclamez une augmentation ! s'exclama-t-il, médusé.

Elle cilla. Peut-être était-elle allée trop loin. Enfin, quitte à être renvoyée, autant que Lou, Mel et Margo en tirent un bénéfice. Elle eut une brusque bouffée de colère en songeant combien ses collègues et elle étaient sous-évalués. Bras croisés, elle fixa son chef droit dans les yeux.

— Après avoir discuté de cette affaire avec vous, je suis

de plus en plus convaincue d'avoir fait ce qu'il fallait. Je n'avais pas d'autre choix que d'avertir Andrews et il n'aurait pas bougé le petit doigt si je ne lui avais pas dit que l'ordre émanait de vous. Bien sûr, j'ai outrepassé mes pouvoirs, mais il y avait urgence et…

— Ils les ont arrêtés, Avery.

Elle s'interrompit net.

— Pardon ?

— Andrews et ses hommes les ont arrêtés.

— Tous ? s'enquit-elle, désarçonnée par cette nouvelle.

Carter hocha la tête.

— Ils faisaient le guet quand trois individus ont attaqué la banque à 10 h 3 précises.

— Il y a eu des blessés ?

— Non.

— Dieu merci, soupira-t-elle.

— Les braqueurs étaient habillés en blanc. Avez-vous une idée de ce que cette couleur symbolise pour eux ?

— C'est celle des toges que portaient les sénateurs romains.

— Les interrogatoires sont en cours, mais j'imagine que vous connaissez déjà les raisons de leur comportement.

— Ils se considèrent probablement comme des anarchistes en lutte contre le gouvernement. Ils vous raconteront qu'ils essaient d'abattre César et se poseront peut-être même en martyrs, mais vous savez quoi ? Une fois gratté ce vernis de pacotille, on en revient toujours au même mobile : la cupidité. Ils se voulaient juste plus malins que les autres, c'est tout.

Avery souriait, assez contente d'elle, quand une pensée lui traversa l'esprit.

— Vous m'avez prévenue que les choses n'allaient pas s'arranger pour moi ce matin, lui rappela-t-elle. Qu'entendiez-vous par là ?

Il jeta un coup d'œil à l'horloge.

— Une conférence de presse va avoir lieu dans dix minutes, et vous en serez la vedette. Je crois que vous détestez être sous le feu des projecteurs. Moi aussi, figurez-vous, seulement cela relève de nos obligations.

Avery sentit la panique l'envahir.

— Il serait plus logique que Mike Andrews et son équipe s'en chargent. Ce sont eux qui ont interpellé les suspects. Je n'ai fait que mon travail.

— Êtes-vous modeste ou bien… ?

— Monsieur, je préférerais encore subir la roulette du dentiste, l'interrompit-elle en se penchant vers lui.

Il retint un sourire, mais ses yeux brillaient du même éclat qu'au début de leur conversation.

— Votre aversion est bien ancrée, à ce que je vois.

— Oui, c'est le moins qu'on puisse dire. (Même si elle appréciait ses efforts pour détendre l'atmosphère, elle ne parvenait pas à se défaire d'une appréhension grandissante.) Me permettez-vous une question ?

— Bien sûr.

— Pourquoi mon dossier se trouve-t-il sur votre bureau ? J'ai suivi la procédure… autant que possible. Et si vous n'avez pas l'intention de me renvoyer…

— Je désirais me familiariser avec votre département, l'informa-t-il en attrapant la chemise cartonnée.

— Et pourquoi ?

— Vous allez avoir un nouveau supérieur.

Cela ne l'enchanta guère. Lou, Mel, Margo et elle entretenaient de bons rapports avec Douglas. Le changement s'annonçait difficile.

— M. Douglas part à la retraite, alors ? Il en parlait depuis longtemps.

— Effectivement.

Flûte, songea-t-elle.

— Puis-je vous demander qui le remplacera ?

Carter leva les yeux.

— Moi, fit-il, avant de marquer une pause – le temps pour elle d'assimiler l'information. Vous passerez tous les quatre dans mon service.

— Et nous aurons de nouveaux bureaux ?

Son enthousiasme fut toutefois vite tempéré.

— Non, vous conserverez les mêmes, mais vous me rendrez directement compte de votre travail à partir de lundi matin.

— Il nous faudra donc grimper quatre étages chaque fois que nous aurons à vous consulter ? lança-t-elle d'un air faussement enjoué.

Elle avait conscience de se comporter en pleurnicharde, mais il était trop tard pour retirer ses paroles.

— Des ascenseurs sont à votre disposition et la plupart de nos employés sont capables de les emprunter sans se coincer la tête entre les portes.

— Bien, monsieur, dit-elle en refusant de se laisser démonter. Et serons-nous augmentés par la même occasion ? Nous aurions tous dû être soumis à une évaluation depuis longtemps.

— La vôtre a lieu en ce moment.

— Oh… Comment je m'en sors ?

— Nous en sommes à la partie entretien. C'est donc moi qui interroge et vous qui répondez.

Il ouvrit son dossier et commença à lire la lettre de motivation qu'elle avait rédigée lorsqu'elle avait postulé à cette place. Puis il prit rapidement connaissance de ses antécédents.

— Vous avez vécu avec votre grand-mère, Lola Delaney, jusqu'à l'âge de onze ans.

— C'est exact.

Elle l'observa tandis qu'il feuilletait les pages et confrontait faits et dates. Elle aurait voulu le prier de justifier ce besoin de retracer son parcours, mais elle savait qu'elle paraîtrait sur la défensive, voire agressive, si elle s'y risquait. Elle préféra donc y renoncer. Carter était son nouveau chef. Mieux valait lui donner une première impression positive.

— Lola Delaney a été tuée le soir du…

— 14 février, compléta-t-elle d'une voix neutre. Le jour de la Saint-Valentin.

— Vous avez été témoin de la scène ?

— Oui.

Il se replongea dans ses fiches.

— Dale Skarrett, son assassin, était déjà recherché. Un mandat d'arrêt avait été délivré contre lui suite au braquage d'une bijouterie, qui s'était soldé par la mort du gérant et la disparition de pierres brutes pour un montant de plus de quatre millions de dollars. Les diamants n'ont jamais été retrouvés et Skarrett n'a donc pas été officiellement inculpé.

— Seules des présomptions pesaient contre lui. Elles n'auraient pas suffi à le faire condamner.

— En effet. Jill Delaney elle aussi a été recherchée pour être entendue sur cette affaire.

— Oui, monsieur.

— Elle n'était pas présente le soir où votre grand-mère a été assassinée.

— Non, mais je suis certaine que c'est elle qui avait chargé Skarrett de me kidnapper.

— Et vous ne vous êtes pas laissé faire.

Avery commençait à avoir une boule à l'estomac.

— Non.

— Personne n'a su ce qui s'était passé jusqu'au lendemain matin, et, le temps que la police arrive, Skarrett s'était volatilisé depuis longtemps. Quant à vous, vous étiez dans un état critique.

— Le policier qui m'a trouvée pensait que j'étais morte.

— Vous avez été transportée en hélicoptère à l'hôpital pour enfants de Jacksonville. Un mois plus tard, une fois remise de vos blessures – un miracle étant donné leur gravité –, votre tante Carolyn vous a emmenée chez elle, à Bel Air, en Californie. C'est là que Skarrett s'en est de nouveau pris à vous, n'est-ce pas ?

Elle sentit croître sa nervosité.

— J'étais le seul témoin susceptible de l'envoyer finir ses jours en prison. Heureusement, un ange gardien veillait sur moi puisque j'étais protégée par le FBI à mon insu. Skarrett a surgi un jour devant mon école juste à la sortie des classes.

— Il n'était pas armé et a soutenu plus tard qu'il voulait juste vous parler. Il a été arrêté, condamné pour meurtre, et il purge actuellement sa peine en Floride, résuma Carter. Sa demande de remise en liberté conditionnelle a été rejetée il y a quelques années. La prochaine doit bientôt être examinée.

— Oui, je suis en contact avec le bureau du procureur et je serai avisée de la date de l'audience dès qu'elle aura été fixée.

— Vous devrez y aller.

— Je ne raterai ça pour rien au monde, monsieur.

— Et qu'en est-il de ce nouveau procès ? s'enquit Carter en tapotant les papiers. Ça m'intrigue. Pourquoi son avocat estime-t-il légitime son action en recours ?

— J'ai peur qu'elle le soit. Le dossier qu'il a déposé accuse le procureur d'avoir tu des informations capitales. Ma grand-mère était cardiaque et, bien que son médecin traitant l'ait signalé aux autorités après avoir appris sa mort dans le journal, cette information n'a pas été transmise à l'avocat de Skarrett.

— Mais vous n'avez pas encore l'assurance qu'il sera rejugé ?

— Non, monsieur.

— Revenons-en à vous, décida-t-il.

Avery refusa toutefois de coopérer plus longtemps.

— Monsieur, excusez-moi mais… pourquoi mon passé vous intéresse-t-il autant ?

— Vous êtes soumise à une évaluation, se contenta-t-il de répliquer. Deux semaines après la condamnation de Skarrett, Jill Delaney a péri dans un accident de voiture.

— Oui.

Même si elle gardait peu de souvenirs de son enfance, Avery n'avait pas oublié le coup de fil qui avait annoncé la mort de sa mère. Ce jour-là, elle fêtait l'anniversaire de

Carrie – avec retard en raison de son séjour à l'hôpital. Un entrepreneur de pompes funèbres avait appelé en plein milieu du repas pour dire que Jilly avait été brûlée vive dans un grave accident de la route, mais que ses restes pouvaient être réunis dans une urne funéraire. Il voulait donc savoir ce que Carrie souhaitait faire de ses cendres et de ses effets personnels, lesquels comprenaient un permis de conduire calciné. Debout devant la fenêtre, Avery avait entendu sa tante ordonner à l'homme de jeter le tout à la poubelle. Cet instant était resté gravé dans sa mémoire dans ses moindres détails.

Carter changea brusquement de sujet, l'obligeant à se concentrer sur leur conversation.

— Vous avez fait vos études à l'université de Santa Clara, où vous avez décroché un diplôme de psychologie, options sciences politiques et histoire, avec une mention très bien. Vous êtes ensuite allée à Stanford passer une maîtrise en droit pénal. (Sur ces mots, il referma son dossier.) Vous déclarez dans votre lettre de motivation que vous avez décidé de devenir agent du FBI à douze ans. Pourquoi ?

Il connaissait déjà ses raisons – elles figuraient dans sa lettre.

— Un agent du nom de John Cross m'a sauvé la vie. S'il n'avait pas veillé sur moi… si Skarrett m'avait enlevée à la sortie de l'école, je ne serais plus là aujourd'hui.

— Vous avez cru que vous parviendriez à changer le monde en travaillant pour le FBI.

— Oui.

— Alors pourquoi n'enquêtez-vous pas sur le terrain ?

— La faute à la bureaucratie. J'ai n'ai pu obtenir que mon poste actuel. J'envisageais de patienter encore six mois avant de demander une nouvelle affectation.

L'assistante de Carter les interrompit.

— Monsieur Carter, on vous attend.

La panique s'empara d'Avery.

— Monsieur, c'est à Mike Andrews de tenir cette conférence. Les honneurs lui reviennent, à lui et à son équipe.

— Écoutez, aucun d'entre nous n'aime ça, déclara-t-il sèchement, mais l'affaire est médiatique et, franchement, la plupart des gens rêveraient de voir leur travail reconnu à sa juste valeur.

— Mes coéquipiers et moi préférerions une augmentation… et des fenêtres, monsieur. Nous apprécierions beaucoup d'avoir des fenêtres. Vous rendez-vous compte que nos bureaux sont situés derrière la salle des machines ?

— L'espace est une denrée rare, rétorqua-t-il. Et où êtes-vous allée chercher que nous menions une négociation ?

— Monsieur, se raidit-elle, une évaluation…

— Vous m'avez affirmé que vous aviez pris seule la décision de vous adresser à Andrews.

— Oui, mais les autres… y ont contribué. Oui, monsieur, ils y ont contribué en épluchant tous les documents bancaires avec moi.

Il plissa un œil.

— Vous avez conscience que ce n'est pas un mensonge qui vous aidera à avoir gain de cause, tout de même ?

— Mel, Lou, Margo et moi formons une équipe. Ils m'ont vraiment épaulée, insista-t-elle. Simplement, ils n'étaient pas aussi convaincus que moi de…

La sonnerie de l'interphone retentit.

— J'arrive ! lança Carter avec impatience dans le micro.

Il attrapa sa veste et l'enfila en fixant Avery d'un air courroucé.

— Détendez-vous, Delaney, dit-il enfin. C'est bon pour cette fois. Je ne vous forcerai pas à faire cette conférence.

Le soulagement fut tel qu'elle se sentit vidée de toutes ses forces.

— Merci, monsieur.

Son collant toujours caché sous sa veste, elle s'apprêtait à lui emboîter le pas lorsqu'il lui lança :

— N'utilisez plus jamais mon nom sans ma permission, Delaney.

— Oui, monsieur.

— Encore une chose.

— Oui ?

— Bon travail.

2

« Le mariage n'est pas fait pour les âmes sensibles. Le mari et la femme doivent tous deux laisser les enfants qui vivent en eux se jouer de sales tours s'ils veulent que leur couple perdure. Ils doivent les laisser se rouler dans la boue. Les erreurs sont inévitables, bien sûr, mais une bonne douche d'amour et de pardon lavera leur union, et le temps de la réconciliation commencera alors. »

Foutaises que tout ça. Incrédule, Carolyn Delaney Salvetti écoutait d'une oreille son conseiller conjugal lui débiter les sornettes tirées de son guide pratique, publié à compte d'auteur et intitulé *Laissez l'enfant qui vit en vous se rouler dans la boue.*

Elle remonta en catimini la manche de son chemisier afin de consulter sa montre. Encore dix minutes. Seigneur, tiendrait-elle jusqu'au bout ?

Elle s'enfonça dans son fauteuil et opina sagement du chef. L'essentiel était que son mari et cet imbécile la croient attentive.

« Le mariage n'est pas pour les âmes sensibles… », répétait le conseiller de sa voix nasillarde et traînante de baryton, qui excédait Carrie.

Ce charlatan pompeux, grassouillet et flatulent insistait pour qu'on l'appelle Dr Pierce, car son nom complet, Dr Pierce Ebricht, lui semblait trop solennel pour une discussion si intime. Après tout, il était censé les aider à vider leur sac. Carrie le surnommait le Schnock depuis leur première séance. Son mari, Tony, l'avait choisi parce qu'il était *in*. L'homme passait en effet pour être le dernier gourou à la mode chez qui les riches et célèbres se pressaient afin de redonner un second souffle à leur mariage. Sauf qu'il avait tout d'un bouffon.

Il fallait reconnaître que Tony aussi. Assis à côté de Carrie, ses paumes moites pressées l'une contre l'autre comme s'il priait, l'air sérieux, il hochait la tête en signe d'approbation chaque fois que leur conseiller interrompait la lecture de sa bible pour lever les yeux sur eux.

Carrie ne pouvait que se mordre la lèvre pour ne pas éclater de rire… ou hurler. Bon sang ! ce qu'elle avait envie de hurler. Mais elle n'osait pas. Elle avait conclu un marché avec l'ordure infidèle qui lui tenait lieu d'époux, et à moins de prétendre s'investir sincèrement dans le plan de sauvetage de leur couple, elle devrait lui verser une pension alimentaire jusqu'à la fin de sa vie – éventualité qui lui faisait froid dans le dos.

Tony descendait d'une longue lignée de centenaires ; les chances n'étaient donc pas du côté de Carrie. À quatre-vingt-six ans, vaille que vaille, l'oncle Enzo cultivait encore la vigne sur une minuscule parcelle située du bon côté de la Napa Valley et ne paraissait pas décidé à ralentir son activité. Son unique concession à une meilleure hygiène de vie avait été d'arrêter de fumer ses trois paquets journaliers de Camel sans filtre un an plus tôt et d'augmenter la quantité d'ail dont il assaisonnait tous ses plats – y compris ses toasts au petit déjeuner. Pour peu que Tony garde bon pied bon œil aussi longtemps que lui, Carrie se retrouverait à sec au moment de casser sa pipe, et elle n'aurait plus rien à léguer à la seule personne qu'elle avait jamais aimée, sa nièce Avery. Si, en revanche, elle coopérait en assistant aux dix séances prévues avec le Dr Schnock et que son mariage se révèle malgré tout un échec – une issue courue d'avance, selon elle –, alors Tony renoncerait à sa part de leur entreprise et ne lui réclamerait pas un sou de pension alimentaire. Il l'avait promis.

Cynique jusqu'au bout des ongles, Carrie n'accordait aucune valeur à la parole d'un homme qu'elle considérait comme un menteur et un voleur. Il manquait cent vingt-trois mille dollars sur un de leurs comptes professionnels. Bien qu'elle ne pût le prouver, elle soupçonnait Tony de les avoir détournés, sans doute pour offrir de coûteuses babioles à sa maîtresse. Le salaud. Afin de s'assurer qu'il ne se rétracterait pas, elle l'avait contraint à coucher sa promesse sur le papier avant de convoquer sa secrétaire et de lui demander d'être témoin de la signature du document. Lequel était à présent bien à l'abri dans son coffre de la First Commerce Bank.

Comment a-t-on pu en arriver là ? s'étonna-t-elle. Tony était pourtant un homme aimant et attentionné au début.

Elle revit la nuit où elle s'était réveillée en proie à d'atroces douleurs, vraisemblablement dues à une intoxication alimentaire – ils avaient dîné ce soir-là dans un nouveau restaurant thaï sur lequel ses amies ne tarissaient pas d'éloges. Fou d'inquiétude, Tony avait passé outre son refus d'aller à l'hôpital et l'avait conduite de force aux urgences. Il avait passé le restant de la nuit à la veiller, supporté ses plaintes et ses caprices, et lui avait offert des marguerites colorées, ses fleurs préférées.

Il possédait un tel charisme, alors. Il n'avait d'ailleurs pas changé à cet égard, ce qui expliquait peut-être pourquoi toutes les starlettes en herbe s'agglutinaient autour de lui. La tentation avait-elle été trop forte ? Après tout, elle-même ne rajeunissait pas et son visage accusait le poids des ans. Était-ce pour cette raison qu'il l'avait trompée ?

Elle jeta subrepticement un nouveau coup d'œil à sa montre et réprima un soupir. Dans cinq minutes, la dernière séance serait terminée et elle n'aurait plus à feindre l'amabilité devant le Dr Schnock. Ensuite, qu'on le veuille ou non, elle partirait suivre une petite cure de jouvence.

Ces vacances forcées allaient l'obliger à s'éloigner de sa compagnie, Star Catcher, pour la première fois en plus de huit ans, et cette perspective l'angoissait. Certes, elle pouvait compter sur des collaborateurs compétents, capables de résoudre le moindre problème en son absence, mais sa manie de tout contrôler était telle qu'elle ne supportait pas l'idée de laisser quiconque prendre une décision à sa place, ne serait-ce que pendant deux semaines. Selon Avery, Carrie avait une personnalité de type A : elle ne tolérait pas de rester inactive ou de s'ennuyer. Elle ne s'était même pas accordé de lune de miel après avoir épousé Tony. Leur court week-end à la Barbade lui avait paru une éternité loin de sa toute jeune société – un comble lorsque, comme elle, on était censé nager en plein bonheur.

La réservation d'une suite à la très sélecte station thermale d'Utopia lui était parvenue trois semaines plus tôt, juste après leur deuxième séance avec le Dr Schnock. Carrie avait parcouru l'invitation, imprimée en lettres dorées sur du papier gaufré, et s'était aussitôt persuadée que Tony tentait de lui faire quitter Los Angeles. Il avait beau s'être prétendu surpris, elle n'était pas dupe. Il la pressait depuis des mois de prendre quelques jours de repos et d'en profiter pour tenter de redresser la barre avec lui.

Malgré tous ses efforts, elle n'avait pas réussi à le lui faire admettre. Il avait juré ses grands dieux qu'il n'avait pas effectué cette réservation ni réglé son montant exorbitant. Et parce qu'il était encore plus têtu qu'elle, elle avait renoncé à lui tirer les vers du nez.

Au courrier était jointe une brochure détaillée sur les installations luxueuses et les soins offerts par la station, ainsi qu'une lettre comprenant divers témoignages d'illustres habitués des lieux.

Carrie avait entendu parler d'Utopia – comme tout le monde à Hollywood –, mais elle avait découvert à cette occasion seulement son succès auprès de la jet-set. Les tarifs pratiqués étaient de fait si élevés qu'elle n'avait jamais songé à s'y rendre.

Elle s'était sentie partagée. Que gagnerait-elle à aller là-bas ? Fréquenter les restaurants en vogue de Los Angeles revêtait une importance capitale parce que l'on y était remarqué, mais une station thermale ? L'ambiance y était si calme, si feutrée. Hormis les autres clients de l'établissement, qui saurait qu'elle s'y trouvait ? À moins que le propriétaire ne la prie d'écrire un mot dans son livre d'or… Seigneur, ce serait fantastique. Figurer sur la liste des personnalités les plus en vue du moment donnerait une impulsion incroyable à Star Catcher. Or, depuis quelque temps, toutes ses décisions professionnelles ne visaient plus qu'à impressionner les autres et à les faire crever d'envie. Seuls les flambeurs qui n'avaient pas besoin de travailler obtenaient des contrats à Hollywood.

Seulement, devant le peu de garanties d'avoir son nom inscrit sur cette liste, Carrie avait calculé au *penny* près ce que lui coûterait chaque journée et décidé de rester chez elle. Pas question que Tony jette son argent à elle par les fenêtres. Elle appellerait afin d'exiger un remboursement. Allonger une somme pareille ? Elle vivante, jamais ! Elle avait dû le lui crier au moins cinq fois avant qu'il se mette à lui lire les noms des stars qui suivaient régulièrement les cures de rajeunissement de la station et s'en montraient ravies. Elle s'était tue en captant celui de Barbara Rolands. L'actrice aux trois oscars présentait de l'avis général le plus beau lifting de la côte. Après avoir disparu trois semaines l'année précédente, elle avait refait une apparition publique à un gala de charité, visiblement transformée. Le devait-elle à Utopia ?

Carrie avait arraché les documents des mains de Tony. En haut de la liste des employés chargés de satisfaire tous les desiderata des curistes apparaissaient les deux chirurgiens esthétiques les plus réputés au monde.

Serait-elle examinée par eux ? Voilà qui ne lui ferait certes pas de mal. Sans aller jusqu'à envisager un lifting – elle n'avait pas encore quarante-cinq ans –, elle voyait bien que les poches sous ses yeux s'accentuaient de jour en jour et qu'il devenait urgent d'y remédier. Le manque de sommeil, les longues heures de travail, l'excès de café et le manque d'exercice avaient fini par laisser des traces.

D'après la lettre, un vol Los Angeles/Denver puis une correspondance jusqu'à Aspen la conduiraient en début de soirée à Utopia, au cœur des montagnes du Colorado. Dès le matin suivant, un check-up était prévu avec les médecins du centre. Peut-être tenterait-elle alors une liposuccion.

Comment refuser ce présent anonyme ? D'autant que, d'après Tony, il n'était pas remboursable. Carrie aurait mis sa main au feu qu'il avait payé ce voyage avec l'argent de leur société. Incapable d'économiser et dénué de tout sens des affaires, il menait la grande vie depuis le jour où elle avait fusionné leurs deux compagnies et accumulé des millions de dollars sur leurs comptes bancaires.

La provenance de cette invitation importait peu, soutenait-il. Elle n'avait qu'à la considérer comme un cadeau d'anniversaire anticipé. Et puis, cela ne se faisait pas de chipoter sur ce qu'on vous offrait. Il espérait donc qu'elle mettrait ces deux semaines à profit pour réfléchir aux sages paroles du Dr Schnock relatives au caractère sacré du mariage. Carrie devinait le fond de sa pensée : une fois qu'elle se serait reposée, il espérait qu'elle ouvrirait les yeux sur la fausseté de ses accusations envers lui et sur l'amour qu'elle lui portait toujours au fond de son cœur.

Carrie avait cependant un autre programme en tête. Pendant qu'on « s'occuperait » d'elle, elle s'emploierait à dénicher le commercial idéal qui lui permettrait de rafler un nouveau trophée à la cérémonie des Clio Awards. Son dernier remontait à trop longtemps, presque quatre ans déjà. Elle avait de quoi être inquiète. Le milieu de la publicité était peuplé de requins et la concurrence, implantée pour l'essentiel à Manhattan, particulièrement rude. Sans compter que les jeunes prenaient le relais. Certains cadres n'acceptaient même pas d'adresser la parole à un homme ou à une femme de plus de trente ans – raison pour laquelle elle avait embauché trois commerciaux fraîchement diplômés, très branchés et adeptes de jeux vidéo, qu'elle surnommait ses bébés.

Il était impératif qu'elle reste sur la brèche. Dans son domaine, les réussites du passé, si nombreuses fussent-elles, étaient vite oubliées. Face à l'émergence de nouvelles agences phares dans la profession, Star Catcher n'avait d'autre choix que monopoliser le plus possible le devant de la scène médiatique. Hollywood était une ville versatile où les puissants ne prêtaient attention qu'à ceux dont tout le monde parlait. Si elle n'incitait pas ses employés à décrocher sans cesse de plus gros contrats, Carrie risquait d'échouer du jour au lendemain dans la catégorie des has been.

Elle devait son premier Clio Award à Avery. Elle l'avait implorée de remplacer une adolescente engagée sur le tournage d'une publicité. La gamine, dans un soudain accès de colère, avait exigé le double de son cachet à la dernière minute, s'imaginant mettre ainsi le couteau sous la gorge à Star Catcher. Carrie aurait été contrainte de céder à la petite garce si Avery ne s'était pas trouvée sur le plateau avec elle ce jour-là. Sa nièce avait été mortifiée par sa requête, mais elle avait une belle voix et un corps parfait, et on ne lui en demandait pas davantage. Le spot avait eu un succès retentissant, à tel point que, en tant qu'agent, Carrie aurait pu lui obtenir au moins un an de travail. Mais une telle carrière n'intéressait pas Avery, qui avait regagné son lycée sitôt les vacances de printemps terminées.

Elle avait juste continué chaque été à occuper un poste d'assistante auprès de sa tante, même si elle détestait avoir à rencontrer les cadres de la société. Carrie ne comprenait pas sa réserve. Avery ne semblait pas se rendre compte – ou alors elle s'en moquait – qu'elle était tout simplement sublime, comme le faisait souvent remarquer Tony.

Son problème résidait dans son manque total de superficialité. Douce et attachée à une saine hygiène de vie, elle avait une notion bien arrêtée de ses priorités. Comment s'en étonner ? songeait Carrie. Après tout, c'était elle qui lui avait inculqué ces valeurs. Ironie du sort, elle-même évoluait dans le milieu le plus superficiel qui fût. Quelle hypocrite. Quand apprendrait-elle à mettre en pratique ce qu'elle avait répété mille fois à Avery ? Après avoir engrangé quelques millions supplémentaires, peut-être ?

Au final, Carrie s'était emballée à la perspective de séjourner à Utopia. Une fois sa décision prise, elle avait supplié sa nièce de venir la rejoindre pour une semaine. Or Avery consacrait une partie de ses vacances à servir de guide à des adolescents en visite à Washington, et Carrie l'avait soumise à un chantage affectif pour l'amener à consacrer autant de temps à sa famille. Elle ne doutait pas qu'Avery la rejoindrait quelques jours, mais elle pressentait aussi le choc que lui procurerait le montant de sa cure thermale si jamais elle l'apprenait. Lui payer ce voyage ne la dérangeait pourtant pas. Elle était prête à tout pour sa nièce. Absolument tout. Peut-être parce que celle-ci ne la sollicitait jamais. Carrie ne comprenait pas comment Avery parvenait à vivre avec son modeste salaire. Elle lui proposait souvent de lui envoyer de l'argent, mais Avery refusait sous prétexte qu'elle s'en sortait très bien. Du moins le prétendait-elle.

Avery l'aidait à garder les pieds sur terre et, dans un coin de son esprit, Carrie savait qu'elle l'empêcherait de tester sur un coup de tête tous les traitements du centre.

Elle ne manquerait pas non plus de piquer une crise en découvrant son intention de prendre rendez-vous pour une liposuccion. Le sourire aux lèvres, Carrie imagina ses protestations. De même que son air désapprobateur devant ses tenues, toutes assorties et achetées chez un grand couturier. Oh oui, il fallait s'y attendre, Avery roulerait de gros yeux et se lancerait dans l'un de ses sermons favoris sur les bienfaits du sport et d'une vie équilibrée.

Bon sang, ce qu'elle lui manquait, cette gosse.

— Qu'est-ce qui t'amuse, chérie ? s'étonna Tony.

Rappelée brutalement à la réalité, Carrie constata que son mari et leur conseiller conjugal la dévisageaient. Elle haussa les épaules pour masquer son embarras et, décontenancée, rétorqua :

— Je pensais à toutes les choses auxquelles je dois réfléchir.

Le Dr Schnock parut ravi. Il hocha la tête et se leva, indiquant par là que la séance était terminée.

Tony suivit Carrie jusqu'à la limousine.

— Tu ne veux pas que je t'accompagne à l'aéroport, tu es sûre ?

— Non, ce n'est pas la peine.

— Tu as ta réservation ?

— Oui. (Elle s'écarta de son mari lorsque le chauffeur lui ouvrit la portière arrière.) Je n'ai toujours pas de nouvelles d'Avery alors que je lui ai laissé trois messages. J'espérais lui parler avant de quitter Los Angeles.

— Elle est toujours débordée. Elle a dû être trop prise par son travail, voilà tout.

— Mais si un problème survenait… ?

— Alors elle me contacterait ou bien essaierait de t'appeler sur ton portable.

— Ça ne me plaît guère qu'elle encadre des gamins. C'est trop dur pour elle. Elle…

— Elle ne le ferait pas si elle n'adorait pas ça. Arrête de te tracasser pour elle. Avery est une grande fille, maintenant.

— Vérifie mes e-mails en rentrant à la maison. Elle m'en a peut-être envoyé un.

— D'accord. Je te passerai un coup de fil après.

— L'audience pour la mise en liberté conditionnelle de Skarrett est prévue le 16. Je me demande si Avery a été avertie. Je viens juste d'avoir…

— Elle l'a forcément été. Pourquoi est-ce que tu te préoccupes de ça maintenant ?

— Il faut que j'y assiste. J'y suis allée avec elle la dernière fois. Nous avons chacune notre mot à dire avant que le tribunal décide…

— Chérie, tu seras présente à l'audience et Avery aussi.

Elle n'aura lieu que dans un mois, à la fin ! Tu n'as pas raté la dernière et tu ne rateras pas celle-là. Essaie de te détendre. J'aimerais que tu profites de tes vacances.

— Très bien.

Il fronça les sourcils devant son manque évident de sincérité.

— Tu es stressée parce que tu n'as pas fait de break depuis une éternité. Tu appréhendes le départ, c'est tout.

Elle acquiesça de nouveau et voulut monter dans la voiture, mais Tony l'attrapa par les épaules pour l'embrasser.

— Je t'aime, murmura-t-il. Et je t'ai toujours aimée. Depuis le premier jour. Je veux sauver notre couple.

— Je sais, le coupa-t-elle.

À peine installée dans la voiture, Carrie alluma son ordinateur. Son téléphone ne tarda pas à sonner. Encore Tony, supposa-t-elle.

— Qu'est-ce qu'il y a ? s'enquit-elle sèchement en décrochant.

— Devine ? fit la voix d'Avery au bout du fil.

— Hello, ma puce ! Je croyais que c'était Tony. Comment se déroulent tes vacances ?

— Je n'y suis pas encore. Il me reste deux ou trois détails à régler au bureau. J'ai eu un entretien important avec mon nouveau chef il y a quelques jours et j'ai hâte de te raconter l'affaire que j'ai aidé à résoudre. Que dirais-tu d'un dîner à Aspen ?

— Tu acceptes ! s'écria Carrie. Mon harcèlement et mes menaces ont eu raison de toi ?

— Si je te répondais oui, tu deviendrais infernale. Tu as réussi à me faire culpabiliser cette fois-ci, mais n'espère pas…

— Et ces ados que tu devais traîner dans Washington ?

— Leur voyage a été repoussé.

— Ah. Je ne l'emporte donc que par défaut.

— Tu veux que je vienne, oui ou non ?

— Évidemment ! Je préviens tout de suite Utopia. Tu as trouvé un avion ?

— Je suis en train de chercher un vol sur Internet. Il y en a un avec une correspondance à Denver, mais j'arriverai assez tard.

— Pas grave, je suis folle de joie ! Cette semaine promet d'être extra. Fais-moi signe dès que tu auras réservé ta place. À tout à l'heure, Avery. Je t'embrasse.

Une fois dans l'avion, Carrie ne cessa de penser à Avery. Impatiente de connaître ses horaires de vol, elle fut tentée d'user du téléphone aménagé dans l'accoudoir de son fauteuil pour l'appeler, mais renonça à faire profiter ses voisins de sa conversation.

Sitôt descendue d'avion à Aspen, elle s'écarta du flot des passagers et s'assit pour chercher son portable. Au même instant, elle aperçut un homme portant un écriteau avec son nom. Probablement un chauffeur. Avec son costume bleu marine, son air distingué et son physique avantageux, il lui évoqua Sean Connery jeune. Elle se redressa aussitôt et fourra son téléphone dans la poche de son blazer.

— Je suis Carolyn Salvetti ! lança-t-elle en rajustant le col de son chemisier.

L'homme, qu'une étiquette épinglée au revers de sa veste présentait comme « M. M. Edwards », lui décocha un sourire éblouissant.

— Bonjour, madame Salvetti, la salua-t-il avec un charmant accent britannique.

— C'est Utopia qui vous envoie ?

— Oui, madame. Vous avez votre réservation ?

— Elle est là, fit-elle en attrapant son bagage.

— Oh, je n'en ai pas besoin. Je devais juste m'assurer que vous l'aviez. Si nous allions chercher vos valises ?

Ses petites mules à talon l'obligèrent presque à courir pour le suivre – ce qui l'envahit d'un vif sentiment de ridicule. Elle perdit même l'équilibre et se serait affalée de tout son long s'il ne l'avait saisie par le bras.

La vue d'une cabine téléphonique lui rappela soudain qu'Avery ne lui avait toujours pas communiqué son heure d'arrivée. Carrie voyait ça d'ici : sa nièce avait dû être submergée de travail et contrainte ensuite de tout régler dans l'urgence.

Il était sûrement trop tard pour la joindre au bureau ou chez elle. À cette heure, elle ne pouvait être qu'à l'aéroport, voire déjà dans l'avion. Carrie s'entêtait tout de même à essayer, au cas où Avery consulterait ses messages en atterrissant à Denver. Oui, elle l'appellerait dès qu'ils s'arrêteraient près du tapis roulant à bagages.

— D'autres clients nous accompagneront ? s'enquit-elle.

Edwards acquiesça.

— Il y a deux autres dames dans la salle d'attente. Nous partirons avec elles tout de suite après avoir récupéré vos affaires.

— Avez-vous quelqu'un d'autre à conduire à Utopia cet après-midi ou dans la soirée ?

— Non, c'est ma dernière navette. Pourquoi ?

— Ma nièce, Avery Delaney, doit me retrouver là-bas.

Cette nouvelle surprit tant Edwards qu'il se figea net.

— Votre nièce doit vous retrouver là-bas ?

Était-il sourd ?

— Oui. Mais elle doit prendre l'avion à Washington. S'il n'est pas prévu que vous la rameniez à Utopia, c'est que la station a chargé un autre chauffeur de s'en occuper.

— Oui, certainement, fit-il avec une mine soucieuse en se remettant à avancer.

— Je ne connais pas encore son vol, mais elle a peut-être averti la réception pour qu'on vienne la chercher. Vous voulez bien vous en assurer ? Ce serait formidable si nous pouvions l'attendre. Je sais qu'elle transite par Denver, ajouta-t-elle.

— Aucun problème. Allez donc vous asseoir pendant ce

temps, lui suggéra-t-il en lui indiquant une rangée de sièges vides en face d'une porte d'embarquement déserte.

— Que désigne ce M ? l'interrogea-t-elle de but en blanc.

— Comment ?

— Votre nom. M. M. Edwards. Que désigne le deuxième M ?

Il ne se crut pas obligé de mentir.

— Mon prénom, Monk.

— Comme c'est original.

— Je préfère que mes clients s'en tiennent à monsieur Edwards.

— Très bien.

Ce qu'il peut être guindé, maugréa-t-elle en son for intérieur.

— Excusez-moi… Pourrez-vous aussi demander si des messages ont été laissés à mon intention à Utopia ?

Il acquiesça et s'éloigna vers une fenêtre en sortant son téléphone.

De retour près d'elle, Edwards s'excusa de la durée de sa communication – bien que celle-ci eût été brève –, puis souleva son sac.

— Aucun message ne vous attend. Quant à Mlle Delaney, elle aura effectivement un autre chauffeur, la rassura-t-il.

— On ne pourrait pas l'attendre ?

— Je suis désolé. Vous disiez ?

Sa distraction irrita Carrie.

— Je vous demandais si nous pouvions attendre ma nièce.

— J'ai peur que non. Les deux autres clientes sont là depuis un moment déjà et je ne peux pas les retarder davantage. J'espère que vous comprenez.

— Oui, bien sûr.

— Merci. Elles apprécieront à n'en pas douter votre coopération.

— Qui sont-elles ?

— Comment ?

— Qui sont ces deux personnes ?

— Mme Trapp est originaire de Cleveland et la juge Collins vient de Miami.

Carrie n'avait jamais entendu ces noms auparavant. S'agissait-il de célébrités ? Pourvu que oui, pria-t-elle. Toute relation influente était la bienvenue en ce qui la concernait. Peut-être la juge faisait-elle partie de ces têtes que l'on voyait souvent à la télévision. Ne serait-ce pas extraordinaire ?...

Ils atteignirent enfin la zone vers laquelle étaient acheminés les bagages et se mêlèrent à la horde des passagers qui se bousculaient pour être juste devant le tapis roulant.

— Combien de temps mettrons-nous jusqu'à Utopia ?

— Pas longtemps. Mais vous n'irez pas directement là-bas, précisa Edwards. Il y a un souci avec la principale conduite d'eau de la station. Elle devrait être réparée d'ici minuit, mais le directeur a préféré prendre des dispositions pour vous éviter tout désagrément, à Mmes Trapp et Collins et à vous. Vous passerez donc la nuit dans un refuge privé.

Carrie s'apprêtait à protester qu'il lui faudrait défaire et refaire ses valises quand Edwards ajouta, avec désinvolture :

— Il me semble que M. Cruise et une amie figuraient parmi les derniers clients.

— Tom Cruise ? s'exclama-t-elle, ébahie.

— C'est exact. Et demain matin, poursuivit-il d'une voix suave, on vous emmènera à la station.

— Ma nièce logera-t-elle avec nous ce soir ?

— Je n'en suis pas certain. Si le problème est résolu avant son arrivée, elle sera conduite directement à Utopia.

— Ce refuge, il est près d'Aspen ?

— Juste à la périphérie, dans un coin de la montagne baptisé la Terre entre les Lacs. L'endroit est très joli. Les nuits sont fraîches mais les journées chaudes et ensoleillées à cette époque de l'année. Le climat rêvé pour camper et randonner.

— Je ne raffole pas des activités en plein air. Vous par contre..., commenta-t-elle en remarquant ses larges épaules et les muscles qui tendaient le tissu de son costume, visiblement confectionné sur mesure.

Combien gagnait donc un chauffeur ?

Ils restèrent côte à côte une dizaine de minutes avant que les valises commencent à défiler.

— Voici la mienne, dit-elle en lui en désignant une pleine à craquer. Attention, elle est lourde.

— Vous n'avez que celle-là ?

Il plaisantait forcément...

— Non, il y en a trois autres.

— Vous comptez séjourner longtemps à Utopia ?

— Deux semaines. Et vous, depuis quand travaillez-vous ici ? le questionna-t-elle ensuite, histoire de meubler le silence.

Si jamais l'aéroport avait perdu le reste de ses bagages, elle serait dans de beaux draps. Les batteries de rechange de son ordinateur et son deuxième téléphone portable étaient rangés dedans.

— Un an, répondit-il.

— C'est bien, déclara-t-elle avec indifférence.

Où étaient ses affaires, à la fin ? Consciente de sa nervosité, elle se força à respirer. Du calme, se répéta-t-elle. Tu es en vacances.

Elle jeta un œil autour d'elle et repéra des toilettes pour dames.

— J'aimerais me rafraîchir un peu avant qu'on y aille.

— Ne pourriez-vous pas... ?

— Non, le coupa-t-elle. (Elle lui confia son bagage à main.) Ne le lâchez pas. J'ai des affaires de valeur à l'intérieur.

Et elle l'abandonna là. Quelques instants plus tard, elle se souvint d'avoir glissé son portable dans sa poche et décida d'appeler Avery sur-le-champ.

Implorant le ciel pour que la communication passe, elle composa d'abord le numéro personnel de sa nièce, tomba sur son répondeur et la pria de la biper dès qu'elle aurait son message. Peut-être Avery était-elle déjà en route pour l'aéroport. Elle essaya ensuite sa ligne directe au bureau. Seule sa boîte vocale lui répondit à la deuxième sonnerie.

— Bon sang, Avery, tu étais censée m'indiquer ton heure d'arrivée ! Ça t'est sorti de la tête, hein ? J'espère que tu es dans l'avion en ce moment et que tu écouteras tes messages à Denver. Et surtout que tu ne me poseras pas de lapin – c'est mon obsession. D'accord, ton boulot te laisse à peine le temps de souffler, mais si tu as le malheur de rater ton avion parce que tu t'es retrouvée embarquée dans une de tes fichues réunions, je te sonnerai tellement les cloches que tes oreilles bourdonneront pendant un mois. Franchement, Avery, quand je pense à la vie que tu pourrais mener, à l'argent que tu pourrais gagner... et toi, tu t'obstines à t'enfermer dans un cachot sans fenêtre pour analyser Dieu sait quoi ! Quel gâchis. Tu t'en rends compte, tout de même ? Quand accepteras-tu que je t'aide à réorienter ta carrière ? (Carrie éclata de rire à ces mots.) Non mais tu m'entends ? Je t'ai déjà seriné tout ça, n'est-ce pas ? Enfin bon, je suis à Aspen, là. Je voulais t'attendre sur place pour qu'on aille ensemble à Utopia, seulement il y a d'autres clientes ici et je ne peux pas les faire patienter plus longtemps. En fait, je ne vais pas directement au centre parce qu'ils ont des problèmes de plomberie. D'après mon chauffeur, tout sera réglé d'ici minuit, mais je dormirai à poings fermés à cette heure-là. Les deux autres femmes et moi allons passer une nuit de rêve dans un refuge privé. Je n'ai pas retenu leur nom, juste que l'une d'elles est juge. Je te parie qu'elle est célèbre. Je te verrai demain à Utopia, donc. (L'enthousiasme perça de plus belle dans sa voix.) Le refuge est situé dans un endroit surnommé la Terre entre les Lacs. C'est pittoresque, non ? Et Tom Cruise était leur dernier client, alors tu imagines la beauté du cadre. On ne colle pas une star comme lui dans un endroit miteux. Bon, je ferais mieux de raccrocher avant que mon chauffeur vienne me chercher dans les toilettes.

J'ai hâte que tu arrives. Oups ! il m'appelle. La station m'a envoyé un certain Monk Edwards pour porter mes bagages. Il est un peu coincé et du genre cérémonieux, avec un léger accent anglais, mais il a un charme fou ! Un véritable apollon. Peut-être que toi aussi tu auras droit à un beau gosse pour chauffeur. Bye, ma puce. À tout à l'heure.

3

La piste menait à Utopia. John Paul Renard traquait le tueur à gages depuis un an déjà – sans grand succès. Monk s'était manifesté pour la dernière fois sur la Côte d'Azur, où il avait exécuté un escroc en cavale du nom de John Russell. Il semblait depuis s'être volatilisé dans la nature. En dehors d'un vague indice suggérant sa présence à Paris puis à Cannes, rien n'avait permis à John Paul de retrouver sa trace.

Jusqu'à présent.

Son engagement dans les marines et un bref passage à la CIA lui avaient appris la patience. Le tueur reviendrait tôt ou tard aux États-Unis. Ce n'était là qu'une intuition, rien de plus, mais les événements avaient fini par lui donner raison. Monk avait en effet refait surface trois semaines auparavant, commettant la grossière erreur de se servir de l'une de ses vieilles cartes de crédit – étonnante étourderie de la part d'un homme qui, jusqu'alors, avait effectué un parcours criminel presque sans faute. John Paul avait d'ailleurs craint que cette carte n'ait été utilisée par une autre personne qui l'aurait découverte abandonnée quelque part.

Cela valait la peine de vérifier. La somme avait été encaissée par une station thermale du Colorado pour une réservation au nom de Carolyn Salvetti. Une petite enquête révéla à John Paul que cette dernière était riche à millions. Avait-elle un lien avec Monk ? Se pouvait-il qu'elle l'ait engagé pour se débarrasser de quelqu'un ? Ou était-elle sa prochaine victime ?

Il consulta une base de données fédérale en tapant son code d'accès. Il savait que ses anciens chefs en seraient aussitôt informés et qu'ils le jugeraient à tort prêt à reprendre du service. Pour cette raison, il ne resta pas connecté très longtemps. Moins de deux minutes lui suffirent pour obtenir les renseignements qu'il désirait. Salvetti était blanche comme neige. Pas de mandat d'arrêt, pas de contravention, pas d'activités illégales d'aucune sorte. Elle dirigeait une agence de publicité, Star Catcher, dont son mari était vice-président. Lui aussi avait un casier judiciaire vierge.

Ses questions demeuraient donc sans réponse. Si Carolyn Salvetti était la prochaine cible de Monk, qui avait recruté le tueur à gages ? Qui voulait la mort de cette femme ?

John Paul ne renonça pas. Il décida de rendre visite à son frère Remy, qui habitait Colorado Springs. Lui qui faisait figure d'ermite grincheux dans sa ville natale de Bowen, en Louisiane, stupéfia sa famille et ses rares amis en achetant un vieux 4 × 4 Ford puis en prenant la route après avoir chargé le véhicule de quelques chaises de cuisine qu'il avait fabriquées pour son frère.

Il passa deux jours chez celui-ci avant de débarquer à Utopia le 16 juin, date prévue de l'arrivée de Salvetti. Avec un peu de chance, Monk la talonnerait et il pourrait ainsi coincer ce salaud.

Or Carolyn Salvetti ne se présenta pas. Le réceptionniste, un jeune homme collet monté et excessivement nerveux, qui plus est affligé de grosses dents, annonça à John Paul qu'elle avait annulé son séjour à la dernière minute.

— Mais il est spécifié juste en dessous de sa réservation que sa nièce, Avery Delaney, viendra passer une semaine, ajouta-t-il. Cela vous aide-t-il ?

John Paul ignora sa question et demanda à parler au directeur. L'employé s'empressa d'aller le chercher.

Tim Cannon apparut peu après, suivi du réceptionniste.

John Paul n'avait plus d'insigne depuis qu'il avait quitté la CIA, aussi eut-il recours à l'intimidation face à ce petit homme en sueur et aux lèvres pincées. Comme d'habitude, sa stratégie fonctionna à merveille. Sans qu'il sût pourquoi, les gens avaient tendance à avoir peur de lui. La faute à sa taille et au fait qu'il souriait rarement, selon sa sœur Michelle. Reste qu'il ne se privait pas d'en profiter. Parce qu'il le crut en mission pour le gouvernement – comme John Paul l'avait plus ou moins laissé entendre – et qu'il répugnait à s'avouer effrayé, Cannon n'alerta pas la sécurité et n'exigea de lui aucune pièce d'identité. Serviable au-delà de toute espérance, il le convia dans son bureau, mit son ordinateur et son téléphone à sa disposition, puis prétexta en bégayant un problème urgent à régler avant de l'abandonner et de refermer la porte derrière lui.

John Paul alla aussitôt sur le site qui l'intéressait et entra son code d'accès. Il détestait l'informatique, mais n'avait pas d'autre moyen de découvrir si l'alerte avait été donnée au sujet de Monk. Il constata avec surprise et plaisir qu'il n'en était rien. Cela signifiait donc que le FBI ignorait son retour aux États-Unis et qu'Utopia ne grouillait pas encore d'agents. Pour autant, John Paul n'avait pas envie d'avertir les fédéraux. Ils ne pourraient que tout faire capoter. Le risque était trop grand que Monk les repère et disparaisse une nouvelle fois.

Ça, il ne le permettrait pas. Il possédait une longueur d'avance sur le Bureau, et c'était tout ce dont il avait besoin. Sa quête obéissait à un mobile personnel. Pas question qu'on lui colle des bâtons dans les roues.

Un an plus tôt, Monk avait tenté de tuer sa sœur, et il y serait parvenu sans le mari de cette dernière et un ami. Il avait malgré tout réussi à s'échapper, au grand dam de John Paul, qui s'était alors juré de n'avoir ni repos ni cesse tant qu'il ne l'aurait pas expédié en enfer.

Son désir de vengeance s'était accru après qu'il eut commencé ses recherches. Un cas en particulier l'avait choqué : celui d'un père qui avait chargé Monk d'assassiner sa propre fille afin de toucher une prime d'assurance-vie et d'honorer ses dettes de jeu. Le FBI avait pu imputer ce meurtre à Monk grâce à sa manie de toujours laisser une rose derrière lui. En l'occurrence – et bien que le père eût ôté la fleur –, une épine avait été retrouvée sur le dessus-de-lit de l'adolescente. Personne n'avait pleuré cette dernière, ni réclamé justice en son nom. John Paul se doutait que d'autres personnes avaient été victimes de Monk sans que le FBI en sache rien. Combien d'innocents devraient encore mourir avant que l'homme soit arrêté ?

4

Monk s'employa à distraire ses trois passagères pendant qu'il les conduisait à leur destination. Carrie le trouvait charmant, et si correct… L'image même du parfait majordome anglais.

Il avait déposé leurs affaires à l'arrière d'un 4 × 4 Land Rover flambant neuf en leur expliquant que ce type de véhicule se prêtait mieux aux routes de montagne que les limousines de la station. Anne Trapp avait pris place à l'avant et Carrie s'était installée sur la confortable banquette arrière en cuir beige au côté de la juge Sara Collins.

Bien qu'excitées et nerveuses, les trois femmes ne se montrèrent guère bavardes. Monk leur fit un bref historique du centre, avant de leur raconter d'incroyables anecdotes sur les personnalités qui avaient fréquenté le refuge où elles dormiraient ce soir-là.

Carrie avait perdu la notion du temps depuis leur départ de l'aéroport, mais il lui semblait qu'une heure au moins s'était écoulée depuis, peut-être même plus. Les histoires de Monk la captivaient au point de lui faire oublier la durée du trajet et son léger mal des transports. Tandis que Sara lâchait des « oh ! » et des « ah ! » continus devant le paysage et qu'Anne observait un silence total, Carrie le questionna sur les clients auxquels il avait déjà eu affaire. Elle ne s'intéressait cependant guère aux hommes politiques. Seules les petites manies des stars de cinéma lui importaient.

— Russell Crowe a séjourné ici ? Comment était-il ?

Monk la régala d'un détail croustilleux sur l'acteur australien.

— Il a adoré l'endroit, précisa-t-il. Tellement qu'il a voulu l'acheter, d'ailleurs.

— Le bâtiment doit être très plaisant, en conclut Sara.

Monk assura aux trois femmes que la maison jouissait de tout le confort moderne et que lui-même resterait à leur service jusqu'à Utopia.

— J'espère bien qu'il n'y aura pas d'autre contretemps, commenta Anne d'un ton acerbe.

— Parce qu'il y en a déjà eu un ? s'étonna Sara.

— Oh oui ! Aucun employé de la station ne m'attendait devant la porte de débarquement pour me décharger de mon bagage à main, et si je n'avais pas remarqué M. Edwards et son écriteau devant la vôtre, j'aurais été obligée de me débrouiller toute seule pour récupérer le reste de mes valises. J'étais très fatiguée, se plaignit-elle, et l'idée de devoir les traîner jusqu'à un taxi... non, c'était vraiment trop.

— Vous auriez pu faire appel à l'un des porteurs de l'aéroport, objecta Carrie.

— Là n'est pas la question. Je n'aurais pas dû avoir à souffrir de ce désagrément.

Quelle peste, songea Carrie. L'expression d'Anne Trapp était presque comique. Elle boudait comme une gamine de huit ans.

— Je vous promets que vous disposerez d'un personnel hautement qualifié pour répondre à tous vos besoins, madame Trapp, déclara Monk. Et je vous prie encore une fois de m'excuser pour cette gêne.

— Y aura-t-il des femmes de chambre au refuge ?

— Oui, bien sûr.

— Combien ?

— Quatre. Elles arriveront bientôt.

— J'aimerais que l'une d'elles soit affectée à mon service. Pourrez-vous y veiller ?

— Sans problème.

— Bien, fit Anne, quelque peu amadouée.

Sara et Carrie échangèrent un regard qui en disait long.

— Je suis contente que nous ne soyons pas seules ce soir, avoua alors Anne. En cas d'accident... ou de panne. On ne sait jamais...

— Le refuge est en train de se doter d'une nouvelle alarme, l'informa Monk. Je dois d'ailleurs vous prévenir que les fils n'ont pas encore été dissimulés ; mais l'installation fonctionne et, une fois qu'elle est en route, les fenêtres et les portes extérieures sont bloquées. Les nuits étant fraîches par ici, je ne pense pas que cela vous gênera.

Carrie examina ses compagnes de voyage. Leur visage à chacune lui paraissait vaguement familier, bien qu'elle fût incapable de déterminer où elle aurait pu les avoir rencontrées.

Elle fixa la nuque d'Anne et finit par lui tapoter l'épaule pour en avoir le cœur net. La blonde aux yeux marron enfoncés se tourna à demi sur son siège.

— Non, je ne crois pas qu'on se soit jamais vues, dit-elle avec un léger sourire en réponse à son interrogation. Êtes-vous déjà allée à Cleveland ?

— Non, admit Carrie.

Elle fut frappée par le teint cireux et les yeux dépourvus d'éclat de son interlocutrice. Anne Trapp ne respirait guère la santé. Mais peut-être était-ce un effet de son épais maquillage. Carrie, qui l'estimait à peu près de son âge, la soupçonna d'être venue s'offrir une cure miracle adaptée à son frêle corps d'anorexique.

À l'opposé, la juge Sara Collins affichait au moins une trentaine de kilos en trop. Avait-elle signé pour une liposuccion ? Une gastroplastie ? Sans compter qu'on lui donnait au moins soixante-dix ans et qu'elle pouvait aussi être là pour un lifting. Carrie n'osa cependant pas pousser la curiosité jusqu'à le lui demander.

D'où tenait-elle cette impression de la connaître ? À n'en pas douter, elle l'avait vue à la télévision. Les shows juridiques avaient un tel succès... Sara animait-elle une de ces émissions ?

Elle aurait volontiers questionné sa voisine si Monk n'avait tout à coup endossé le rôle de guide touristique en se lançant dans un monologue interminable sur les charmes du Colorado. Ses considérations se succédèrent les unes aux autres, si bien que Carrie craignit d'être grossière en l'interrompant. Elle reporta donc sa conversation avec la juge à plus tard.

Elle spécula ensuite sur l'opinion que les deux autres femmes avaient d'elle. Il ne fallait pas se leurrer, elle faisait plus que son âge. Une vieille chouette. Oui, voilà certainement ce qu'elles devaient se dire.

Le 4 × 4 suivait des chemins privés de plus en plus escarpés. Les lacets de la route accentuèrent la nausée de Carrie. Super, pensa-t-elle. Je suis à deux doigts de vomir sur notre parfait majordome. Quoi de plus efficace pour marquer favorablement les esprits au refuge ?

— La station est-elle propriétaire de toutes ces terres ? s'enquit Sara.

— Oui, madame.

— Le refuge est encore loin ? s'inquiéta Carrie.

— Non, juste après le prochain virage.

On est au milieu de nulle part, constata-t-elle, soudain mal à l'aise... presque angoissée. Elle prit soudain conscience qu'elle n'avait pas aperçu de maison, ni même de cabane, depuis un bon moment. Alors, à quoi pourrait bien leur servir le système d'alarme ? S'il se déclenchait, qui l'entendrait ? À moins qu'il ne soit relié au poste de police le plus proche ? Dans ce cas, où diable se cachait celui-ci ? À une heure de route ? Deux ? Ou bien l'alarme sonnerait-elle à la station ?

Oui, c'était sûrement ça. Utopia ne devait donc pas être loin. Parvenue à cette conclusion, Carrie s'adossa à son siège et s'efforça de se détendre.

Le refuge surgit soudain devant eux, stupéfiant de splendeur. D'imposants pignons en cèdre s'élevaient dans le ciel et de grandes fenêtres réfléchissaient les montagnes derrière eux, comme si ce bâtiment n'avait été érigé là que dans le but de rendre hommage au site grandiose qui l'entourait. Une allée circulaire menait à la large galerie qui s'étirait le long de sa façade. Ceignant la maison, un mur de pierre haut d'un peu plus de un mètre formait une barrière protectrice au bord d'un précipice que l'on devinait à l'arrière-plan.

— Admirez cette entrée et ces rocking-chairs ! s'extasia Sara. Il faut que j'en essaie un !

Monk gara le Land Rover au milieu du passage et descendit ouvrir la portière de ces dames.

— En regardant par la fenêtre depuis la galerie, vous aurez une vue directe à travers la maison sur le paysage de l'autre côté, leur signala-t-il.

— Oh, c'est charmant ! Tout est neuf, ma parole ! s'exclama Anne en se dirigeant vers le mur qui bordait l'allée afin de contempler les arbres en contrebas.

— L'ensemble a été construit il y a quatre ans.

— Comment a-t-on monté de telles vitres jusqu'ici ?

— Avec précaution, j'imagine, ironisa Carrie.

— Je suis sûr que vous ne manquerez de rien, intervint Monk.

— Oh oui, moi aussi ! approuva Sara.

Carrie n'aurait pas été surprise de la voir battre des mains d'enthousiasme. Pourtant, cette femme devait être habituée au luxe. Elle était juge, elle gagnait donc bien sa vie. Et Anne aussi, visiblement. Aucune d'elles n'aurait pu se payer des vacances à Utopia sinon.

— Entrez donc, il y a du champagne au frais qui vous attend. Je m'occupe de vos bagages.

Carrie précéda les deux autres à l'intérieur. Elle remarqua alors des fils électriques apparents le long des cloisons – vraisemblablement ceux du système d'alarme.

— Faites attention, lança-t-elle. Ne vous prenez pas les pieds dans les fils.

À gauche du spacieux vestibule de marbre inondé de

lumière se dressait un superbe escalier hélicoïdal desservant deux étages. Une lucarne rectangulaire laissait percevoir les nuages dorés du ciel.

— Ces escaliers ne sont-ils pas magnifiques ! s'émerveilla Sara. Ce bois… ces marches… elles sont deux fois plus larges et plus profondes que toutes celles que j'ai vues jusqu'à présent. Ç'a dû coûter une fortune. Et cette rampe ! L'ouvrage est ad-mi-rable !

— Venez par ici ! les interpella à son tour Anne qui, malgré ses goûts difficiles, ne pouvait contenir son enthousiasme. Les montagnes ont l'air d'être en feu avec le soleil couchant.

Carrie examina les lieux depuis l'entrée. Des tapis d'Orient colorés parsemaient le sol de marbre marron clair. Le mobilier, dans des tons beiges et bruns, était en harmonie avec le cadre extérieur et la cheminée de pierre, d'au moins cinq mètres de haut, ressemblait à celle du méchant dans *La Mort aux trousses*, l'un de ses films préférés. La pièce, carrée, lui rappelait aussi le salon du personnage, à ceci près que la décoration y était de meilleur goût et plus moderne.

En face d'elle, l'éclat du soleil rougeoyant nimbait les murs d'une douce teinte orangée.

— On se croirait au paradis, souffla Sara.

— Vous y serez vraiment si vous grimpez au sommet de cet escalier, plaisanta Carrie.

Anne avisa un seau à champagne argenté et une bouteille sur un buffet, à côté d'un vase en cristal contenant trois longues roses rouge sang à peine écloses.

— Une coupe, ça vous tente ?

— Et comment ! applaudit Sara.

Toutes trois se pressèrent près de la fenêtre dominant le panorama. Anne se débattit avec la bouteille et laissa échapper un rire nerveux lorsque le bouchon sauta et que le liquide se renversa. Elle remplit avec soin chacune des flûtes.

— Nous devrions porter un toast, décréta Carrie.

— Bonne idée, acquiesça Sara.

Anne et elle brandirent leur verre.

— À nous ! déclara Carrie. Puissent tous nos rêves devenir réalité.

— C'est bien dit, approuva Anne.

Et tandis que Monk montait leurs bagages à l'étage, elles s'assirent sur les luxueux canapés capitonnés afin de siroter leur champagne en bavardant de choses et d'autres – à l'exception de tout sujet personnel. Encore un peu nauséeuse, Carrie se limita à une simple gorgée.

Leur chauffeur les rejoignit dix minutes plus tard avec un plateau d'amuse-gueules. Au même moment Carrie entendit une porte se refermer. Elle se tourna vers le couloir et distingua une femme vêtue d'une robe noire qui entrait dans la cuisine.

— Les femmes de chambre sont arrivées, fit-elle remarquer à Sara.

— Goûtez donc l'un de ces canapés au concombre, lui suggéra Anne, qui venait de finir le sien. Ils sont délicieux.

Carrie n'avait aucune envie de leur avouer qu'elle ne se sentait pas en forme, et encore moins qu'elle avait eu le mal des transports.

— Volontiers, fit-elle en enfournant un petit sandwich dans sa bouche et en l'avalant presque sans avoir mâché. En effet, c'est très bon.

Elle ne put toutefois se forcer à en manger un autre et le spectacle de ses deux compagnes qui s'empiffraient de minifeuilletés au saumon lui souleva le cœur.

Au bout de quelques minutes, toutes se mirent à bâiller.

— Si vous voulez bien me suivre, les invita alors Monk, je vais vous montrer vos chambres.

— Je tombe de sommeil, soupira Anne.

— Ce doit être l'air de la montagne, avança Sara. Moi aussi je dors à moitié.

Elles emboîtèrent le pas à Monk.

— Je n'aurais jamais cru qu'un escalier puisse s'apparenter à une œuvre d'art, nota Carrie en chemin.

— Moi, je déteste avoir à les monter, se plaignit Anne. La prochaine maison que je construirai sera un immense ranch de plain-pied.

Sara et Carrie l'ignorèrent.

— J'ai déballé vos affaires dans vos chambres, les informa Monk. Madame Trapp, vous avez été installée au premier étage avec la juge Collins, dans des suites situées à l'opposé l'une de l'autre. Madame Salvetti, la vôtre est au deuxième. J'espère que vous y serez à votre aise.

Anne, Carrie et Sara – agrippée à la rampe – gravirent les marches à la queue leu leu derrière lui.

— J'ai l'impression d'être déjà venue ici, confia Sara. C'est incompréhensible parce que je n'ai aucun souvenir d'un escalier en colimaçon comparable à celui-là.

— Ce doit être la cheminée, hasarda Carrie en s'arrêtant pour embrasser une nouvelle fois le salon du regard. Vous avez vu *La Mort aux trousses*, avec Cary Grant et Eva Marie Saint ?

— Oh, oui ! Elle ressemble en effet beaucoup à celle qu'on aperçoit dans une scène. Vous avez raison, il ne faut sûrement pas chercher plus loin.

— Je ne connais pas ce film, avoua Anne.

Carrie la dévisagea, bouche bée.

— Vous plaisantez ? Il fait partie des meilleurs d'Hitchcock !

— J'ai consacré beaucoup de temps à mon entreprise, se justifia Anne avec un haussement d'épaules. Il ne m'en restait guère pour aller au cinéma.

— C'est pourtant un classique, intervint Sara. Il est passé des dizaines de fois à la télévision !

— Je ne la regarde jamais.

Carrie ne savait plus quelle attitude adopter vis-à-vis de cette femme qui paraissait s'enorgueillir d'une telle particularité. Sa vie à elle tournait tout entière autour des chaînes de télévision et de leurs sponsors. Anne Trapp était pour elle une extraterrestre. Pas étonnant qu'elle fût si barbante.

Carrie n'éprouva pas le moindre scrupule à la juger si

catégoriquement. Sans en avoir conscience, Anne venait de dénigrer tout ce pour quoi elle travaillait.

Sara fut la première à découvrir sa suite.

— Je déclare forfait pour ce soir, annonça-t-elle. Je vous retrouverai demain matin.

— Bonne nuit ! lui lança Carrie.

Un long couloir les conduisit ensuite jusqu'à la chambre d'Anne. Monk lui ouvrit la porte, puis se tourna vers Carrie avant de la précéder dans les escaliers jusqu'au deuxième étage.

— Vous serez juste au-dessus de la juge Collins, lui précisa-t-il.

— Il y a donc quatre suites en tout ?

— Oui.

Parvenu devant la sienne, Monk se recula pour la laisser entrer. La pièce, aux tons ambrés apaisants, était vaste. Dans le salon qui la jouxtait, deux fauteuils rembourrés faisaient face à un âtre.

Carrie bâilla bruyamment. Monk ou l'une des femmes de chambre avait sorti son peignoir et sa chemise de nuit. Elle repéra dans un coin son bagage à main, qui avait été vidé, et s'apprêtait à demander où était son ordinateur quand une forte nausée l'obligea à s'asseoir. Elle inspira plusieurs fois en s'accrochant à l'une des colonnes du lit à baldaquin.

— Tout va bien, madame Salvetti ?

Parce qu'elle ne voulait pas jouer les casse-pieds ni se plaindre comme Anne l'avait fait, elle se contenta de prétexter la fatigue occasionnée par cette longue journée.

— Je suis plutôt couche-tard – j'éteins rarement avant deux ou trois heures du matin –, mais là j'arrive à peine à garder les yeux ouverts.

Monk parut compatir.

— Il faut un peu de temps pour s'habituer à l'altitude. De toute façon, le personnel de la station avait recommandé que vous vous reposiez. Vous avez un programme chargé demain.

— Oh oui, je n'en doute pas !

— Je serai le dernier à regagner ma chambre, l'informa-t-il en se dirigeant vers la porte, et je brancherai l'alarme à ce moment-là. Ne touchez surtout pas à vos fenêtres, s'il vous plaît.

— Que se passerait-il si la sonnerie se déclenchait ? Qui l'entendrait ? On est au beau milieu de nulle part.

— Je pensais vous l'avoir dit : elle est reliée à la station. En cas de problème, des secours seront sur place en moins de trois minutes.

— Nous sommes si près d'Utopia ?

— Exact. Sans les arbres, vous apercevriez les dômes du centre. Souhaitez-vous que je tire les rideaux ?

— Non, laissez.

Carrie se détourna et agrippa plus fort le bois du lit, en proie à une remontée de bile. Elle aurait aimé s'enquérir de l'endroit où logeaient les femmes de chambre, mais sa nausée l'en empêcha.

— Bonne nuit, conclut-elle. Fermez la porte derrière vous, je vous prie.

À peine Monk sorti, elle fonça dans la salle de bains, une main plaquée sur la bouche, et vomit le canapé qu'elle avait ingurgité. Satané mal des transports. Elle en souffrait depuis son plus jeune âge. Elle aurait dû expliquer aux autres qu'elle ne pouvait pas voyager sur le siège arrière, mais, trop préoccupée par leur opinion, elle s'était tue.

Quelle bêtise de se soucier autant de ce que des inconnues pensaient d'elle ! Elle ne les reverrait probablement jamais après le déjeuner du lendemain matin.

La seule idée de manger accentuait sa nausée. Elle ne s'était pas sentie si malade depuis des années – depuis son intoxication alimentaire en fait. Avery, âgée de quatorze ans à l'époque, avait alors manqué l'école pour prendre soin d'elle. Et Tony avait été un ange lui aussi. Elle gardait encore en mémoire la façon dont il l'avait serrée contre lui à chaque spasmes.

Trop faible pour se doucher, elle se contenta de se laver les dents et la figure, et d'enfiler sa chemise de nuit. Des verres s'entrechoquaient quelque part – Monk faisait la vaisselle, supposa-t-elle. Puis un rire de femme résonna. L'une des employées flirtait-elle avec lui ? Difficile de la blâmer, en tout cas. Leurs services n'étaient plus requis maintenant qu'Anne, Sara et elle étaient couchées. Tout de même, c'était rageant d'être si épuisée à vingt et une heures à peine. Elle voyait presque trouble.

La pièce tournait autour d'elle. Carrie s'écroula sur son lit, tira péniblement les couvertures et essaya de se reposer sur le côté. Assaillie par des vagues de nausée, elle roula sur le dos. Très vite, elle sombra dans le sommeil.

Plus tard, dans la nuit elle entendit quelqu'un l'appeler doucement par son prénom. Elle ne réagit pas. Puis un petit clic retentit. Encore. Non, il s'agissait d'un bruit plus sec, comme un claquement de doigts, ou des couteaux qu'on aurait aiguisés. Pourquoi cela ne s'arrêtait-il pas ?

Quelqu'un la secoua par l'épaule.

— Oui ? murmura-t-elle.

— Carrie.

— Oui ?

Le cliquètement incessant l'empêchait de se concentrer. Elle avait tellement envie de dormir. Une lumière s'alluma, mais elle n'eut pas la force de se couvrir les yeux d'une main.

— Allez-vous-en, grogna-t-elle.

— Je t'ai écoutée porter un toast tout à l'heure, Carrie. Tu te souviens de ce que tu as dit ?

— Non…

— « Puissent tous nos rêves devenir réalité. » Et qu'en est-il de tes cauchemars ? Eux aussi peuvent se réaliser.

Ces mots n'avaient aucun sens.

— Quoi ? Quels cauchemars ? Non…

— Réveille-toi, Carrie. Allez, regarde-moi.

La voix se fit plus insistante, plus menaçante. Carrie parvint enfin à cligner des paupières. Des ciseaux étincelants s'ouvraient et se fermaient juste sous son nez. Voilà d'où provenait ce cliquetis. Mais pourquoi… ?

Puis le bruit cessa et les ciseaux se volatilisèrent. Un visage se matérialisa à quelques centimètres du sien, arborant ce sourire, ce sourire hideux et triomphant qui lui était malheureusement si familier…

Elle tenta de hurler.

— Non… non… non… oh, mon Dieu ! sauvez-moi ! Non… Jilly…

5

Les heures filaient sans qu'Avery en ait conscience. Débordée, elle n'avait qu'un souci en tête : s'acquitter d'un maximum de tâches avant de se rendre à l'aéroport. Après avoir fait place nette sur son bureau la veille au soir, elle était même arrivée à six heures trente ce matin-là afin d'être complètement à jour.

Recrue de fatigue, elle avait à présent du mal à fixer son écran. La colère montait en elle. Quelqu'un – elle ignorait qui – était passé lui apporter vingt-deux dossiers afin qu'elle transfère toutes les informations contenues dedans dans leur base de données. S'y ajoutaient au moins soixante e-mails qu'elle avait à consulter, et elle avait délaissé sa boîte vocale personnelle depuis plus de vingt-quatre heures.

Son box semblait avoir été ravagé par un cyclone et les dossiers s'être multipliés à l'infini. Comment était-ce possible ?

— Tu n'es pas censée prendre l'avion ? lui demanda Margo, qui jonglait avec une pile de documents, une bouteille d'eau vide et une boîte de beignets.

— J'ai encore un peu de temps devant moi, répliqua Avery en répondant à l'un de ses e-mails.

Lou se leva et s'étira.

— Margo, il reste des Krispy Kremes ?

— Un seul. Avery n'a pas mangé le sien.

— Sers-toi, lança celle-ci.

Lou extirpa la boîte de sous le bras de Margo.

— Tu pars quand ?

— Bientôt.

— En avion ?

— Quelle question ! Évidemment qu'elle part en avion, s'exclama Margo.

— J'ai tout programmé à la minute près, expliqua Avery. En décampant à quatre heures et quart, je pourrai rentrer chez moi, me changer et charger mes valises avant de foncer à l'aéroport.

— Tout Washington prend l'autoroute en fin d'après-midi. Il y aura forcément des bouchons. Tu ferais mieux de prendre la Jefferson Davis et de couper ensuite par la 95. Tu gagneras vingt bonnes minutes, conseilla Mel.

— L'autoroute est plus rapide aux heures de pointe, objecta Margo.

Avery ne leur prêtait qu'à moitié attention. Ses doigts volaient sur le clavier.

— J'ai honte de vous laisser un tel chantier, dit-elle.

— Ne t'inquiète pas, la rassura Lou.

— On se répartira le boulot, renchérit Margo. Et puis, moi aussi j'ai prévu de vous refiler tout mon travail quand j'irai au mariage de ma cousine à San Diego le mois prochain.

Mel l'interrompit en revenant à la charge :

— Si tu veux, je peux te sortir l'itinéraire à suivre jusqu'à l'aéroport. Je te le donnerai tout à l'heure.

— Tout ce que tu veux, du moment que je peux me sauver à quatre heures et quart.

— J'y veillerai. Mais d'abord, réglons nos montres.

— Tu parles d'une idée débile, le railla Margo. Brad Pitt ne s'amuserait jamais…

Son téléphone sonna au même instant.

— Soyons lucides, commenta Lou pendant qu'elle courait décrocher. On est tous débiles.

— Et alors ? objecta Mel. Réfléchis, quoi. Bill Gates l'est aussi et pourtant il s'en sort très bien.

— Peut-être, mais on est loin d'avoir son salaire. Et tout le Bureau nous traite comme des crétins.

— Je n'en crois rien, persista Mel. On est des membres importants d'une équipe.

La voix de Margo s'éleva soudain :

— Andrews arrive ! La secrétaire de Douglas l'a entendu demander où se trouvait le bagne.

— Il veut sûrement remercier Avery d'avoir renoncé à tous les honneurs à son profit, supposa Lou.

— Il aura mis le temps, alors ! s'insurgea Margo. Il aurait dû y penser l'autre jour, après la conférence de presse.

— Il va te retarder, en tout cas, trancha Mel. Autant que je t'imprime un itinéraire bis. Tu te décideras au moment de partir. Pense juste à allumer ta radio et à te brancher sur Info-trafic.

Avery retint un sourire. Mel avait tendance à s'attacher à de simples détails.

— Merci, Mel.

— On accordera quatre ou cinq minutes à Andrews. Ça ira ?

— Parfait.

— Ensuite, Lou, tu lui couperas la parole. Tu es doué pour ça.

Mais Andrews gâcha tout. Quelques instants suffirent à Avery, qui ne l'avait jamais rencontré, pour le cataloguer. L'homme se considérait comme un tombeur – en quoi il avait tort. Une fois ses remerciements expédiés, il s'assit sur le bord de son bureau et l'invita à dîner tout en la couvant d'un regard concupiscent. Lou et Mel s'employèrent aussitôt à la débarrasser de lui.

— Avery part ce soir en vacances, l'informa le second. Elle a un avion à prendre.

Devant l'absence de réaction de l'agent, Lou opta pour une méthode plus brutale.

— Vous feriez mieux de la laisser. Elle est pressée.

Mais Andrews se contenta de croiser les bras en souriant d'un air niais.

Il ne fallait pas être devin pour saisir ce qui se passait. Andrews était victime d'un CDFL, « un coup de foudre libidineux ». Le phénomène n'était pas nouveau. La plupart des hommes souffraient en effet d'une altération temporaire de leurs facultés mentales en présence d'Avery – la faute à ses grands yeux bleus innocents, selon Mel. Dès qu'elle fixait un type avec attention, le cerveau de ce dernier cessait toute activité. Lou ne partageait pas cet avis. Les yeux bleus d'Avery jouaient certes un petit rôle dans l'histoire, mais, pour lui, c'était avant tout sa silhouette de rêve et ses longs cheveux blonds qui transformaient ses interlocuteurs masculins en parfaits demeurés.

Tel était à présent le cas d'Andrews, qui offrait le triste spectacle de la déchéance intellectuelle d'un agent expérimenté.

Mel, le plus attaché à protéger Avery, espéra qu'il finirait par la complimenter – tous le faisaient, tôt ou tard –, afin que la jeune femme l'éconduise. Il consulta sa montre tout en appelant silencieusement ce moment de ses vœux. Si Andrews ne se décidait pas vite à la draguer, Avery raterait son avion.

Grouille, le pressa-t-il *in petto*. Vas-y. Sors-lui qu'elle est canon.

— J'ai une question à vous poser, Avery, déclara Andrews d'une voix de crooner.

— Oui ?

— Comment a-t-on pu reléguer une femme aussi belle que vous au sous-sol ? Avec un physique pareil…

Il ne put terminer sa phrase. Le pauvre ne vit rien venir.

— Agent Andrews, jeta-t-elle sèchement. Je ne suis pour rien dans mon apparence. Maintenant, si vous voulez bien m'excuser, j'ai beaucoup de travail et j'imagine que vous aussi. Descendez de mon bureau et allez-vous-en.

À ces mots, elle fit pivoter sa chaise et se remit à taper sur son clavier. Confus, rougissant comme une jeune fille en fleur, Andrews obtempéra avec l'air de ne pas comprendre ce qu'il avait dit de mal.

Mel attendit qu'il se fût éloigné, puis éclata de rire.

— J'en déduis que tu n'iras pas dîner avec lui à ton retour ?

— J'essaie de travailler, au cas où tu ne l'aurais pas remarqué.

Lou leva une main. Mel saisit à contrecœur son portefeuille, y prit un billet et le lui tendit. Conséquence d'un vieux pari toujours d'actualité entre eux, Lou venait de gagner un dollar parce que Andrews ne s'était pas extasié sur les superbes jambes d'Avery, lesquelles n'échappaient d'ordinaire à personne. Il fallait croire qu'il n'était pas attiré par cette partie de l'anatomie féminine.

— Pourquoi ça ne m'arrive jamais à moi ? pesta Margo. Je suis pourtant mignonne, non ?

— Bien sûr que oui, répondit Lou.

— Et j'ai envie de me marier et de fonder une famille, continua-t-elle. Alors qu'Avery n'a jamais caché qu'elle n'en avait pas l'intention. Ce n'est pas juste. Je conviendrais parfaitement à Andrews, moi. Vraiment. Mais il ne m'a même pas accordé un regard.

— Qu'est-ce qui te fait croire que tu lui conviendrais ? s'enquit Lou.

— Parce que personne n'apprécie mieux que moi un mec bien balancé, et c'en est un. On s'entendrait à merveille, affirma-t-elle en retournant à son bureau.

Mel rangea son portefeuille dans sa poche et se dirigea lui aussi vers son box. À quatre heure et quart, il interpella Avery :

— C'est l'heure !

— Encore dix minutes…

Mais les dix minutes se transformèrent en quarante-cinq, et Avery manqua son avion. Un accident ayant bloqué deux voies sur l'autoroute, l'appareil avait déjà décollé lorsqu'elle atteignit son terminal.

Épuisée par sa semaine de travail, elle envisagea un

instant de rentrer chez elle s'affaler sur son lit. Mais Carrie l'étranglerait si jamais elle arrivait avec une journée de retard.

Utopia ne correspondait pas à l'idée qu'Avery se faisait de vacances agréables. Seule l'affection qu'elle portait à sa tante la poussait à se rendre là-bas. Lorsqu'elle voyageait, elle aspirait plutôt à visiter les sites touristiques de la région et à s'imprégner de la vie locale. La perspective de rester enfermée six jours dans une station thermale ne l'enchantait donc guère, mais elle avait donné sa parole et ne pouvait revenir en arrière.

Le vol suivant à destination d'Aspen via Denver affichait complet, de sorte qu'elle dut suivre un itinéraire plus compliqué qui la fit atterrir à Grand Junction, dans le Colorado. Faute de correspondance avant le lendemain matin, elle rassembla ses bagages et prit une chambre d'hôtel à proximité de l'aéroport. Elle tenta ensuite de joindre Carrie sur son portable, mais tomba sur sa messagerie dès la première sonnerie. Elle doit être déjà couchée, songea Avery en calculant qu'il était minuit à Aspen. Elle lui annonça qu'elle arriverait le lendemain aux alentours de midi, puis avertit la station de son retard.

Avery dormit comme un loir cette nuit-là. Au réveil, elle appela sa boîte vocale au bureau. Plus de vingt messages l'attendaient – par chance, rien de pressant. Celui d'une Carrie surexcitée à l'idée de passer la nuit dans un refuge où Tom Cruise avait prétendument séjourné l'amusa. Ça lui ressemblait bien de s'enthousiasmer pour de telles futilités.

À huit heures et quart, elle était sur le départ. À deux pas d'elle, un couple de personnes âgées évoquait les superbes sites de la région. Elle décida alors de louer une berline pour gagner Aspen.

Elle s'arrêta en chemin dans un McDonald's afin d'étudier sa carte et de décider d'un trajet plus intéressant jusqu'à Utopia. Un trajet qui lui permettrait de traverser un site historique, par exemple. Elle se doutait que Carrie ne la laisserait pas quitter le centre après son arrivée, et elle voulait voir au moins une petite partie du Colorado. De toute façon Carrie lui en voudrait de son retard. Quelle différence pourraient bien faire une heure ou deux de plus ?

Elle déplia complètement sa carte et s'efforça de localiser le refuge dont Carrie lui avait parlé. Comment s'appelait l'endroit déjà ? La Terre des Lacs ? Non, ce n'était pas ça.

— Vous êtes perdue, ma p'tite dame ?

La grosse voix de baryton la fit sursauter. Et la contraria aussi. Elle n'était pas d'humeur à supporter un dragueur. L'air renfrogné, elle leva les yeux, bien décidée à décourager cet importun, mais ne put s'empêcher de sourire face à l'individu qui s'était planté devant elle. L'homme avait au moins quatre-vingts ans. Chemise en coton immaculée et fraîchement repassée, lacet de cuir serré autour du cou par une broche, blue-jean rentré dans des bottes de cow-boy couleur fauve, il tenait un Stetson dans une main et une tasse de café fumante dans l'autre. Au milieu de son visage buriné se détachaient des yeux marron pétillants et une moustache en forme de guidon de vélo, taillée avec soin et aussi blanche que ses cheveux.

— Pardon ?

— Je vous demandais si vous étiez perdue, répéta-t-il. Je vous ai vue examiner cette carte et je me suis dit que je pourrais peut-être vous aider, étant donné que je connais le Colorado comme ma poche. Ça fera quatre-vingt-quatre ans en septembre que je vis ici.

— Je repérais juste les coins touristiques à ne pas rater, mais, pour être sincère, vos conseils me seraient utiles. Voulez-vous vous joindre à moi ?

— Avec plaisir ! (Il posa son café et son chapeau avant de s'asseoir en face d'elle.) Je ne resterai pas longtemps. Ma petite-fille doit bientôt venir me chercher. Elle dirige une boutique d'habits et d'accessoires et je lui file un coup de main deux jours par semaine. C'est pour ça que je me suis fait beau, expliqua-t-il. Maintenant, je vous écoute, où allez-vous ?

— À Aspen.

— Vous n'êtes pas perdue, alors. Il y a des pancartes partout autour de vous et la ville n'est qu'à quelques kilomètres.

— Oui, mais je cherche un lieu nommé « la Terre des Lacs » ou « la Terre autour des Lacs ». Vous en avez entendu parler ?

— Si c'est à la « Terre entre les Lacs » que vous faites allusion, oui, bien sûr. Oh, au fait, je m'appelle Walt Gentry.

— Et moi Avery Delaney, répondit-elle en lui tendant la main.

— Enchanté. Mais autant remballer votre carte parce que vous ne trouverez pas cet endroit là-dessus. La plupart des étrangers au Colorado ne savent même pas qu'il existe. Vous voyez, les gens arrivent ici de Californie et de Washington pour se payer quelques hectares de terrain et construire de grandes demeures qu'ils se mettent ensuite dans l'idée de baptiser. Un certain Parnell, Dennis Parnell, a acheté une quinzaine d'hectares de terres vierges au-dessus d'Aspen il y a un bout de temps. Il n'aurait pas dû y être autorisé, mais bon, il a réussi à se débrouiller. Et puis, il y a six ans, il a décidé de bâtir la maison de ses rêves là-haut. Ça a pris deux ans et demi, et il a rendu fous les écologistes à force d'abîmer le paysage. Il a fait abattre des dizaines d'arbres pour que les semi-remorques puissent passer. C'est une honte, ce qu'il a fait, et il ne s'en est tiré que parce qu'il avait assez d'argent pour obtenir tous les permis nécessaires. Ça ne serait plus possible aujourd'hui, ajouta Gentry. Des lois ont été votées récemment afin de mieux protéger notre environnement. Enfin, bref, quand sa maison a été finie, il l'a entourée d'une grosse barrière. Il a déboursé huit millions en tout, à ce qu'il paraît, mais vu que ça date de plusieurs années, je parie que la valeur a plus que doublé. Le bruit a couru à l'époque que Parnell avait payé cash, sans faire le moindre emprunt. Moi, ça m'étonnait, seulement les gens du coin s'en sont persuadés, eux, et ils se sont demandé où il avait pioché tout cet argent.

— Et ? s'enquit Avery, captivée par son récit.

— Ils ont d'abord pensé à un trafic de drogue, jusqu'à ce qu'on apprenne que Parnell possédait une petite entreprise d'informatique dans la Silicon Valley et que l'un de ses ingénieurs avait inventé une puce révolutionnaire. Je pige pas grand-chose à ces trucs-là, reconnut Gentry. Tout ce que je sais, c'est que Parnell a déposé le brevet. Il a fait fortune, revendu sa boîte avant qu'elle coule et déménagé ici.

— Il n'est plus propriétaire, maintenant, si ? l'interrogea Avery, qui supposait que Parnell avait cédé sa maison à Utopia afin qu'elle serve de refuge aux clients de marque.

— Oui et non. C'est là que l'histoire se corse. Parnell s'est marié dans une église à deux pas d'ici. La cérémonie a coûté une fortune, et ç'a été quelque chose ! Il y avait cinq cents invités à la réception. Des fleurs ont même été livrées d'Europe – à croire que les nôtres n'étaient pas assez bien. Sauf que les préparatifs du mariage ont duré plus longtemps que son couple... Un an et demi plus tard, Parnell réclamait le divorce. (Gentry marqua une pause et secoua la tête.) Le monde moderne me dépasse. Avec ma femme, Ona May, on est mariés depuis quarante-sept ans. Évidemment, y a eu des moments où j'ai eu envie de ficher le camp et de ne jamais revenir. J'imagine qu'elle aussi, d'ailleurs, mais on est restés ensemble parce qu'on l'avait juré devant Dieu et qu'on était sérieux. Aujourd'hui, je lis des articles dans les journaux au sujet de cette nouvelle mode, les « mariages éclair ». Vous voyez de quoi je parle ?

— Oui, sourit-elle.

— Je ne comprends pas. Ces couples-là devraient se contenter de vivre ensemble sans s'engager devant un prêtre. Parnell a dû s'apercevoir que c'était son cas, sinon il ne se serait pas séparé aussi vite de sa femme. Ç'a pas été joli-joli, leur divorce. Chacun a traîné l'autre dans la boue et les journaux n'en ont pas perdu une miette. Depuis plus d'un an qu'elle est en cours, l'affaire n'est toujours pas résolue. Tout le monde attend de savoir qui gardera la maison. La future ex-femme de Parnell prétend qu'il la lui a promise, et elle est persuadée d'obtenir gain de cause. La décision appartient au juge maintenant. Pamela Parnell répète qu'elle préférerait mourir plutôt que d'abandonner la maison à son mari, et lui réplique de son côté que cette solution lui conviendrait très bien. De vrais gamins, si vous voulez mon avis. Pas plus tard que la semaine dernière, Parnell a répondu à une énième interview et, d'après le journal, il a affirmé que, quelle que soit la décision du juge, il ne laisserait jamais son ex-femme mettre la main sur cette propriété. Ils font la paire, ces deux-là ! Mais les habitants du coin ne valent pas mieux. Imaginez un peu : ils ont carrément organisé une loterie !

— C'est-à-dire qu'ils parient sur l'issue du divorce ?

— Exact. Pamela Parnell est donnée favorite à cause de la manière plutôt louche dont Parnell a obtenu ses permis de construire – il paraît qu'il sera inculpé d'ailleurs. Et puis, le juge qui traite leur dossier est un écolo pur jus. Mais, comme on dit, qui vivra verra. (Gentry se pencha et tapota la carte avec son index.) Là, fit-il. Voilà où se situe la Terre entre les Lacs. Elle doit son nom aux deux grands lacs qui l'entourent. D'ici, il faut compter environ deux heures pour y aller. Il y a d'autres résidences tout aussi luxueuses dans la région, mais vous ne pourrez pas vous en approcher parce que les routes qui y mènent sont privées et leur accès protégé.

— J'avais pourtant cru comprendre que ma tante passerait la nuit dans un refuge surnommé la Terre entre les Lacs, mais j'ai dû me tromper, ou mal entendre. La ligne grésillait beaucoup.

— Les Lacs Jumeaux, peut-être ? suggéra Gentry. Eux sont au sud, dans la direction opposée, et ils figurent sur votre plan.

Il lui montra le lieu en question. Avery hocha la tête, puis replia sa carte et la rangea dans son sac.

— Merci pour votre aide, dit-elle en lui serrant la main.

— Tout le plaisir était pour moi. Et un conseil : attachez bien votre ceinture. Il y a des fous dangereux qui roulent à plus de cent à l'heure sur nos routes sinueuses. Soyez prudente.

Avery se remit au volant et démarra. Son sentiment de culpabilité la dissuada de faire le moindre détour. Après tout, elle venait déjà de s'imprégner d'un peu de couleur locale en compagnie de Walt et le récit de ce charmant vieux monsieur l'avait fort divertie.

Elle caressa un instant l'espoir d'entraîner Carrie dans une randonnée. Sa tante avait été très sportive au lycée, où elle s'était adonnée au volley, au basket et à presque toutes les activités proposées. Avery elle-même avait joué avec ses coupes de tennis quand elle était petite. Les promenades au grand air et les exercices physiques rebutaient Carrie à présent. Son but en allant à Utopia était de se faire dorloter, pas d'être forcée à suer sang et eau pour retrouver la forme.

Avery traversa Aspen et continua sur sa lancée. Une heure plus tard, elle était certaine de s'être perdue, mais un panneau indiquant Utopia la rassura. La route bifurqua ensuite avant de se réduire à un sentier caillouteux qui serpentait dans la montagne. Une barrière surgit devant elle, et elle stoppa afin de donner son nom au gardien.

— Vous n'apparaissez pas sur la liste des personnes attendues aujourd'hui, l'informa-t-il.

— C'est impossible, j'ai une réservation, insista-t-elle.

Il s'approcha de la voiture et lui sourit.

— Il a dû y avoir une confusion. Vous n'aurez qu'à régler ça à la réception.

— Merci ! lui dit-elle en avançant – et en songeant qu'un garde aussi sympathique augurait bien de l'accueil du centre.

Dans son rétroviseur, Avery vit que l'homme l'observait s'éloigner. Ses cheveux poivre et sel lui rappelèrent son oncle Tony... auquel elle avait d'ailleurs oublié de téléphoner la veille. Il fallait qu'elle y pense une fois dans sa chambre. Il était si anxieux de nature. Avery n'ignorait pas que le couple battait de l'aile, mais elle espérait que Carrie et lui surmonteraient leurs problèmes. De fait, elle soupçonnait sa tante d'être responsable de cette situation. Elle connaissait ses défauts et savait que Carrie se montrait parfois insupportable. Épouser Tony avait été la meilleure de ses décisions. Peut-être que, une fois reposée, elle s'accorderait enfin le temps de réfléchir à ses priorités dans la vie et cesserait de tenir l'amour de son époux pour acquis. Heureusement, Tony avait une patience à toute épreuve. Il s'était accroché plus longtemps que ne l'aurait fait n'importe qui à sa place.

Avery passa une série de virages en épingle. Où était ce fichu centre ? La route n'avait cessé de grimper depuis qu'elle avait franchi la barrière. Autour d'elle s'étendait une nature sauvage. Utopia lui apparut enfin à un détour du chemin.

La station thermale portait bien son nom.

— Mon Dieu ! murmura-t-elle, éblouie par tant de beauté et de sérénité.

Devant elle se dressaient des bâtiments de stuc nichés dans un paysage luxuriant de grands conifères. De petits bungalows parsemaient un versant de la montagne, reliés par des sentiers gravillonnés qui serpentaient entre les pins. Un dernier raidillon l'amena enfin sur une allée circulaire pavée. D'énormes pots d'argile débordants de lierre et de fleurs jaunes et roses encadraient l'escalier de marbre de l'entrée, telles des sentinelles. De nombreux curistes allaient et venaient d'un pas tranquille.

Au moment où elle se garait, un portier se précipita vers elle. Il lui ouvrit la portière, lui tendit la main pour l'aider à descendre.

— Bienvenue à Utopia !

6

Monk était amoureux. Alors qu'il n'aurait jamais cru ça possible, il avait rencontré la femme de ses rêves et se comportait depuis comme le dernier des imbéciles. Jilly était son âme sœur. Là-dessus, aucun doute. Ils étaient faits l'un pour l'autre, car ils partageaient les mêmes envies, les mêmes ambitions et, surtout, le même esprit déloyal.

Elle l'avait tout de suite ensorcelé dans ce bar-resto sordide à la sortie de Savannah où ils s'étaient fixé rendez-vous. Le souffle coupé, il l'avait regardée entrer, vêtue d'une robe de soie rouge et de talons aiguilles assortis. Elle était... stupéfiante. Comme il le lui avait indiqué au téléphone, il l'attendait assis dans un coin avec une chemise cartonnée bleue. Son visage s'était éclairé lorsqu'elle l'avait vu, et il s'était tout de suite su perdu.

La passion des débuts ne s'était pas émoussée. Toutes ses pensées tournaient autour d'elle. En pleine corvée de surveillance, il n'aimait rien tant que se rappeler dans les moindres détails la première fois qu'ils avaient fait l'amour. Cela s'était passé trois heures exactement après leur entretien au bar. Jilly l'avait emmené dans sa chambre d'hôtel, l'avait débarrassé de ses habits et de ses inhibitions, puis s'était donnée à lui avec ardeur. Monk fermait les yeux, en proie à l'extase que lui procurait le souvenir de ces instants. Le goût de sa peau, son parfum musqué, la chaleur de leurs corps enlacés, ses gémissements... Elle s'était montrée déchaînée, avide, brutale – tout ce qu'il adorait –, et en même temps exquise et vulnérable.

Monk s'étonnait de son indiscipline dès lors qu'il s'agissait de Jilly. Lui qui ne s'était jamais considéré comme romantique ou du genre à se marier avait mis un genou à terre, deux mois plus tôt, pour lui demander sa main. Et lorsqu'elle avait accepté, le comblant ainsi de bonheur, il s'était dit prêt à tout pour elle, absolument tout. Son désir de lui plaire était tel qu'il devenait de la pâte à modeler entre ses mains. Mais cela lui était égal.

Jilly était la seule personne au monde à qui il pouvait confier ses secrets – et réciproquement. Ils vivaient ensemble depuis quatre mois quand un soir il lui avait raconté sa triste enfance dans une région aride du Nebraska. Ses parents étaient des fermiers austères et taciturnes. Son père, adepte du dicton « qui aime bien châtie bien », ne ratait pas une occasion de le corriger à grands coups de martinet, sous le regard passif de sa mère, une petite nature qui avait peur de son ombre et ne sortait de chez elle que pour aller à l'église le dimanche matin. Monk avait vite appris à ne pas se plaindre auprès d'elle, car elle rapportait tout à son père. À dix ans, il les haïssait tant qu'il s'endormait le soir en rêvant des tortures qu'il pourrait leur infliger.

Insatisfait de son existence étouffante, il avait fini par accumuler un pécule grâce à l'argent volé petit à petit dans le coffre de l'église. Puis, le lycée terminé, il avait fourré ses affaires dans un sac et était parti étudier à l'université d'Omaha, finançant son premier semestre grâce à ses économies et le reste avec des emprunts contractés auprès de l'État – emprunts qu'il n'avait jamais eu l'intention de rembourser. Quatre ans plus tard, il quittait le Nebraska en se jurant de ne jamais y remettre les pieds.

À ce jour, Monk ignorait si ses parents étaient en vie ou non, mais la question ne le tourmentait guère.

Il ne s'était jamais soucié de personne. Du moins jusqu'à présent.

Il ne cacha rien à Jilly. Il lui expliqua qu'il avait commis son premier meurtre à l'âge de vingt-deux ans. Il lui avoua aussi qu'il avait autrefois rêvé de monter sur les planches. Il prenait plaisir à se costumer, à interpréter différents personnages. Et il était bon acteur. Si bon qu'il avait postulé pour un premier rôle dans un grand classique du répertoire, un été. Or un des comédiens s'était moqué de sa composition devant le metteur en scène. Humilié, ébranlé par ses piques, Monk avait raté son audition, et le rôle lui était passé sous le nez. Bien décidé à se venger, il avait rongé son frein durant deux ans avant de poignarder le fautif – expérience qu'il avait trouvée à la fois enivrante et libératrice.

— Quand as-tu changé de nom ? l'interrogea Jilly ce soir-là.

— Le jour où je me suis inscrit à l'université. J'avais un faux certificat de naissance – assez grossier, je le reconnais, mais ç'a suffi pour tromper l'administration.

— Je n'ai pas eu la chance de faire des études, moi. Ce n'était pas l'envie qui me manquait, mais ma mère ne m'estimait pas assez intelligente. Du coup, elle m'a volé mes économies et s'en est servie pour payer la scolarité de Carrie.

— Comment était ton enfance ?

Les yeux de Jilly s'embuèrent de larmes.

— Dépourvue d'amour. Je ne me souviens pas de mon père, il nous a abandonnées quand j'étais petite. À cause d'elle.

— Ta mère ?

— Oui. Il s'est enfui avec une autre femme – ce que je peux comprendre avec le recul. C'est ma mère qui l'a poussé à partir. Elle était froide et amère. Elle ne m'a jamais témoigné la moindre affection et je crois que c'est pour ça que j'ai eu des ennuis... enfin, tu vois... que je suis tombée enceinte. J'avais besoin de quelqu'un qui m'aime. Mais j'ai déshonoré la famille. Tu n'imagines pas le nombre de fois où ma sœur et ma mère me l'ont répété. Et moi, comme une idiote, je me figurais que lorsque le bébé naîtrait, elles tireraient un trait sur mes erreurs et m'aideraient à m'occuper de lui. Je voulais assumer mes responsabilités envers cet enfant.

— Et bien sûr, tu as eu droit au scénario inverse.

— J'ai vécu un cauchemar. Quand ma mère et Carrie sont arrivées à l'hôpital, j'ai cru qu'elles allaient nous ramener à la maison, ma fille et moi.

Bouleversée, Jilly ne put continuer.

— Que s'est-il passé, mon amour ? la pressa Monk.

— Carrie l'a prise dans son berceau et l'a emportée sans dire un mot. Comme ça. Maman m'a retenue par le bras quand j'ai tenté de la suivre. Je lui ai demandé ce que Carrie comptait faire de mon bébé, et elle m'a répondu qu'elle allait conduire Avery chez elle. « Avery ». Voilà le prénom ridicule dont elle l'avait affublée. (Jilly essuya ses larmes du bout des doigts.) Elles ne m'ont même pas laissée choisir ! Carrie prenait toutes les décisions, n'hésitant pas à dicter sa conduite à ma mère, qui, elle, s'empressait d'obéir à sa fille chérie.

— Et ensuite ?

— Maman m'a ordonné de quitter la ville et de ne jamais revenir, prétextant qu'elle et Carrie ne supporteraient plus la moindre humiliation de ma part. Aucune discussion n'était désormais possible entre nous, et elle a refusé de me pardonner alors même que je la suppliais. Je la revois encore avec son air pincé. Le même que Carrie. Elle m'a injuriée et, juste avant de partir, elle a pioché un billet de cent dollars dans son sac à main et me l'a jeté à la figure.

— Tu n'avais personne pour te soutenir ?

— Maman était très amie avec le chef de la police locale, qu'elle menait par le bout du nez. Je me rappelle qu'il débarquait parfois tard le soir, quand Carrie et moi étions censées dormir. Une nuit, j'ai entendu des gémissements qui provenaient du salon, alors je suis descendue discrètement au rez-de-chaussée. Là, j'ai découvert ce type installé à son aise sur le canapé, le pantalon autour des chevilles.

Ma mère était agenouillée entre ses jambes. Ce porc était marié. Il aurait fait n'importe quoi pour m'empêcher d'aller tout raconter à sa femme. Maman m'a dit qu'il m'enverrait en prison si je ne disparaissais pas et je savais qu'elle avait assez d'influence sur lui pour l'obliger à le faire.

Jilly sanglotait si fort que Monk la serra contre lui jusqu'à ce qu'elle se calme.

— Qu'est devenue ta fille ?

— Carrie l'a élevée et montée contre moi. Ma sœur m'a toujours détestée. Elle crevait de jalousie de ne pas être aussi jolie que moi. S'approprier mon bébé était pour elle un moyen de se venger, je suppose.

— Et comment as-tu fait la connaissance de Dale Skarrett ?

— Après mon départ de Sheldon Beach, j'ai enchaîné les petits boulots tout en essayant d'économiser de quoi engager un avocat. Comme je n'avais aucun diplôme, j'ai surtout été employée dans des bars et des restaurants. J'ai volé de l'argent deux ou trois fois quand je n'arrivais pas à payer mon loyer, et j'ai couché avec des hommes. Douze en tout. Je les ai comptés… Ne me demande pas pourquoi, je n'en ai aucune idée, mais toujours est-il que je l'ai fait, en prenant juste toutes les précautions nécessaires pour qu'ils ne me refilent pas une maladie dégoûtante. Même si je détestais ça, je n'avais pas le choix. Je tenais tellement à récupérer ma fille… (Elle s'écarta de Monk à mesure qu'elle revivait ces moments douloureux.) Et puis, un soir, dans un bar crasseux de Savannah où j'étais serveuse, j'ai rencontré Dale Skarrett. Seigneur, il me répugnait ! Seulement, il était riche – il m'a montré la liasse de billets qu'il avait sur lui – et il me désirait. On a vécu ensemble durant ce qui m'a paru une éternité. J'ai bien tenté de rompre et d'aller de l'avant, mais il revenait à chaque fois. Jusqu'au jour où il m'a parlé d'une bijouterie que lui et ses copains, Frank et Larry, projetaient de cambrioler. Larry sortait avec la fille du propriétaire et elle n'était pas avare de confidences sur la fortune de sa famille. Dale a presque tout planifié et moi je me suis occupée des détails.

— Tu étais donc leur complice.

— Oui. Le vol s'est déroulé sans accroc, mais Frank a été incapable de la boucler après ça. Il a commencé à se vanter de toute l'oseille qu'il toucherait une fois les diamants vendus... Dale les avait cachés et nous étions tous convenus d'attendre au moins six mois avant de les écouler.

— C'est là que les choses ont mal tourné, n'est-ce pas ?

— Un indic a rapporté les propos de Frank à la police. Les flics l'ont arrêté pour l'interroger, il a fini par négocier avec eux et leur a livré Larry. Il ne nous a dénoncés que plus tard, Dale et moi – sûrement parce qu'il espérait conclure un meilleur marché. Larry a réussi à nous prévenir à temps et on a pu s'échapper. Pas lui. Il a tué un policier au cours d'une fusillade avant d'être abattu. (Jilly pleurait de nouveau.) Je me fichais pas mal des diamants. Dale m'avait promis de m'aider à retrouver ma fille en contrepartie de ma participation à leur casse. On est donc allés la chercher chez ma mère, à Sheldon Beach. Il ne s'agissait pas d'un kidnapping à mes yeux : je venais juste reprendre ce qu'on m'avait dérobé. Je ne me doutais pas alors que ma mère s'était adressée au tribunal afin que Carrie soit nommée tutrice d'Avery. Le juge m'a privée de tous mes droits à son profit. Elle m'a volé mon bébé, Monk. Elle me l'a volé...

— Mon amour...

— Avery n'était qu'une enfant quand Dale a voulu l'emmener avec lui, mais Carrie lui avait déjà bourré le crâne d'horreurs sur mon compte. Dale a eu beau lui assurer que je l'aimais et qu'elle serait heureuse avec moi, elle est devenue hystérique. Dieu seul sait quels mensonges Carrie lui avait racontés. Elle s'est débattue comme une tigresse en lui donnant des coups de pied et en le griffant au visage. Il lui a alors attaché les mains avec sa ceinture et lui a flanqué une fessée pour la calmer.

— Continue, l'exhorta-t-il en lui tendant un mouchoir pour qu'elle essuie ses joues. Tu te sentiras mieux après.

— Tu as raison. Les cris d'Avery ont réveillé ma mère. Elle a accouru avec un revolver que le chef de la police lui avait offert pour se protéger et elle a tenté de tuer Dale. Il m'a dit qu'il était en train de battre en retraite avec Avery quand le coup est parti. Elle a blessé ma fille par erreur. (Jilly frissonna.) Dale ne me l'a appris que beaucoup plus tard, si bien que je n'ai pas pu aller la voir à l'hôpital.

— Et ta mère ?

— En constatant ce qu'elle avait fait, il paraît qu'elle a hurlé, puis qu'elle a porté la main à sa poitrine et qu'elle s'est effondrée. Elle était morte avant même de toucher le sol… enfin, d'après Dale.

— Crise cardiaque ?

— Oui. Je ne l'ai même pas pleurée, ajouta-t-elle fièrement. Elle m'avait reniée, alors je lui ai rendu la pareille. Je n'ai pas versé la moindre larme.

— Je comprends.

— Dale est resté fidèle à sa promesse. Il a suivi Avery quand elle a rejoint ma sœur en Californie et a rôdé autour de son collège en pensant qu'il pourrait peut-être l'enlever après les cours. L'ennui, c'est qu'un agent du FBI avait été chargé de la protéger. Carrie avait visiblement convaincu les fédéraux que Dale ne renoncerait pas si vite. Ma sœur est futée. Elle a dû aussi alerter le principal, qui a à son tour averti les surveillants que Skarrett était dangereux. Quelqu'un avait l'œil sur Avery en permanence. Dale s'est risqué à s'approcher d'elle un jour, dans la cour de son école, mais l'agent du FBI l'a aussitôt repéré et l'a plaqué au sol. Dale n'était pas armé. Il a été embarqué et envoyé en Floride pour répondre de la mort de ma mère devant un tribunal.

— Et il a été condamné.

— Exactement. Le rapport d'autopsie a établi qu'elle avait eu une crise cardiaque, mais le jury a tenu Dale pour responsable.

— Et toi non ?

— C'est le cadet de mes soucis. Le fait est que ma mère avait effectivement des problèmes de santé. Maintenant, j'ai quelque chose à t'avouer, mon chéri. S'il te plaît, ne te mets pas en colère. Laisse-moi d'abord t'expliquer.

— Jamais je ne me mettrai en colère contre toi, je te le jure.

— Tu te souviens de l'argent que tu m'as donné pour rembourser mes dettes ?

— Les trente mille dollars ?

— Oui, murmura-t-elle en glissant une main sous son peignoir pour lui caresser le torse. Une grosse partie m'a en réalité servi à payer les avances sur honoraires d'un avocat.

— Mais pourquoi… ?

— Pour tirer Dale d'affaire. Je veux le sortir de prison et ça me semble possible aujourd'hui. En se penchant sur le dossier, l'avocat a trouvé une note d'un cardiologue de Savannah. Il est allé lui parler et a appris que ma mère était si malade que son cœur n'aurait de toute façon pas tardé à la lâcher. Plus important encore, ce spécialiste s'est présenté au procureur, à l'époque, afin de lui signaler qu'il avait soigné ma mère, mais cette information n'a pas été communiquée à la défense.

Monk se sentit soudain menacé.

— Continue, articula-t-il, furieux.

— L'avocat a mis cet argument en avant, et Dale aura bientôt un nouveau procès. Le juge a été outré en découvrant que le procureur avait sciemment dissimulé un tel élément. Apparemment, il y a des tensions entre les deux hommes et ç'a été la goutte d'eau qui a fait déborder le vase. Le juge a profité de ce qu'une affaire était repoussée pour offrir une chance à Dale. Carrie et Avery ne doivent pas témoigner. Dale restera derrière les barreaux, sinon.

— Et l'audience pour sa remise en liberté conditionnelle ? Elle est maintenue ?

— Oui, mais il aura déjà été rejugé à ce moment-là. Si Dale n'est pas libéré, je ne reverrai jamais ces diamants, alors que j'estime les mériter après tout ce que j'ai traversé. Bien sûr, tout ce qui est à moi est aussi à toi. Je suis trop gourmande ?

— Non, je ne crois pas. Mais sois franche avec moi. Tu éprouves des sentiments pour Dale ?

— Oh, mon Dieu, non ! Je l'ai toujours détesté. Je sais comment te le prouver, d'ailleurs.

— Comment ? s'enquit-il, intrigué par son sourire en coin si excitant.

— Dès qu'il nous aura menés aux diamants, je lui réglerai son compte sous tes yeux.

Tous les doutes de Monk s'envolèrent à ces mots.

— Je t'aime de toute mon âme, lui souffla-t-elle en l'embrassant. Je préférerais mourir plutôt que de te faire souffrir. Liquider Dale sera un gage de mon amour, mais j'en exige un de toi en retour.

— Lequel ? (Bien qu'il ne fût pas poète, Monk osa une déclaration romantique.) Je marcherais sur l'eau si tu me le demandais. Je ne reculerais devant rien pour toi, Jilly.

— Ma sœur et Avery ont été entendues lors de la dernière audience, et c'est à cause d'elles que Dale croupit encore en prison.

— Tu veux que je trouve un moyen de les tenir à l'écart cette fois ? C'est ça ?

— Chéri, pas seulement. Je veux qu'elles ne puissent plus jamais témoigner. Je veux que tu les tues.

7

Carrie s'éveilla en proie à des sueurs froides. Son cauchemar l'avait terrifiée, vidée de toutes ses forces. Elle s'enveloppa dans sa couette et se força à respirer calmement afin de maîtriser les battements désordonnés de son cœur. Ses visions lui avaient paru si proches de la réalité. Seigneur, qu'est-ce qui avait bien pu les provoquer ? Elle n'avait pas pensé à Jilly depuis des années. Pourquoi sa sœur hantait-elle de nouveau son sommeil ?

Elle finit par mettre ses angoisses sur le compte du surmenage. Elle avait travaillé entre soixante-dix et quatre-vingts heures par semaine au cours des deux mois précédents pour décrocher un juteux contrat avec la marque Bliss. Maintenant que tous les documents étaient signés et qu'elle pouvait enfin souffler, son cerveau accusait un léger coup de fatigue.

Elle roula sur le dos et ferma les yeux, éblouie par les rayons du soleil qui se déversaient entre les rideaux. Elle se remémora certains des exercices de yoga que lui avait enseignés Avery. Inspirer à fond. Ça au moins, elle se rappelait. Libérer son esprit et détendre chaque muscle de son corps. Parfait, tout lui revenait à présent. D'abord les orteils. Puis les jambes. Bien. Relaxe-toi, bon sang.

Peine perdue. Ce cauchemar avait fait naître en elle une angoisse sourde et menaçante, tel un monstre tapi dans un placard.

Carrie regretta que le Valium fût passé de mode. Elle en

aurait volontiers avalé deux ou trois comprimés pour apaiser ses nerfs. Peu à peu, cependant, elle recouvra son sang-froid, et les battements de son cœur reprirent leur rythme régulier.

Une bonne douche lui ferait du bien. Un bon café aussi. Rien de tel pour vous éclaircir les idées et vous aider à retrouver vos esprits.

C'est là que Carrie remarqua la paire de ciseaux posée sur la table de nuit, pointe dirigée vers elle. Elle se figea en étouffant un cri. Impossible de détourner le regard. Impossible aussi de les faire disparaître.

Son cœur se remit à battre follement. S'agissait-il d'une mauvaise plaisanterie ? Non. La personne qui avait placé ces ciseaux à cet endroit n'était pas en mesure de deviner la nature de son cauchemar. Étaient-ils bien réels au moins ?

Carrie tendit craintivement la main vers eux avec l'espoir d'être victime d'une hallucination. Le contact froid de l'acier lui arracha un gémissement. Non, elle ne rêvait pas.

La seule explication, à laquelle elle se raccrocha comme à une bouée de sauvetage, était que ces ciseaux se trouvaient là la veille au soir et que seul son subconscient y avait prêté attention. Mais... Il y avait cette enveloppe jaune, appuyée contre la lampe de chevet, avec son nom rédigé d'une écriture élégante. Carrie en était certaine : elle n'était pas là à son arrivée. Elle s'en empara et la décacheta d'une main tremblotante. Le papier, luxueux, ne comportait ni le logo d'Utopia ni l'adresse de l'expéditeur.

— Qu'est-ce que c'est que ce cirque ? murmura-t-elle en dépliant les deux feuillets contenus à l'intérieur.

Carrie,

As-tu pleuré en apprenant ma mort dans cet accident de voiture, il y a de ça tant d'années ? Ou bien as-tu fêté la nouvelle ? Tu te croyais si supérieure à moi. Je n'étais qu'une imbécile à tes yeux. Te souviens-tu du nombre de fois où tu me l'as répété ? Moi, oui, en tout cas. Ton gros problème, c'est que tu m'as toujours sous-estimée. Toujours. Mais tu n'as pas oublié combien j'adorais me venger, n'est-ce pas ? Mon heure est enfin venue. Tu es là où je voulais que tu sois.

La maison est piégée, Carrie, et il n'y a aucune issue. Si tu ouvres une fenêtre ou une porte donnant sur l'extérieur... boum ! Une simple pression sur un bouton et la maison explose. Tu te demandes sûrement combien de temps je compte attendre, non ?

Tic. Tac. T'affoles-tu ?

La façon dont j'ai procédé t'intrigue, j'imagine. J'ai commencé par dénicher l'homme de mes rêves. Il est fou de moi – comme tous les autres, tu me diras, à ceci près que lui se distingue par une qualité particulière : son perfectionnisme. Il s'appelle Monk, et j'avoue que le jour où je l'ai séduit, il était affreusement attaché à ses habitudes. C'est un tueur à gages, mon *tueur à gages, même s'il préfère le terme de « professionnel ».*

Il m'obéit au doigt et à l'œil. En retour, je lui montre comment s'amuser dans son travail. Il est fier de lui et de ce qu'il fait ; il est prudent, méthodique, et il veille à ce que je ne commette pas la moindre erreur. Par le passé, il n'acceptait qu'un contrat à la fois, mais je l'ai convaincu de viser plus haut. Il avait déjà été chargé de faire sauter la maison, alors nous n'avons guère eu de mal à organiser en plus l'élimination de quelques idiotes.

Tu sais pourquoi tu dois mourir. Tu m'as privée de mon rêve. Tu m'as volé mon enfant aussi, et tu l'as dressée contre moi. Ce ne sont là que deux raisons, Carrie, mais, au bout du compte, ton plus gros péché est de m'avoir gâché la vie.

Jilly.

PS : Ne t'inquiète pas pour Avery. Je m'occuperai d'elle aussi.

Carrie hurla, avant de se mettre à sangloter. Elle s'élança vers la porte-fenêtre coulissante, écarta les rideaux. Puis baissa les yeux. Dehors, une petite lumière rouge clignotante se détachait sur les explosifs, aussi horrible que les yeux du diable.

— Oh, mon Dieu, non !

Elle se rua vers la porte de sa chambre, trébucha sur ses chaussures et heurta du pied le bois du lit. La douleur se répercuta jusque dans son mollet. Elle continua à courir en jurant. Parvenue dans le couloir, elle s'arrêta net.

— Il y a quelqu'un ? cria-t-elle.

Rien. Pas un bruit. Trop tard, elle songea qu'elle aurait dû s'armer des ciseaux au cas où on l'aurait guettée. Mais Jilly les avait touchés. Jilly, qui avait aussi rédigé cette lettre atrocement joyeuse. Jilly, la psychopathe.

Dieu leur vienne en aide…

Elle longea le mur jusqu'à l'escalier. Elle avait peur de regarder en bas, peur aussi de rester dans l'incertitude. Une bonne minute lui fut nécessaire pour trouver le courage de se pencher par-dessus la rampe. Personne ne l'observait d'en bas. Sara, Anne et elle étaient peut-être seules dans cette maison. Ou plutôt dans cette bombe.

Elle dévala les marches et se précipita vers la chambre de la juge, dans laquelle elle s'engouffra sans même frapper.

La pièce baignait dans l'obscurité la plus totale. Sur le lit elle devina une forme recroquevillée, mais, afin de mieux distinguer le visage de la juge, Carrie traversa la chambre à tâtons et tira les rideaux.

— Merde, grogna-t-elle à la vue d'une autre petite lumière rouge clignotante.

Elle fit demi-tour et s'approcha de Sara en dressant l'oreille. Elle ne l'entendit pas respirer. Seul le ronronnement de l'air conditionné troublait le silence.

— Réveillez-vous, lança-t-elle à Sara en la secouant doucement.

Pas de réaction. Carrie la secoua de nouveau, plus fort cette fois.

— Allons, debout !

Sara grogna. Carrie comprit alors ce qui s'était passé. Les petits fours de la veille contenaient un somnifère, et parce qu'elle avait vomi le sien ses effets sur elle avaient été limités. Quelle dose Sara et Anne avaient-elles ingérée, en revanche ?

— Réveillez-vous ! insista-t-elle en empoignant la juge par les épaules.

Elle n'obtint qu'un nouveau grognement en guise de réponse. L'horloge du bureau indiquait déjà treize heures. Carrie se tourna vers la table de chevet et, sans surprise, découvrit une enveloppe appuyée contre la lampe, avec le nom de Sara inscrit dessus. L'écriture était identique.

Devait-elle lire la lettre ?

— Allez-vous-en.

La voix rauque la fit sursauter. Elle recula d'un pas tandis que, luttant pour ouvrir les yeux, la juge lui répétait de partir.

— Un petit effort, il faut vous réveiller !

Sara l'entendit enfin. Elle tenta en vain de s'asseoir et s'affaissa contre ses oreillers, d'où elle fixa Carrie avec l'air de recouvrer peu à peu ses esprits.

— Que… que faites-vous là ?

— Écoutez-moi. Vous avez été droguée. Vous comprenez ? S'il vous plaît, concentrez-vous. On a des ennuis.

— Droguée ? Non, je ne me drogue pas…

Carrie haussa le ton :

— Ils ont versé un somnifère dans notre nourriture ! Comprenez-vous ce que je dis ?

— Oui. Vous prétendez que nous avons été droguées ?

— Voilà. Ne vous rendormez pas. Je reviens tout de suite avec un linge mouillé. Allons, l'encouragea-t-elle. Asseyez-vous.

La juge obéit, mais écarta la main de Carrie lorsqu'elle voulut lui tamponner la figure du linge dégoulinant d'eau froide qu'elle rapportait de la salle de bains.

— Pourquoi êtes-vous là ? lui lança-t-elle comme si elle s'apercevait seulement de sa présence dans sa chambre.

— On a des ennuis. Il faut que j'aille prévenir Anne.

Écoutez-moi attentivement. D'accord ? Vous en êtes capable maintenant ?

— Voulez-vous cesser de crier ? Je ne suis pas sourde. De quels ennuis parlez-vous ?

— La maison est piégée.

— Pardon ?

— Nous sommes prisonnières. Si l'une d'entre nous ouvre une porte extérieure ou une fenêtre, tout sautera. Regardez, là, dehors. Vous voyez cette lumière qui clignote ?

— Si c'est une plaisanterie, elle est de mauvais goût.

— Non, insista Carrie, qui lui tendit son enveloppe. Tenez. J'en ai eu une moi aussi. Descendez avec au salon et je vous apporterai la mienne. Même si vous doutez de ma parole, ne touchez à aucune porte ni à aucune fenêtre. Je file avertir Anne.

Carrie l'abandonna à sa stupéfaction et à la lecture de sa lettre, et se hâta vers la suite de leur compagne de voyage, située à l'autre bout du couloir.

Anne n'était pas dans son lit, mais elle l'entendit vomir dans sa salle de bains.

— Ça ne va pas ? s'inquiéta-t-elle en toquant à la porte.

Silence. Carrie recommença. Elle tambourinait depuis un moment quand, enfin, Anne daigna sortir.

La frêle petite femme avait le teint verdâtre et vacillait sur ses jambes.

— Qu'y a-t-il ?

— Appuyez-vous sur moi.

Carrie enroula un bras autour de sa taille et la soutint jusqu'à son lit.

— Ne restez pas près de moi, lui enjoignit Anne. J'ai dû attraper un virus quelconque et je suis peut-être contagieuse.

— Non, vous n'y êtes pas du tout.

— Je vous assure. Je n'ai pas arrêté de me relever pour vomir cette nuit. Probablement une de ces saletés de virus qui durent vingt-quatre heures.

Aucune enveloppe n'apparaissait sur sa table de chevet.

— Vous n'avez pas dormi de la nuit ? lui demanda Carrie en l'aidant à se recoucher. Auriez-vous entendu... ou vu quelqu'un, par hasard ?

— Non. Laissez-moi. Je n'ai pas envie de m'allonger.

Anne ajusta ses oreillers et se hissa sur un coude.

— Nous avons été droguées, lui annonça Carrie. Le produit a dû être mélangé à ce que nous avons mangé hier soir.

— Ridicule. C'était de la nourriture avariée, voilà tout. Ah, ils vont voir de quel bois je me chauffe à Utopia... Je pourrais porter plainte ! Et je le ferai peut-être, d'ailleurs. D'abord le désagrément à l'aéroport, et maintenant une intoxication alimentaire. C'est inqualifiable.

Carrie ne chercha pas à discuter. Obstinée, elle enchaîna en lui décrivant les lettres que Sara et elle avaient reçues.

— La chose la plus importante à retenir, c'est qu'il y a des détonateurs à chaque fenêtre et à chaque porte. Si nous avons le malheur d'en ouvrir une, la maison explosera.

Anne la dévisagea comme si elle avait perdu la tête.

— Oh, Seigneur ! Qu'est-ce qui vous prend d'essayer de m'effrayer avec de telles histoires ?

— Je n'essaie pas de vous effrayer, je suis sérieuse. Avez-vous découvert une enveloppe avec votre nom dessus ce matin ?

— Non.

Sa réponse avait fusé trop vite, et sur un ton trop excédé. Carrie pressentit qu'elle mentait.

— Anne, nous sommes toutes dans le même pétrin. Dites-moi la vérité.

— Je vous dis la vérité ! se récria-t-elle, indignée. Maintenant partez et laissez-moi tranquille !

— Non. J'ignore de combien de temps nous disposons, alors il faut qu'on trouve un moyen de sortir d'ici sans déclencher les détonateurs.

— Je vous ai demandé de me laisser ! répéta Anne, les traits pincés et le teint rouge cette fois.

Carrie tenta une approche différente.

— Sara et moi... nous avons besoin de vous, Anne. Nous devons unir nos efforts pour comprendre ce qui se passe dans cette maison.

— Pourquoi avez-vous besoin de moi ?

— Parce que vous êtes intelligente.

— Qu'en savez-vous ?

— Vous dirigez votre propre entreprise, non ? C'est ce que vous m'avez expliqué.

Anne leva fièrement le menton.

— J'ai débuté avec trois fois rien, se vanta-t-elle en lissant les draps autour d'elle. Et j'ai transformé mon petit hobby – c'est ainsi que mon père qualifiait ma compagnie maritime – en une société qui pèse aujourd'hui quarante millions de dollars. Au mois de janvier, l'année prochaine, j'aurai quadruplé la marge bénéficiaire prévue par mon comptable.

Mais Carrie avait mieux à faire que de l'écouter vanter ses affaires. Elle prit sur elle pour garder son sang-froid.

— Pensez-vous être d'aplomb pour nous rejoindre au salon, Sara et moi ? Vos conseils nous seraient... très utiles.

Anne inclina la tête et la fixa en silence.

— Vous n'en démordez pas, décidément ... Vous croyez vraiment...

— Oui, l'interrompit Carrie.

— Très bien. Quel est votre nom, déjà ? J'ai oublié.

— Carolyn, répondit-elle en se retenant pour ne pas crier. Appelez-moi Carrie, si vous voulez.

— D'accord, Carrie. Je vous retrouve en bas.

— Si vous ne vous en sentez pas la force, Sara et moi pouvons monter dans votre chambre.

— Et pourquoi n'en aurais-je pas la force ? s'énerva Anne.

— Vous prétendez avoir vomi toute la nuit...

— Vous dites vous-même que nous avons été droguées.

— Oui.

— Raison pour laquelle je vomissais alors. Je ne suis pas malade.

— Parfait, répliqua Carrie calmement. Rendez-vous au salon, donc.

— Tout de même, il me semble que vous faites tout un drame de pas grand-chose.

C'en fut trop pour Carrie.

— Un drame ? rugit-elle. Nous sommes coincées à l'intérieur d'une bombe à retardement. Vous n'avez donc rien écouté ?

— Si, mais la solution est évidente. Décrochez le téléphone et prévenez Utopia. Ils enverront quelqu'un pour débrancher le système.

Le téléphone. Mon Dieu, pourquoi n'y avait-elle pas pensé ? Carrie courut s'emparer de l'appareil. Mais son espoir fut de courte durée : la ligne avait été coupée.

— Il ne marche pas, annonça-t-elle en le laissant tomber sur le lit.

— Et les portables ? On capte ici, à votre avis ? (Jetant un coup d'œil à sa table de nuit, Anne fronça les sourcils.) Où est le mien ? Je l'avais branché sur son chargeur et il n'y est plus. C'est vous qui l'avez pris ?

— Pas moi, *eux* ! tonna Carrie en allant tirer les rideaux. Vous voyez cette lumière, Anne. Vous la voyez ?

— Cessez de hurler.

— Vous voyez ces fils ? La maison est piégée ! Vous saisissez maintenant ?

— Oui, ça va, concéda Anne, la mine boudeuse.

Carrie renonça. Sara serait peut-être plus douée pour ramener cette folle à la raison.

— Je fonce dans ma chambre voir si mes portables y sont encore. Dépêchez-vous de descendre, ajouta-t-elle. Et surtout n'ouvrez aucune porte ni aucune fenêtre.

— J'ai compris.

— Et amenez votre lettre... s'il vous plaît. Sara et moi aurons les nôtres.

— Il n'y avait pas de lettre sur ma table de nuit, martela Anne.

Carrie se figea.

— Je n'avais pas précisé qu'elle était sur votre table de nuit.

— Fermez la porte derrière vous, se contenta de rétorquer Anne en fuyant son regard.

Mais quel était le problème de cette femme ? Pourquoi mentait-elle ? Qu'avait-elle à y gagner ?

Perplexe, Carrie retourna dans sa chambre. Elle s'arrêta net à l'entrée. Ses bagages avait été éventrés avec un couteau et toutes ses affaires éparpillées sur les fauteuils. Comment avait-elle pu ne pas remarquer ce désordre plus tôt ? Bien entendu, pas de téléphone portable, ni de chargeur ni d'ordinateur. Disparus.

— Je vais devenir cinglée, articula-t-elle à voix haute.

Essuyant ses joues du revers de la main, elle se dirigea vers la salle de bains, où elle contempla son reflet dans le miroir. Elle faisait peur à voir, avec ses yeux gonflés et son air hagard.

Carrie prit le temps de se brosser les dents et de se laver la figure, puis enfila son peignoir. Maintenant, je maîtrise la situation, se dit-elle en s'engageant dans l'escalier, la lettre de sa sœur à la main.

Ni Anne ni Sara ne se trouvaient encore dans le salon. Carrie inspecta la cuisine et fut surprise de découvrir le cellier rempli de boîtes de céréales non entamées, de légumes en conserve et de fruits. La poussière qui les recouvrait indiquait qu'ils étaient stockés là depuis longtemps. Le frigo, lui, était vide, mais le freezer contenait un paquet de café non entamé.

Elle en prépara, puis guetta l'arrivée d'Anne et de Sara en effectuant des allers-retours dans le couloir. Que fabriquent-elles, bon sang ? Pour finir, elle emporta une grande tasse dans le salon en veillant à ne pas s'approcher des fenêtres, au cas où quelqu'un les aurait espionnées de l'extérieur.

Elle patienta dans un fauteuil. Du café brûlant se renversa sur sa main tremblante. Cinq minutes plus tard, Sara descendit lentement les marches, vêtue d'un peignoir en soie bleu roi. À la façon dont elle agrippait la rampe, il était évident qu'elle était encore un peu sonnée.

— Vous voulez un coup de main ? s'enquit Carrie à la cinquième halte de la juge.

— Non, j'y arriverai. J'ai des vertiges, c'est tout. Qu'est-ce qu'ils ont bien pu mettre dans ces hors-d'œuvre ?

— Je n'en ai aucune idée, mais quelque chose de fort à coup sûr.

— On aurait pu y rester.

Quelle bonne blague ç'aurait été, médita Carrie. Succomber à un petit four et ne jamais rien savoir du mal que s'était donné Jilly. Sa sœur en aurait été folle de rage. Carrie sourit à cette pensée, si macabre fût-elle.

— Un peu de café ? proposa-t-elle.

— Je ne me sens pas capable d'en avaler pour le moment. Et puis, il est peut-être empoisonné.

— Je suis certaine que non. Ma lettre était signée de la main de ma sœur. Elle s'est démenée pour me terrifier et tient visiblement à ce que je souffre avant de mourir. Le poison me procurerait une mort trop fulgurante.

— Pourquoi nous avoir droguées, alors ?

— Pour nous assommer. Elle est entrée dans nos chambres cette nuit.

— Quelqu'un est effectivement passé dans la mienne. Toutes mes affaires ont été fouillées, et mon portable et mon Palm Pilot emportés.

— La ligne téléphonique a été coupée aussi.

— Oui, j'ai vérifié.

Carrie fut soudain frappée par le calme de la juge et lui en fit part.

— Je ne vois aucune raison de céder à la panique. À quoi cela nous avancerait-il ? Je préfère dépenser mon énergie à réfléchir à un moyen de sortir d'ici… vivante.

Carrie but une nouvelle gorgée de son café, à présent tiède et amer.

— Ma sœur a ressuscité d'entre les morts.

— Pardon ?

— Ma sœur… Je croyais qu'elle était morte dans un accident de voiture il y de ça des années. Mon mari et moi avions même fêté la nouvelle après avoir mis ma nièce au lit. On m'avait dit que son corps avait été carbonisé mais que ses effets personnels avaient été éjectés hors du véhicule lors de l'impact. Ce sont eux qui ont permis à la police d'identifier Jilly. Ce que j'ai pu être naïve ! À l'époque, elle était recherchée pour être interrogée dans le cadre d'une enquête.

— Elle a donc simulé sa propre mort, fit Sara. Pas bête.

— Oh oui ! Jilly a toujours été sournoise et rusée. (Carrie se leva et lui tendit sa lettre.) Elle a engagé un tueur à gages. C'est comme ça qu'elle l'appelle. *Son* tueur à gages.

— Votre propre sœur s'en prend à vous ?

Sara ne paraissait pas surprise, juste intriguée. Sa réaction déconcerta Carrie. Dans une famille normale, les filles se chamaillaient, certaines se détestaient peut-être, mais combien en venaient à de telles extrémités ?

— Ça ne vous choque pas ?

— Non, pas du tout.

— Jilly ne ressemble pourtant en rien à ce que vous avez pu connaître.

— On parie ? lança sèchement Sara. J'ai envoyé en prison des centaines d'hommes et de femmes qui avaient commis des crimes effroyables. J'estime avoir tout vu et tout entendu en vingt-deux ans de tribunal. Plus rien ne me choque maintenant.

— Je ne serais pas si catégorique à votre place. Mais dites-moi, Sara, qui veut votre mort à vous ?

Sara rajusta avec soin la ceinture de son peignoir, puis croisa les mains sur ses genoux.

— Qui veut ma mort ? Oh, beaucoup de personnes, j'imagine.

Elle donna sa lettre à Carrie et l'observa pendant qu'elle la lisait. Le message, très court, allait droit au but.

Juge Collins,

Je t'avais prévenue que je me vengerais, et je suis homme de parole. À ton tour de morfler. Je regrette de ne pas pouvoir assister au spectacle… à distance, bien sûr. Ta fin est proche.

Crève, salope.

Carrie posa la feuille sur la table basse.

— Je vais refaire du café pendant que vous parcourez le mot de Jilly.

— J'en boirai avec plaisir, maintenant.

Lorsqu'elle revint une minute plus tard avec deux tasses, Sara avait placé les deux lettres en parallèle.

— Votre sœur vous hait.

— Oh oui !

— Elle vous accuse de lui avoir volé son enfant et de l'avoir monté contre elle.

— C'est faux.

— Et elle vous tient pour responsable de tous ses échecs. Votre réussite s'est faite à ses dépens, selon elle.

— L'unique don de Jilly a toujours été de réécrire l'histoire. Elle tient tout ce qu'elle énonce comme vrai.

— On dirait une psychopathe.

— C'en est une. Aucun spécialiste n'a jamais diagnostiqué la maladie mentale chez elle, mais je n'ai aucun doute à ce sujet.

— Qu'est devenu cet enfant ?

— Avery. Elle s'appelle Avery, et c'est une adulte maintenant. Jilly l'a abandonnée à sa naissance en déclarant à ma mère que nous pouvions la garder, la vendre ou la donner. Elle se moquait bien de ce qui adviendrait de ce bébé. (Les larmes affluèrent à ses yeux. Elle se maudit de faire preuve de faiblesse devant une inconnue, mais c'était plus fort qu'elle.) Jilly a aussi l'intention de la tuer. Seigneur, elle l'a peut-être même déjà enfermée quelque part. Ma nièce devait me rejoindre à Utopia... (Elle se couvrit le visage d'une main.) Il faut qu'on sorte d'ici. Il le faut.

— Eh bien, votre sœur n'a pas ménagé sa peine pour vous faire souffrir !

Carrie lui raconta la visite que lui avait rendue Jilly au cours de la nuit. Sara lui prêta une oreille attentive tout en affichant une telle sérénité qu'elle en fut réconfortée.

— Jilly était très patiente quand elle avait un but précis. Et elle adorait les plans compliqués. Rien n'était jamais simple avec elle.

Sara reposa son café et se pencha en avant.

— Combien de temps nous reste-t-il, d'après vous ?

— Elle n'aurait pas élaboré une pareille mise en scène si elle souhaitait écourter mon agonie.

Toutes deux ne cessaient de jeter des regards furtifs vers l'escalier en attendant Anne.

— J'ai déjà inspecté toutes les fenêtres qui m'étaient accessibles. Elles sont piégées, déclara Carrie.

— Ça ne me surprend pas.

— Votre calme est décidément exemplaire...

— Je ne suis pas calme ! protesta Sara. Au contraire, je suis... tourneboulée.

— Moi aussi, sourit Carrie, amusée par la formulation de cet aveu.

— Et je réfléchissais à une chose...

— Oui ?

— Vous ne trouvez pas curieux que nous ayons été réunies toutes les trois dans cette maison ? Quel point commun avons-nous ?

— Je ne sais pas. Et je ne sais pas non plus si nous aurons le loisir de le découvrir.

— On réussira à s'échapper.

Sa détermination remonta le moral à Carrie.

— Oui, vous avez raison.

— Je me demande ce qui retient Anne.

— On aura un problème avec elle.

— Pourquoi ?

— Elle refuse d'admettre qu'elle aussi avait une lettre sur sa table de nuit à son réveil.

— Elle est peut-être en état de choc.

Carrie médita un instant ces paroles.

— Et en plein déni, compléta-t-elle.

— Nous n'avons pas d'autre choix que d'associer nos efforts, mais j'ai peur de ne pas vous être très utile – bien sûr je ferai tout mon possible. J'ai soixante-huit ans et ma forme physique laisse à désirer. Quand j'ai reçu une invitation promotionnelle pour un séjour gratuit de deux semaines à Utopia, je me suis dit : pourquoi pas ? Les spécialistes prétendent qu'il n'est jamais trop tard pour changer ses habitudes. J'ai donc pris de sérieuses résolutions. Mais il n'en demeure pas moins que je suis obèse et que je n'irai pas loin une fois à l'extérieur. Faute d'avoir été opérée des genoux il y a quelques années, j'ai du mal à marcher.

— Anne et moi vous cacherons quelque part... dans un endroit sûr, le temps d'aller chercher de l'aide.

Au même instant, une porte se referma à l'étage. Anne se décidait enfin à les rejoindre. Carrie resta bouche bée lorsque le frêle petit bout de femme descendit les marches, vêtu d'un tailleur-pantalon rose fuchsia griffé St. John. Ses boucles d'oreilles en or étaient assorties aux boutons de son ensemble et elle avait poussé le soin jusqu'à se maquiller et à se faire une mise en plis. Parvenue en bas de l'escalier, elle sourit aux deux autres femmes et s'avança vers elles. Ses talons hauts claquèrent sur le sol de marbre.

— Oh, oh, murmura Sara.

— Bonjour, mesdames, les salua Anne. Ou plutôt bon après-midi.

Elle semblait très joyeuse. Avait-elle sombré dans la démence ? s'inquiéta Carrie. Elle s'apprêtait à la questionner quand Sara invita Anne à s'asseoir.

— Vous vous êtes bien reposées ? s'enquit cette dernière, avant d'enchaîner sans la laisser placer un mot. Je n'en reviens pas d'avoir dormi si longtemps. Ce doit être l'air de la montagne. Quel agréable changement, pour moi qui viens de Cleveland.

— Un peu de café ? proposa Sara.

— Non, pas maintenant. Je sonnerai le personnel tout à l'heure.

Carrie se tourna vers Sara.

— Je vous avais dit qu'on aurait un problème avec elle.

— Excusez-moi ? intervint Anne.

— L'air de la montagne n'est pour rien dans cette histoire, Anne. Nous avons été droguées.

— C'est grotesque. Regardez ce paysage : qui oserait faire une chose pareille dans un cadre aussi magnifique... ?

— Avez-vous apporté votre lettre ?

— Je ne vois pas de quoi vous parlez.

— Je vous l'avais bien dit, soupira Carrie à l'intention de Sara.

Celle-ci prit le relais.

— Anne, Carrie et moi avons reçu ces lettres. Lisez-les s'il vous plaît.

La main d'Anne tremblait violemment lorsqu'elle saisit les deux enveloppes, qu'elle lâcha aussitôt sur la table basse.

— C'est inutile, décréta-t-elle.

— Au contraire, objecta doucement Sara. Vous comprendrez alors que nous avons de graves ennuis. Quelqu'un a truffé cette maison d'explosifs.

— Vous racontez n'importe quoi, marmonna Anne. Et je ne tolérerai pas que vous me gâchiez ma journée avec votre petit jeu ridicule.

— Nous sommes enfermées ici, continua la juge.

— Sornettes !

— Laissez tomber, Sara, fit Carrie. J'ai déjà tenté de lui expliquer.

— Vous mentez ! s'insurgea Anne.

Carrie envisagea de lui coller son poing dans la figure, mais vu sa maigreur et son air maladif, elle songea qu'elle risquait de la tuer. Une simple rafale de vent aurait suffi à la renverser.

— Si l'une d'entre nous ouvre une porte ou une fenêtre, la maison sautera, insista Sara.

Ni elle ni Carrie n'anticipèrent la réaction d'Anne, qui bondit soudain de son fauteuil et traversa le salon en courant.

— Vous voulez juste me faire paniquer. Cette maison n'est pas piégée, je vais vous le prouver.

Et elle fonça vers la porte d'entrée.

8

John Paul dut rester plus longtemps que prévu à Utopia, mais il se vit récompensé de son attente. Il était assis, ou plutôt affalé dans un fauteuil du bar, à moitié caché derrière des palmiers, quand Avery Delaney fit son apparition. Il la catalogua au premier coup d'œil comme le type même de la blonde californienne. Enfin, peut-être pas le type même, mais elle ne devait pas s'intéresser à grand-chose d'autre qu'à son physique. Quelle autre raison pouvait-on avoir de passer une semaine dans une station thermale ?

La fille portait un T-shirt blanc très moulant et un jean étroit visant de toute évidence à mettre en valeur ses longues jambes et son fessier bien ferme. Le soleil accrochait des reflets dorés dans ses cheveux blonds – qu'elle avait sûrement oxygénés. John Paul la soupçonna également de porter des lentilles de contact de couleur, et il n'aurait pas non plus été surpris de lui découvrir un piercing au nombril.

Elle était belle, il en convenait. Très belle, même. Sauf qu'elle n'était pas son genre. Un peu trop parfaite à son goût. Sexy en diable, cependant. Tandis qu'elle s'arrêtait pour embrasser les lieux du regard – tout en prétendant ne pas remarquer l'intérêt que suscitait sa présence –, John Paul se demanda quelles parties de son corps avaient été « retouchées ». Ses seins, pour commencer. Il en aurait mis sa main au feu. Et peut-être même ses fesses. Pourquoi ne pas se laisser tenter par une nuit en compagnie de ce genre de fille : elle devait avoir le QI d'une huître, mais au lit, quelle importance ?

Miss Tête de Linotte semblait pour l'heure incapable de déterminer l'emplacement de la réception. Espérait-elle que quelqu'un allait la prendre par la main pour la guider ? L'air hypnotisé, elle contemplait la boule dorée qui tournait lentement sur elle-même au plafond, comme celles des discothèques.

Avery avait conscience de se comporter en touriste béate d'admiration, mais elle n'y pouvait rien. L'endroit la sidérait : son hall immense, son sol de marbre noir et son globe étincelant. Impossible d'en détacher les yeux. Était-il en or ? Il a dû coûter une fortune, pensa-t-elle.

Elle pivota vers la droite et s'immobilisa de nouveau. De l'eau coulait en cascade sur tout un pan de mur et se déversait dans un bassin au milieu duquel se dressait une statue du géant Atlas, un autre globe plus petit sur l'épaule. Si les propriétaires du lieu avaient eu l'intention d'impressionner les clients prêts à débourser une fortune pour se faire bichonner, l'objectif était atteint.

Avery se décida enfin à se diriger vers l'accueil. Un homme de son âge, prénommé Oliver d'après le badge sur sa veste, attendait derrière le comptoir en granit. Son sourire était éblouissant et ses dents d'une blancheur excessive. Son dentiste avait dû forcé un peu trop sur les agents blanchissants, et son teint bronzé aux UV ne faisait qu'accentuer le résultat. Elle eut du mal à ne pas le fixer pendant qu'elle lui déclinait son identité.

Le sourire de l'employé s'estompa sitôt qu'il eut consulté son fichier informatique.

— Oh, non !

— Qu'y a-t-il ?

— Votre réservation a été annulée, mademoiselle Delaney, fit-il sans lever les yeux.

— Il doit y avoir une erreur.

— Pas d'après mon ordinateur. C'est noté ici, ajouta-t-il en tendant un doigt vers son écran, qu'Avery ne pouvait même pas distinguer.

— Vous vous trompez.

— L'ordinateur ne se trompe jamais. Vous avez téléphoné à… (Il entreprit de faire apparaître l'heure de son appel.)

— Oliver, le coupa-t-elle d'une voix où perçait l'impatience. Je n'ai pas annulé. J'ai juste passé un coup de fil pour avertir le centre que j'aurais une journée de retard.

— En effet, lui confirma-t-il. Mais vous nous avez ensuite rappelés.

— Non.

— Mon ordinateur…

— Mettez-moi dans une autre chambre, alors. N'importe laquelle fera l'affaire.

Elle posa son sac à dos sur le comptoir et y chercha son portefeuille. Carrie avait insisté pour lui offrir sa semaine de vacances, mais elle tenait à ce que la somme soit débitée sur sa carte. Pendant ce temps, Oliver avait cessé de taper sur son clavier.

— Un souci ? s'enquit-elle.

Il toussota et finit par la regarder en face.

— J'ai peur de ne pouvoir vous attribuer une autre chambre et, malheureusement, celle que vous aviez réservée a été donnée à une autre personne. Nous avons un taux d'occupation de cent pour cent, se justifia-t-il. Je serais ravi de vous inscrire sur liste d'attente, mais je dois vous prévenir : il y a peu de chances qu'une place se libère. Nos clients prévoient leur séjour des mois à l'avance.

— Je suis sûre que ma tante, Carolyn Salvetti, a réussi à m'en avoir une, protesta-t-elle. Elle me l'aurait dit si ça n'avait pas été possible. Pourriez-vous m'indiquer sa chambre ?

— Je suis désolé, nous ne sommes pas autorisés à communiquer ce genre d'informations.

Bien sûr.

— Joignez-la par téléphone, alors. Je suis certaine qu'elle lèvera ce malentendu. Elle a peut-être décidé de partager sa suite avec moi.

Oliver parut soulagé à l'idée que ce casse-tête serait bientôt résolu, et lui débarrassé d'elle. Heureusement, personne ne faisait la queue derrière Avery. Il lui décocha un autre de ses sourires étincelants.

— Je ne vois que cette explication, en effet. Nos clients ne se décommandent tout simplement pas comme vous l'avez fait.

Elle éprouva une soudaine envie de l'attraper par les épaules et de le secouer comme un prunier jusqu'à ce qu'il admette que le centre s'était emmêlé les pinceaux. Serrant les dents de peur de laisser échapper une remarque qu'elle regretterait par la suite, elle lui épela le nom de sa tante et patienta.

— Salvetti ? Je connais, déclara Oliver.

— Vraiment ?

— Oui, un monsieur a demandé à la voir hier. Il était très déçu qu'elle ne soit pas là.

Il tapota encore sur son clavier, fronça les sourcils.

— Un problème ? l'interrogea innocemment Avery.

— Il n'y a jamais de problème à Utopia, rétorqua-t-il, si vite qu'elle le soupçonna d'avoir été conditionné à fournir cette réponse. Tout au plus pâtissons-nous parfois de légers désagréments.

À d'autres.

— Très bien. Quel est le léger désagrément en question, alors ?

— Mme Salvetti a renoncé à son séjour.

— Non.

Les épaules de l'employé s'affaissèrent. Avery devina le fond de sa pensée : c'est reparti pour un tour.

— Je crains que si. C'est étonnant, je vous l'accorde. Il est très rare d'avoir deux annulations au dernier moment.

Mais comme vous êtes parentes, je suppose qu'elles sont liées.

— Écoutez-moi. Ma tante n'a pas renoncé à son séjour. Elle était hier à l'aéroport d'Aspen.

— Une urgence a pu la contraindre à rentrer chez elle.

— Tout ça n'est pas normal.

— C'est pourtant consigné là, dans mon ordinateur, mademoiselle Delaney. Votre tante nous a avertis hier après-midi.

Que se passait-il ? Malgré le désir qu'elle en avait, Avery se doutait qu'argumenter avec Oliver n'arrangerait rien. Elle était désemparée. Carrie l'aurait prévenue si son travail l'avait obligée à regagner Los Angeles. Jamais elle ne l'aurait laissée en plan comme ça. Peut-être Tony ou elle avaient-ils eu un accident ?

Du calme. On l'aurait déjà contactée en ce cas.

Avery décida d'appeler Carrie sur-le-champ afin d'éclaircir cette histoire.

— Ma tante n'a pas annulé son séjour, marmonna-t-elle tout en cherchant son téléphone. Il a dû y avoir un gros pépin à l'agence. C'est la seule explication envisageable.

— Oh, revoilà votre ami, annonça Oliver d'un ton peu amène.

— Pardon ?

— Votre ami... le monsieur là-bas. Lui vous aidera peut-être.

Elle ne comprenait pas à qui il faisait allusion. Aucun de ses amis n'était censé la retrouver au centre. Elle suivit le regard du réceptionniste mais n'aperçut qu'un inconnu qui marchait vers eux. Un géant, plutôt. Fait étrange, il semblait la dévisager. Et il n'avait pas l'air ravi.

— Celui qui vient par ici ?

— Oui. Je vous en ai parlé tout à l'heure. Il est passé hier parce qu'il désirait s'entretenir avec votre tante. Et si je devais conseiller à quelqu'un de tester les bienfaits de nos massages aromatiques antistress, ajouta-t-il à voix basse, ce serait à lui... Je lui ai signalé que vous deviez arriver aujourd'hui parce que l'information figurait sur mon écran, sous la réservation de Mme Salvetti. Puis votre tante s'est décommandée. Je peux vous dire que la nouvelle ne l'a pas réjoui. Il m'a répondu qu'il reviendrait vous voir, et il attend là depuis ce matin. Je l'ai remarqué en prenant mon service. J'espère juste qu'il est de meilleure humeur qu'hier.

Avery avait perdu le fil de son babillage, tout occupée qu'elle était à examiner l'homme qui s'avançait vers elle. Grand, musclé, brun et les traits burinés, c'était le type d'homme qu'on ne rencontre guère que sur les écrans de cinéma. Elle n'était pas insensible à sa rude beauté, mais son physique de beau gosse l'emportait trop sur le reste. Et elle préférait de loin la cervelle aux biceps.

— Vous connaissez ce monsieur, n'est-ce pas ? s'inquiéta Oliver.

— Un ami de ma tante, je suppose.

Ou plutôt un comédien qu'elle avait engagé pour l'une de ses publicités. De passage dans la région, il avait dû être avisé de sa présence à Utopia et décider de s'arrêter la saluer. À moins que Musclor ne fût au chômage et qu'il n'espérât que Carrie se prendrait d'affection pour lui au point de lui offrir un contrat.

Avery compatissait au sort de ces artistes. La concurrence était rude dans leur domaine et ils ne possédaient aucun pouvoir de décision. Quant à leurs chances de réussite à Hollywood, elles étaient infinitésimales. Elle résolut de l'aider et lui tendit la main.

— Avery Delaney, se présenta-t-elle.

— John Paul Renard, fit-il d'une voix grave à l'accent du Sud, avant de tourner le dos à la réception et de scruter lentement le hall, comme s'il s'efforçait de graver chaque visage dans sa mémoire.

— Vous êtes un ami de ma tante Carrie ?

— Oui.

Rien d'autre. Ni explication ni détail.

— Vous êtes acteur, n'est-ce pas ?

La question le surprit tant qu'il sourit.

— Non.

— Oh… je croyais… que faites-vous dans la vie alors ?

Nom d'un chien ! Elle qui détestait qu'on lui pose cette question… Le gagne-pain de cet apollon – qui n'avait toujours pas daigné lui accorder un regard pendant qu'elle s'adressait à lui – n'était pas ses affaires, après tout.

— Je suis menuisier.

Ben voyons.

— Menuisier ?

— Moui, acquiesça-t-il d'une voix traînante en la fixant cette fois bien en face.

Une bouffée de chaleur envahit Avery. Pourvu que je ne rougisse pas !

Carrie avait raison. Il fallait qu'elle se trouve quelqu'un. Sa précédente relation amoureuse remontait à loin. Beaucoup trop loin même, puisqu'un rustre comme lui parvenait à la troubler à ce point….

— Menuisier, répéta-t-elle. D'accord. Et vous avez travaillé pour ma tante ?

— Non. (Il se remit à étudier les gens qui entraient.) Je dois lui parler, l'informa-t-il avec impatience. C'est important. Où est-elle ?

— Je n'en suis pas sûre, mais je vais bientôt le savoir. (Elle fouillait de nouveau dans son sac quand une pensée lui traversa l'esprit.) Ma tante vous a-t-elle demandé de m'attendre ici ?

Carrie devait encore lui jouer une de ses mauvaises blagues en s'improvisant entremetteuse. Avery s'étonna d'un tel culot. Leur dernière conversation à ce sujet avait pourtant réglé la question. Sa tante lui avait assuré – juré, même – de ne plus jamais essayer de la caser avec un bon parti.

— Carrie n'est pas ici aujourd'hui, ajouta-t-elle donc sèchement. Si vous êtes de la région, revenez demain.

Il fit mine de ne pas saisir l'allusion et ne bougea pas d'un pouce. Déterminée à l'ignorer, elle se remit en quête de son portable, qu'elle piocha enfin tout au fond de son sac.

Oliver secoua alors la tête d'un air contrarié.

— Un problème ?

— Il n'y a pas de problèmes à Utopia. C'est juste que la direction désapprouve l'usage des portables au sein de la station.

Il appuya ses dires en désignant un panneau noir et doré à l'angle de la réception.

— Dommage, rétorqua Avery en même temps qu'elle ouvrait l'étui de son appareil et pressait une touche correspondant au numéro préenregistré de Carrie.

John Paul apprécia sa réaction. Bien envoyé, jugea-t-il. Voilà qui était inattendu. La belle Californienne aux yeux trop bleus pour être vrais avait du répondant.

Avery tomba directement sur la messagerie de Carrie. Elle appela alors son oncle Tony, qui lui reprocha d'emblée de ne pas l'avoir fait avant le départ de sa tante.

— Tu sais combien elle s'inquiète vite pour toi !

— Je suis désolée. Elle t'a donné de ses nouvelles ?

— Non, mais je m'y étais préparé. Nous nous sommes séparés à Los Angeles. Elle n'a pas voulu que je la conduise à l'aéroport et je lui ai promis de ne pas la harceler au centre. Elle a décidé de faire cette cure afin de se détendre et de réfléchir à ses… priorités. Je suis sûr que, à toi, elle aura envie de se confier. Passe-lui un coup de fil et dis-lui que je l'aime.

Tony ignorait la décision d'Avery de rejoindre Carrie. Elle songea à le lui avouer, puis se ravisa. Inutile qu'il se mette martel en tête au sujet de ce qui n'était probablement qu'un énorme malentendu.

— Ne te fais pas de mauvais sang si elle ne décroche pas. Elle doit être en pleine séance de massage ou de je ne sais quel soin, ajouta son oncle.

— Tony, vous avez eu des ennuis au boulot ? L'agence t'a contacté ?

— Non, pourquoi ? J'ai eu Jeanie au téléphone ce matin.

Tout va bien. Star Catcher ne fera pas faillite en deux semaines. Quand tu auras ta tante, répète-lui de ne pas s'affoler.

— Très bien. Je te rappelle plus tard, Tony. Je t'embrasse. (Elle raccrocha et s'adressa à Oliver.) J'aimerais voir votre directeur.

Offensé par sa requête, le réceptionniste se raidit et adopta un ton sec.

— M. Cannon vous dira la même chose que moi. L'hôtel affiche complet et c'est une erreur de croire que nous gardons des chambres en réserve. Je serais en revanche ravi de vous aider à vous loger à Aspen. Même si l'hébergement n'y est en rien comparable à celui d'Utopia, vous pourriez ainsi profiter de nos soins durant la journée. Je vous recommande notre massage décontractant à base de pierres chaudes, conclut-il avec condescendance. Il est très revigorant.

Avery n'avait que faire de ses fichus massages. Une seule chose lui importait : retrouver sa tante. Elle parvint à masquer son irritation au prix d'un gros effort, mais n'en éprouva pas moins une irrésistible envie de déroger à ses habitudes en mettant en avant son appartenance au FBI. Comme elle aurait aimé lui agiter sa carte sous le nez pour le remettre en place ! Mais son refus d'être malhonnête et de se prétendre agent alors qu'elle officiait en réalité dans un sous-sol à longueur de temps l'en dissuada. De plus, son badge n'en était pas vraiment un, et quiconque possédait deux neurones pouvait s'en rendre compte.

Elle s'aperçut qu'elle passait sa frustration et sa colère sur un innocent. Oliver se contentait d'appliquer les consignes. Son poste ne lui laissait guère d'autre choix. Peut-être Carrie avait-elle perdu la notion du temps, ou rencontré une célébrité dans son refuge et décidé de rester là-bas.

À s'employer à longueur de temps à remplir son carnet d'adresses, elle avait dû en oublier sa nièce. À défaut de mieux, Avery s'accrocha à cette hypothèse. Son angoisse ne diminua pas pour autant. Pourquoi Carrie avait-elle annulé sa réservation à Utopia ?

— Il faut absolument que je voie votre directeur.

Oliver n'esquissa pas un geste.

— Faites ce qu'elle vous demande, intervint John Paul.

— M. Cannon s'occupe d'un colis dans la salle de tri postal.

— Allez le chercher et dites-lui que John Paul Renard veut encore lui parler. Nous l'attendrons dans son bureau.

Le ton, péremptoire, plus que les paroles incita Oliver à s'exécuter prestement.

John Paul ne laissa pas à Avery le temps de poser la moindre question ni de protester. Il fourra dans son sac les affaires qu'elle avait déballées puis l'attrapa par la main.

— Venez. Je connais le chemin.

— Je suis capable de me débrouiller seule, monsieur Renard. Vous n'avez pas…

— Appelez-moi John Paul, l'interrompit-il en l'entraînant derrière la réception, puis le long d'un couloir couvert de moquette rouge.

Elle se dégagea et se campa fermement à l'entrée du bureau du directeur.

— J'exige d'abord quelques explications. Comment connaissez-vous ma tante ?

— Pourquoi n'avez-vous pas prévenu votre oncle de sa disparition ? attaqua-t-il à son tour.

— Je préférais ne pas l'alarmer sans raison. Je ne suis pas certaine qu'elle ait disparu.

— Où est-elle dans ce cas ?

Il marquait un point. Quelque chose ne tournait pas rond, aucun doute là-dessus.

— J'ignore où elle est, mais je le découvrirai vite.

— Pourquoi aurait-elle annulé sa réservation ? D'après l'employé, une femme a téléphoné…

— L'hôtel a dû mélanger nos noms avec ceux d'autres curistes. Inutile de patienter avec moi. Vous n'avez qu'à noter vos coordonnées sur un papier et je les transmettrai à Carrie quand elle débarquera avec une excuse insensée.

Avery n'en croyait pas un mot, mais elle espéra qu'il goberait le tout et s'en irait.

— Je ne bougerai pas d'ici.

Ce type était donc encore plus têtu qu'elle. Elle se renseignerait sur lui une fois rassurée sur le sort de sa tante.

Dix minutes plus tard, elle avait pris place dans le spacieux bureau Art déco de M. Cannon, au-dessus du bassin de la réception.

Un ventilateur soufflait si fort que des presse-papiers en forme de globes dorés avaient été répartis sur les divers documents du bureau afin de les empêcher de s'envoler.

— Cannon tarde trop, s'énerva John Paul. Restez là pendant que je vais voir ce qu'il fabrique.

Dès que la porte se fut refermée sur lui, Avery consulta le répondeur de son domicile, au cas où Carrie lui aurait laissé un message. Peine perdue. Elle tenta ensuite celui de son bureau mais, là encore, sans résultat.

Et maintenant ? En désespoir de cause, elle composa le numéro du bagne. Peut-être Carrie avait-elle joint l'un de ses coéquipiers.

Ce fut Margo qui décrocha.

— Je suis contente de t'entendre, Avery. Tu ne vas pas en croire tes oreilles. J'ai appelé la garde-malade de ta voisine, comme tu me l'avais demandé…

— Plus tard, Margo, la coupa-t-elle. J'ai un problème et il faut que tu m'aides.

— Écoute-moi, insista son amie. Mme Speigel s'est cassé la hanche.

Bien qu'à deux doigts d'exploser, Avery se résigna à subir le récit de sa collègue jusqu'au bout avant de pouvoir placer un mot.

— J'en suis navrée.

— Elle se l'est cassée il y a deux semaines, continua Margo. Et ensuite elle a attrapé une pneumonie. Elle a failli en mourir, d'ailleurs, mais d'après Marilyn, la dame qui s'occupe d'elle, ses antibiotiques font enfin effet. Elle va donc s'en sortir, semble-t-il. Un miracle si l'on considère que Mme Speigel a dans les quatre-vingt-dix ans.

— Pourquoi tu me racontes ça ?

— Tu ne comprends pas ? Mme Speigel ne pouvait pas être au volant de sa voiture, vu qu'elle était à l'hôpital. C'est donc la personne qui lui a volé sa voiture qui a manqué te renverser dans le parking. Le véhicule a été abandonné dans la rue. Comme il était mal garé, la fourrière l'a emporté. Marilyn m'a affirmé que Mme Speigel aurait le cœur brisé si sa famille vendait cette voiture. Elle a beau ne plus s'en servir personnellement, le simple fait de l'avoir dans son garage lui donne un sentiment d'indépendance. C'est Marilyn qui conduit quand elles vont faire les courses. Tu n'es pas soulagée d'apprendre que Mme Speigel n'a pas essayé de te tuer ? ajouta-t-elle en riant.

— Margo, j'ai besoin de toi. Tais-toi une minute. Ma tante a disparu. (Elle lui communiqua aussitôt les informations dont elle disposait.) Un type attend ici pour lui parler, mais il refuse de me dire où il l'a rencontrée et ce qu'il veut exactement. Il est du genre obstiné et pas très bavard. Consulte nos fichiers à son sujet, OK ? Il a un je-ne-sais-quoi de particulier. Son nom est John Paul Renard.

— Comment ça, « il a un je-ne-sais-quoi de particulier » ?

— Il se prétend menuisier, mais n'en a pas l'air.

— Parce qu'il faut un certain physique pour être menuisier ?

— Arrête, Margo. Interroge le réseau.

— Je suis en train. Tu recherches des contraventions, des amendes ?

— Je n'en ai aucune idée, reconnut Avery. C'est son attitude qui m'intrigue. Je l'ai d'abord supposé acteur, mais j'ai ensuite remarqué la façon qu'il avait d'observer les gens. Il pourrait bien être… dangereux. (Elle soupira.) Enfin bon, je me monte sûrement la tête à cause de Carrie. Ça ne lui ressemble pas de s'évaporer dans la nature. Vérifie juste si cet homme est fiché, d'accord ?

— Tu penses qu'il s'agit d'un criminel ?

— Je ne...

— Ouahou !

— Quoi ? Tu as quelque chose ?

— Et comment ! Ton John Paul n'a rien d'un criminel !

— Ce n'est pas *mon* John Paul.

— Il a travaillé pour le gouvernement. Patience... je fais défiler la page. Eh ! Devine ? Son dossier est classé secret.

— Secret ? s'étonna Avery, prise au dépourvu.

— Je vais tenter de l'ouvrir... ah, voilà. Tu as conscience que je risque ma place et toi aussi, n'est-ce pas ?

— Oui. Dis-moi simplement ce que tu as à l'écran.

— Renard s'est engagé dans les marines, puis il en est parti après avoir été recruté ailleurs.

— Où ça ?

— Le dossier indique un laconique « branche des opérations spéciales ». La mention s'accompagne d'une série de chiffres et d'initiales, mais j'ignore leur signification. (Elle lut le tout à Avery, puis s'interrompit un instant.) Il a pris un congé sans solde, l'informa-t-elle avant de déclarer forfait. Je n'obtiendrai rien de plus de l'ordinateur. Je n'ai pas les autorisations nécessaires. Ne quitte pas... je fais apparaître sa photo d'identité.

Elle eut un sifflement admiratif.

— Quoi ?

— Je crois que je suis amoureuse.

— Sois sérieuse, la morigéna Avery, qui lui décrivit John Paul par mesure de précaution.

— C'est le même homme, trancha Margo. Il est originaire de Louisiane et a de la famille là-bas. Son beau-frère est procureur pour le ministère de la Justice. (Elle lui fournit quelques renseignements personnels supplémentaires et poursuivit.) Il semble qu'il ait rempli plus d'une mission au sein des marines. Eh ! deux secondes, j'ai un truc intéressant pour toi. L'une d'elles impliquait le sauvetage d'otages au Moyen-Orient et, tiens-toi bien, Renard l'a accomplie alors qu'il souffrait d'une fracture du bras gauche. (Elle demeura un moment silencieuse.) Rien d'autre à part ça. Tu veux que j'en touche un mot à Carter ? Il m'intimide, mais s'il le faut… Lui pourrait avoir accès à tout son dossier.

— Non, inutile. Du moins pas dans l'immédiat.

— Que se passe-t-il ? Pourquoi ce John Paul souhaite-t-il parler à ta tante ?

— Je n'en sais rien. Écoute, Margo, quand Carrie m'a téléphoné de l'aéroport d'Aspen, elle m'a expliqué qu'un employé d'Utopia allait l'emmener avec deux autres femmes dans un refuge de montagne. Apparemment, le centre avait des soucis de plomberie. Leur chauffeur était un certain Monk Edwards… ou Edwards Monk. Je ne suis plus très sûre. Ce n'est pas grand-chose, mais je n'ai pas d'autre indication. Je me souviens juste qu'il avait un accent britannique d'après Carrie. Interroge ton ordinateur et préviens-moi s'il y a du nouveau.

— Imagines-tu seulement le nombre d'Edwards qui vivent aux États-Unis ?

— Oui, mais Monk n'est pas un nom très commun… sauf si ce n'est qu'un pseudonyme.

— D'accord. File-moi le numéro de ta chambre à Utopia, au cas où je ne pourrais pas te joindre sur ton portable.

— Impossible, ma réservation a été annulée. Je pars bientôt. Carrie m'a dit que le refuge appartenait à la station thermale. J'espère qu'elle y est encore, sinon…

— Du calme. Ta tante a dû atterrir dans un endroit plus sympa qu'Utopia. Elle va t'appeler, tu verras. Moi, je m'occupe de ce M. Monk Edwards.

Margo s'empressa de mettre Lou et Mel au courant de la disparition de Carrie. Chacun eut sa théorie. Lou était persuadé qu'elle avait regagné Los Angeles – n'était-elle pas obsédée par son travail ? Mel, lui, présuma qu'elle avait rencontré un associé dans le Colorado et laissé un mot à l'intention d'Avery au centre, qui avait dû l'effacer par erreur, ou le communiquer à la mauvaise personne.

— On ne me transmet jamais mes messages dans les grands hôtels, précisa-t-il.

— Ou alors elle a trouvé mieux à faire que rester assise toute la journée dans une baignoire remplie de boue et elle n'a plus pensé à Avery, avança Lou.

— Carrie n'est pas si étourdie, objecta Margo. Et elles sont très proches, toutes les deux… (Elle fut interrompue par le signal d'alerte qui s'affichait sur son écran.) Qu'est-ce qui… ?

Leur code prioritaire se détacha ensuite en grosses lettres.

— Lou ! Mel ! s'écria-t-elle en prenant connaissance de l'information. Oh, mon Dieu !

Elle courut aussitôt vers le bureau de Carter.

9

M. Timothy Cannon entra dans son bureau et se présenta d'une voix douce et pudibonde, tel un distingué gentleman.

— Avez-vous réussi à localiser votre tante ?

John Paul fit son apparition au même instant. Avery l'observa. Une fine cicatrice longue de cinq centimètres environ sur son avant-bras gauche attira son attention. Comment avait-elle pu le prendre pour un acteur ? Comment son intuition avait-elle à ce point pu l'induire en erreur ?

Elle s'obligea à se concentrer sur le directeur de l'établissement.

— Non, pas encore, répondit-elle. Puis-je vous poser quelques questions ?

— Oui, bien sûr.

Cannon s'assit sur le fauteuil en face de son bureau et arrangea le pli de son pantalon.

— Un employé est-il toujours chargé d'accueillir vos clients à l'aéroport ?

— Absolument. Nous souhaitons leur éviter d'avoir à porter leurs bagages et à se débrouiller seuls pour se rendre au centre.

— Avez-vous dépêché quelqu'un hier ?

— Je vois où vous voulez en venir, sourit Cannon. Vous vous interrogez sur cette série d'annulations, n'est-ce pas ? Il est si inhabituel que cela se produise à la dernière minute. Nos chambres sont réservées des mois à l'avance ! Mais nos clients les plus éminents ont parfois des impondérables et nous tentons dans ce cas-là d'être accommodants.

— Qu'entendez-vous par « série d'annulations » ?

Il parut surpris qu'elle ne soit pas déjà au courant.

— Je devais envoyer plusieurs chauffeurs à l'aéroport d'Aspen hier après-midi. Trois arrivées y étaient prévues – toutes des dames. La première à 15 h 50, la seconde à 16 h 20 et la dernière à 17 h 15. Je vérifierai lequel de ces vols correspondait à celui de votre tante, si vous le désirez.

— J'aimerais avoir le détail de chacun d'entre eux, ainsi que les numéros des cartes bancaires utilisées pour les paiements et tout ce que vous savez d'autre sur ces trois femmes.

— Je ne peux pas vous communiquer de tels renseignements !

Oh si ! pensa-t-elle. Non seulement il le pouvait, mais il le ferait. Elle n'avait toutefois pas envie de le mettre trop vite sur la défensive. Elle avait encore beaucoup de points à aborder avec lui, et il se montrait pour le moment des plus coopératifs.

— À quoi bon plusieurs voitures si les trois avions étaient censés atterrir à brefs intervalles ?

— Parce que nous sommes à Utopia et que nous nous flattons d'offrir les meilleures prestations qui soient. Il serait inconcevable de contraindre un client à en attendre un autre. Mais comme ces dames ont toutes annulé leur séjour, j'ai prévenu mes employés qu'ils n'auraient pas à se déplacer. Pour finir, d'autres personnes sont passées à l'improviste hier soir, et elles ont été ravies d'obtenir une chambre.

Avery enregistra l'information et poursuivit son interrogatoire.

— Avez-vous eu un problème de plomberie hier ? Une conduite cassée par exemple ?

— Un problème de plomberie ? À Utopia ? Non, pas du

tout. Nous avons un excellent service de maintenance qui anticipe la moindre panne.

— L'eau est pourtant acheminée depuis l'extérieur, non ? Un tuyau était-il endommagé ?

— Non.

— La station dispose-t-elle d'un hébergement, d'une maison, ou plutôt d'un refuge de montagne, dans les alentours en cas de problème ?

— Il n'y a pas de problème à Utopia, grinça Cannon. Et les propriétaires du centre ne possèdent pas de refuge. Nos clients résident ici. Nous ne les disséminons pas en différents endroits. (Estimant en avoir terminé avec ses explications, il consulta ostensiblement sa montre.) Si vous n'avez pas d'autres questions, j'ai beaucoup à faire. De nombreux curistes entament aujourd'hui un séjour d'une semaine et je vais être débordé. Je ne m'alarmerais pas au sujet de votre tante, ajouta-t-il. Elle se manifestera tôt ou tard.

Il la congédiait, ni plus ni moins. Avery ne bougea pas.

— Puis-je avoir la liste de vos employés ?

— Dans quel but ?

— Voir si une certaine personne figure parmi eux.

— J'ai en mémoire tous les membres de mon personnel, se vanta-t-il. Donnez-moi le nom de cette personne et je vous dirai si il ou elle travaille à Utopia.

— Monk Edwards, ou Edwards Monk, je ne sais pas.

Impassible, Cannon secoua la tête. John Paul réagit en revanche comme s'il avait été piqué par une guêpe et s'avança vivement vers le bureau.

— Vous connaissez ce type ? lui demanda-t-il en se penchant vers elle.

L'expression de son visage lui glaça le sang.

— Et vous ? riposta-t-elle malgré sa peur.

— Répondez-moi.

— Ma tante a tenté de me joindre depuis l'aéroport d'Aspen et m'a laissé un message m'annonçant qu'elle et deux autres femmes allaient être conduites dans un refuge par un chauffeur d'Utopia. L'homme s'appelait Monk

Edwards et avait un accent britannique. (Elle se tourna vers Cannon.) L'un de vos employés…

— … a-t-il un accent britannique ? J'ai bien peur que non. Quelqu'un s'amuse à vos dépens, conclut le directeur. Je n'ai ordonné à aucun de mes chauffeurs d'aller à Aspen hier. Votre tante a peut-être été… mal informée.

John Paul s'empara du téléphone qui trônait sur le bureau, composa un numéro et s'écarta d'Avery. Il s'entretint ensuite à voix basse avec son interlocuteur, mais pas assez pour que sa conversation échappe à la jeune femme.

— Noah, c'est John Paul… Ouais, ma foi, que veux-tu… Arrête de m'interrompre et écoute-moi. Je suis à Utopia, une station thermale à la sortie d'Aspen. Monk est de retour et il essaie de faire d'une pierre trois coups, cette fois. Il doit viser un record. Bats le rappel des troupes. Ça ne mènera à rien, mais il vaut peut-être mieux que tu suives la procédure habituelle… Trop tard, jeta-t-il ensuite d'un ton cinglant. Il les tient déjà.

Il raccrocha.

— Où allez-vous ? lui lança Avery alors qu'il fonçait dehors.

— J'ai contacté des gens qui seront en mesure de vous aider.

— Quels gens ? La police ?

— Non, le FBI. (Il marqua une pause sur le seuil de la pièce.) Noah est un ami de mon beau-frère. Il connaît très bien Monk et vous expliquera tout dès qu'il sera là.

— Selon vous, le FBI sera à même de retrouver ma tante ?

Il ne lui avoua pas qu'il pensait que celle-ci était déjà morte. Dans le meilleur des cas, les agents déterreraient son corps… à moins que Monk ne l'ait offert en pâture aux animaux sauvages.

— Oui, répliqua-t-il.

— Vous mentez.

— Très bien. Puisque vous voulez la vérité, je suis certain qu'ils vont tout foirer.

— Pourquoi ? l'interrogea-t-elle, désarçonnée par son animosité.

— Parce que ce sont des fédéraux.

Avery préféra ignorer cette remarque.

— Où allez-vous ? répéta-t-elle.

— Vérifier deux ou trois trucs, même si je doute d'en tirer quoi que ce soit d'intéressant.

— Et ensuite ?

— Je rentrerai chez moi.

Elle éprouva le désir soudain de l'assommer. Quel fumier !

— Vous ne sortirez pas d'ici avant de m'avoir dit ce que vous savez sur Monk.

— Eh, ma belle, je ne peux rien pour vous, moi ! Je croyais avoir une longueur d'avance, mais non. J'ai demandé des renforts, alors soyez patiente et laissez le FBI faire son boulot.

Avery s'adressa à Cannon au moment où John Paul quittait le bureau.

— Je veux les noms, les coordonnées et toutes les informations pertinentes que vous détenez sur les deux femmes qui voyagent en compagnie de ma tante – celles qui ont annulé leur réservation. Si vous ne me les procurez pas tout de suite, je vous jure que je mettrai votre établissement à sac et que je veillerai à ce que vous soyez embarqué pour entrave à la justice. Dépêchez-vous ! le somma-t-elle en brandissant son badge du FBI.

Cannon cligna des yeux, puis se précipita vers son ordinateur.

— Ce n'est pas très régulier, marmonna-t-il tandis qu'Avery se ruait dans le couloir. Pas du tout, même !

Avery rattrapa John Paul devant la réception. Le hall d'entrée grouillait de nouveaux arrivants et elle dut jouer des coudes avant de pouvoir le saisir par le bras.

L'odieux personnage ne daigna même pas ralentir et

continua à marcher en la traînant dans son sillage. Avery nota au passage que les gens s'écartaient sur son chemin. Elle s'accrocha à lui de toutes ses forces. Aurait-elle eu de grands ongles qu'ils n'y auraient pas résisté : ses muscles étaient durs comme l'acier sous ses doigts.

— Arrêtez-vous ! Il faut qu'on discute.

Puis, devant son refus d'obtempérer, elle ajouta :

— S'il vous plaît. J'ai besoin de vous.

Sentant l'émotion dans la voix d'Avery, John Paul se sentit désolé pour elle. Toutefois, il étouffa un juron et fit volte-face avec l'idée qu'il allait lui édulcorer la réalité, avant de songer que, de toute façon, elle n'aurait pas d'autre choix que de l'affronter un jour.

— Je ne peux rien pour vous, lui assena-t-il pour la deuxième fois.

— Pourquoi avez-vous dit qu'il était trop tard au téléphone ?

— Le FBI vous expliquera. Y a-t-il quelqu'un qui puisse venir vous soutenir ? Un membre de votre famille ou une amie proche ?

Avery s'immobilisa. Seigneur, il était vraiment sans cœur.

— Vous craignez que ma tante soit morte ?

Pas de réponse. Mais la façon dont il la dévisagea portait à croire qu'il s'efforçait d'abord de la jauger. S'attendait-il qu'elle devienne hystérique ?

— Je ne vais pas m'effondrer. Soyez franc, c'est tout.

Il se rapprocha d'elle.

— Oui, lâcha-t-il. Je pense que votre tante et les deux autres femmes sont déjà mortes.

Elle lâcha son bras et recula.

— Pourquoi ? Qu'est-ce qui vous permet de l'affirmer ?

— Avez-vous quelqu'un...

— ... qui puisse me soutenir ? compléta-t-elle sèchement. Ma tante Carrie et son mari sont ma seule famille et je refuse d'épouvanter Tony avant d'avoir des preuves de ce que vous avancez. Qui est ce Monk ? Comment le connaissez-vous ?

— Mademoiselle Delaney ?

Elle jeta un coup d'œil derrière elle. Oliver brandissait un téléphone dans sa direction.

Ce ne pouvait pas être Margo, réfléchit-elle. Son amie l'aurait appelée sur son portable. Qui alors ? Carrie ? La peur l'empêchait de respirer.

— C'est urgent, précisa le jeune homme.

Elle se hâta vers la réception et s'empara du combiné.

— Allô, Carrie ?

— Navrée, ma chérie. Ce n'est pas Carrie, déclara doucement une femme au bout du fil.

Son ton affectueux déstabilisa Avery.

— Qui est à l'appareil ?

— Mon nom n'a pas d'importance pour le moment. Carrie en a, elle, n'est-ce pas ? Elle est entre nos mains. Tu as envie de la revoir ?

Sa voix n'évoquait rien à Avery.

— Qu'avez-vous fait d'elle ? Elle va bien ? Si jamais vous la blessez…

— Idiote ! Boucle-la et écoute-moi. Je ne me répéterai pas. Trois vies dépendent de ta coopération. J'ai déposé une enveloppe à ton nom sur le comptoir. Elle est juste à côté de toi, sur ta gauche. Non, ne te retourne pas ! Toutes les règles du jeu changeront, sinon, et ta pauvre Carrie et ses nouvelles amies le paieront cher.

Avery se raidit.

— Où êtes-vous ?

— Là… Je t'observe. Tu aimerais savoir quelle tête j'ai, hein ? (Elle éclata de rire.) Ne fais pas ta rabat-joie. Ouvre l'enveloppe, Avery. Voilà, c'est bien. Il y a une montre à l'intérieur. Mets-la. Tout de suite.

Avery prit la montre de sport et la fixa à son poignet.

— Parfait. Maintenant sors la carte pour repérer la petite croix rouge que j'ai dessinée dessus. Plus vite !

Avery s'exécuta. Le téléphone lui échappa cependant lorsqu'elle se pencha pour essayer d'apercevoir le reflet d'un visage sur le mur de granit poli derrière la réception.

John Paul se baissa et le lui rendit.

— Maladroite, s'énerva l'inconnue.

— Désolée.

John Paul étudia Avery avec attention. Livide, elle agrippait le combiné à s'en faire blanchir les jointures des doigts. Il ne put s'empêcher de poser son bras sur son épaule, afin de lui procurer quelque réconfort.

— Oh, n'est-ce pas mignon ! se moqua la femme d'une voix sirupeuse. C'est ton petit ami ?

— Oui… non, répondit Avery, incapable de réfléchir.

— Qui alors ?

— Personne.

— Oh ?

— C'est un acteur, improvisa-t-elle. Il a travaillé… il travaille avec Carrie. Je vais lui dire de partir.

— Non, non, pas question. Il est entré dans la danse, maintenant. On ne va pas lui enlever le plaisir de s'amuser en jouant à la chasse au trésor avec toi. Mais que personne d'autre ne soit au courant – on le saura tout de suite de toute façon. Dès que tu auras raccroché, nous suivrons tes moindres faits et gestes. Tu raconteras au directeur que Carrie t'a contactée et que tout est réglé. Ensuite tu quitteras l'hôtel en te débarrassant de ton portable dans la fontaine. Pigé ?

— Oui.

— Maintenant, récupère celui de ton copain.

— Donnez-moi votre portable, demanda Avery à John Paul.

— Je n'en ai pas.

Elle répéta sa réponse.

— On saura vite s'il ment. Mais ce n'est pas grave. Il n'y a pas de réseau là où vous irez. Toi, par contre, je veux te voir jeter ton téléphone.

— D'accord. Carrie va bien ? Est-elle…

— Elle va bien… pour l'instant. Obéis-moi si tu souhaites qu'elle reste en vie. (La voix se fit plus dure, plus cassante. Plus excitée aussi.) Tu as trouvé la croix ?

— Oui.

— Lis les indications que j'ai notées au dos. Tu as exactement deux heures pour aller là-bas.

— Mais il en faut au moins trois ! C'est impossible. Il n'y a plus de route à partir de…

— Deux heures. Cent vingt minutes, Avery, et pas une de plus. J'ai été assez claire ?

— Mais si nous n'arrivons pas à temps ? Si nous sommes en retard ?

Un rire résonna au bout du fil.

— Alors boum !

10

La femme semblait en proie à la démence. Elle riait encore au moment où la ligne fut coupée. Bouleversée, Avery s'appuya contre le comptoir afin de rendre le combiné à Oliver. Ensuite, elle glissa une main dans son sac, pressa sur son portable la touche d'appel direct correspondant au bagne et, une seconde plus tard, la touche étoile qui enverrait un signal de détresse à ses collègues. Cannon accourut au même moment et lui remit les renseignements qu'elle avait exigés.

— Vous aviez raison, déclara-t-elle d'un air enjoué qu'elle espéra convaincant. C'était Carrie. Il y a eu une affreuse confusion. Excusez-nous, maintenant, John Paul et moi allons faire un tour.

Tout en s'efforçant de ne pas trahir son affolement, elle fourra les papiers dans son sac à dos avant que Cannon ait pu les lui reprendre et se dirigea vers l'extérieur.

Elle balaya du regard les trop nombreux visages de femmes autour d'elle. Où se trouvaient les cabines téléphoniques ? Les palmiers et les énormes ficus attirèrent son attention. Son interlocutrice pouvait l'espionner derrière n'importe lequel d'entre eux.

— Venez ! cria-t-elle à John Paul, qui ne l'avait pas quittée d'une semelle.

— Que se passe-t-il ?

Pour toute réponse, elle fonça vers la fontaine, dans

laquelle elle laissa tomber son portable, puis gagna la sortie. Là, elle heurta de plein fouet le groom de l'établissement.

— Mademoiselle Delaney, si vous voulez bien me donner votre numéro de chambre, je monterai vos bagages…

Elle l'ignora lui aussi, dévala les marches et s'arrêta au milieu de l'allée circulaire en essayant de repérer sa voiture de location. Où était-elle ?

John Paul souleva un sac marin noir posé à l'entrée.

— C'est le sien ? s'enquit-il auprès du groom.

— Oui, monsieur. Son nom figure dessus. Elle s'est déjà présentée à la réception ?

— Qu'avez-vous fait de ma voiture ? tonna Avery au même moment.

Elle s'élançait vers l'employé affecté au parking quand John Paul l'intercepta. Elle n'irait nulle part sans son aval, et il ne le lui accorderait qu'après avoir éclairci la situation.

— Du calme, respirez un bon coup, lui conseilla-t-il en notant combien elle tremblait. Vous n'allez pas vous évanouir, tout de même ?

— Non.

— Bon, alors dites-moi ce qu'il y a. Parlez, à la fin. Qui vous a appelée ?

— Une femme, dont la voix m'est inconnue. Elle m'a affirmé qu'ils tenaient ma tante.

— « Ils » ? Vous en êtes sûre ?

— Oui, répondit-elle, de plus en plus rongée par l'angoisse. Carrie est en danger, il faut que je la rejoigne avant qu'il soit trop tard.

— Et cette personne vous a ordonné de jeter votre téléphone dans la fontaine ?

— Oui, souffla-t-elle en luttant pour se dégager. Écoutez, ce n'est pas une blague. Je le sentais bien. Elle m'a juré qu'ils tueraient Carrie et deux autres femmes si on ne se bougeait pas. S'il vous plaît, le supplia-t-elle. Vous devez m'accompagner. Vous êtes entré dans la danse, selon elle. Elle nous accorde deux heures pour nous rendre à un endroit marqué sur la carte, et je ne vois pas comment nous pourrons y être dans les temps. C'est si loin...

— Vous vous doutez qu'il s'agit d'un piège, non ? Vous...

— Oui ! tempêta-t-elle, au risque d'attirer l'attention. Une fois en route, je réfléchirai au moyen de m'en sortir vivante et d'aider Carrie. Je n'ai pas le choix ! insista-t-elle. Si votre mère ou votre fille étaient enlevées, vous resteriez planté là à analyser les faits ? Non, évidemment. Vous agiriez comme moi. Vous accepteriez les règles du jeu et saisiriez la première chance qui s'offrirait à vous. Magnez-vous, Renard. Ce n'est pas le moment de lambiner.

Elle avait raison. Il aurait payé une rançon ou tenté tout ce qui était en son pouvoir pour sauver l'un de ses proches.

— D'accord, céda-t-il. On prend ma voiture.

— Merci, murmura-t-elle, soulagée.

Il empoigna sa main et l'entraîna en courant jusqu'au parking. La mine réprobatrice, un gardien attendait près de son 4 × 4, garé illégalement devant une allée.

— C'est vous le propriétaire de... ?

Il s'interrompit devant le regard que lui décocha John Paul et recula vivement en piétinant une bordure de pensées.

Sans plus se soucier de lui, John Paul déverrouilla les portières et casa le sac d'Avery à l'arrière avec ses propres affaires pendant qu'elle grimpait sur le siège passager.

Elle avait déjà déplié la carte et posé le doigt sur la croix rouge quand il se glissa au volant.

— Nous avons deux heures pour aller là. Non, même pas. Plus qu'une heure et cinquante-sept minutes.

John Paul étudia brièvement le parcours.

— Ça va être juste, commenta-t-il en démarrant.

— Mais faisable ?

— Peut-être. Vous me servirez de copilote. Attachez votre ceinture.

À peine se trouvaient-ils sur la nationale que John Paul se mit à conduire le pied au plancher.

— Là ! s'exclama-t-elle en avisant un panneau. Il y a un raccourci un peu plus loin. Vous suivrez une deux-voies sur au moins trente kilomètres, peut-être cinquante. (Elle serra ses mains jointes et scruta la route jusqu'à ce que la bifurcation surgisse devant eux.) Ralentissez, vous allez le rater.

— Je l'ai vu.

Il négocia le virage sur les chapeaux de roue. Avery se concentra sur la montre qu'on lui avait ordonné de mettre à son poignet, l'ôta, l'examina et la rangea avec soin dans le porte-gobelet situé entre leurs sièges.

— Allez-y, racontez-moi votre conversation téléphonique, lui enjoignit John Paul dès que la route s'étira en ligne droite devant eux.

Elle lui rapporta tout ce dont elle se souvenait, puis ajouta :

— Elle nous épiait. J'ai essayé de la repérer en sortant, mais il y avait trop de monde.

— Elle n'était peut-être pas sur place. Vous n'avez pas remarqué toutes les caméras de surveillance ?

— Non.

— Il lui suffisait de pirater leur système pour vous observer à distance. Sa voix présentait une particularité quelconque ?

— Non, aucune. À part que...

— Quoi ?

— Son intonation m'a fichu la chair de poule. Elle m'a conseillé de ne pas faire ma rabat-joie et elle a qualifié son petit manège de jeu. Elle ne voulait pas que je lui gâche son plaisir.

Avery se remémora soudain les documents fournis par le directeur d'Utopia et les extirpa de son sac.

— Qu'est-ce que c'est ? l'interrogea John Paul.

— J'ai demandé à Cannon de me procurer tous les renseignements dont il disposait sur les deux femmes qui ont annulé leur séjour. D'après la fille au téléphone, Carrie se trouvait en compagnie de deux autres personnes. Ce doit être ces femmes. La première s'appelle Anne Trapp. Elle habite Cleveland, où elle dirige la Trapp Shipping Company. Vient ensuite Sara Collins, juge à Miami. Les trois réservations ont été réglées par carte bancaire, chacune avec un nom différent.

— Ces noms vous évoquent quelque chose ?

— Non. Je n'ai pas l'impression que Carrie les ait déjà mentionnés et je ne vois pas comment ils pourraient lui être familiers. Mon oncle et elle résident à Bel Air.

— J'aurais juré que vous étiez originaire de là-bas.

— J'y ai vécu quelque temps. Je travaille en Virginie maintenant. (Elle saisit la montre et vérifia l'heure.) Vous ne voudriez pas aller plus vite ?

— Je suis presque à cent trente, alors que la vitesse est limitée à quatre-vingt-dix. J'espère juste que les flics ne sont pas dans les parages.

Elle n'avait pas envisagé cette éventualité, et une interpellation les retarderait beaucoup trop.

— Ralentissez alors.

— Décidez-vous. Plus vite ou moins vite ?

— On accélérera une fois la deux-voies derrière nous. Levez le pied pour le moment.

Il s'exécuta.

— Vous êtes sûre que cette femme vous a dit « elle est entre *nos* mains » ?

— Vous me l'avez déjà demandé. Oui, j'en suis sûre. Pourquoi est-ce si important ?

Il réfréna son excitation avec peine.

— Parce que ça signifierait peut-être que Monk vous attend à l'endroit indiqué sur la carte, auquel cas j'aurais une occasion unique de flinguer ce salaud. Si seulement je pouvais le prendre de vitesse…

Il n'acheva pas sa phrase, mais elle nota qu'il avait de nouveau accéléré.

— J'estime que c'est à votre tour de répondre à quelques questions, déclara-t-elle.

— Par exemple ?

— Pourquoi souhaitiez-vous parler à Carrie ? Comment la connaissez-vous ?

— Je ne l'ai jamais vue.

— Mais vous...

— J'ai menti. Je connais en revanche l'homme qui...

— Qui quoi ?

Qui a tué votre tante, se retint-il de lui avouer, partant du principe que si Monk opérait toujours de la même manière, ses victimes étaient déjà mortes et enterrées. L'homme avait toutefois changé sur un point. Il s'était associé avec quelqu'un.

— ... qui en a après ces trois femmes. Ce fameux Monk. Ça m'étonnerait d'ailleurs que ce soit le nom qui figure sur son certificat de naissance.

— Que savez-vous de lui ? Qui est-ce ?

— Un tueur à gages.

— Quoi ?

Il se répéta, puis lui jeta un coup d'œil pour voir comment elle accueillait la nouvelle. Mal, constata-t-il. Très mal, même. Son teint avait viré au vert.

— Vous avez envie de vomir ? s'enquit-il sans une once de compassion dans la voix.

— Non.

Il n'en crut pas un mot.

— Baissez la vitre et penchez-vous dehors si...

— Je ne suis pas malade, le coupa-t-elle alors même qu'elle appuyait sur le bouton commandant les vitres électriques.

Elle inspira à fond, mais l'odeur de terre qui flottait dans l'air lui donna la nausée. Non, décidément, son conseil ne valait rien.

Un tueur à gages. Ce n'est pas vrai, rumina-t-elle.

Elle souffla à fond en s'efforçant de mettre de l'ordre dans ses pensées. Tiens-t'en aux faits. Réfléchis.

Anne Trapp. Sara Collins. Ces deux personnes compliquaient tout. Quel était leur point commun ?

— Il y a forcément un lien, articula-t-elle, avant de secouer la tête. Non, c'est inconcevable.

Calé à cent dix, John Paul gardait les yeux rivés sur la route.

— Plus que huit kilomètres avant la fin de la deux-voies, lui signala-t-il.

— Où avez-vous vu ça ?

— Je viens de lire le panneau.

— On est censés tourner avant.

— Je fais attention.

Avery consulta une énième fois la montre. Vingt minutes s'étaient écoulées. Puis elle mesura la distance qui leur restait à parcourir.

John Paul lui coula un regard.

— Si la chaussée n'est pas en bon état, ça va être serré. Ce n'est pas gagné, Avery.

— Si, s'entêta-t-elle. On n'a pas le choix.

— Ah, nous y voilà.

John Paul bifurqua sur une petite route. Des gravillons volèrent sur leur passage et heurtèrent le pare-brise. Le chemin, sinueux, était juste assez large pour une voiture.

— On suit la bonne direction et c'est tout ce qui compte, lâcha-t-il.

— Avec un peu de chance, on avancera bientôt plus facilement.

— Ou moins bien.

— Vous êtes très intime avec ce Monk ?

— Je ne l'ai jamais rencontré, si c'est là votre question. Il est devenu une sorte de passe-temps pour moi. Il s'en est pris à quelqu'un de mon entourage.

— Il a été payé pour éliminer l'un de vos proches ?

— Non. Mais cette personne – ma sœur – lui a mis des bâtons dans les roues. Monk a tenté de la tuer pour subtiliser un document en sa possession. Heureusement, son plan a échoué. Il s'est fait très discret ensuite.

— Vous le traquez donc depuis un moment ?

— Oui. L'homme que j'ai appelé du bureau de Cannon s'intéresse beaucoup à Monk lui aussi.

— Qui est-ce ?

— Clayborne. Noah Clayborne. Un agent du FBI, précisa-t-il avec dédain.

— Un ami à vous ?

— Je n'emploierais pas ce mot.

Avery le dévisagea, perplexe, se demandant quel était le problème de cet homme.

— Comme je vous l'ai dit, reprit John Paul, Monk s'est terré plus d'un an. Je n'ai déniché pour ainsi dire aucun indice de son activité durant cette période... jusqu'à maintenant.

— Qu'est-ce qui vous a permis de le localiser dans le Colorado ?

— Il s'est servi d'une fausse carte de crédit qu'il avait déjà utilisée à Bowen... C'est la ville où j'habite. En Louisiane.

— Le FBI aussi est au courant, alors.

— Non.

— Mais si vous l'avez retrouvé grâce à un reçu de carte de crédit...

— Les fédéraux ignorent tout de ce reçu.

— Vous ne les avez pas prévenus ?

— Certainement pas ! s'exclama-t-il, avec cette fois encore une pointe d'hostilité dans la voix.

— Et pourquoi ?

— Parce que je ne veux pas qu'ils fassent tout foirer.

— Les agents du FBI savent mener une enquête. Ce sont des spécialistes très efficaces...

— Épargnez-moi les lieux communs, on m'a déjà bassiné avec. Je n'y croyais déjà pas à l'époque, je ne vais pas commencer aujourd'hui. Le Bureau est rempli de chefs qui ne pensent qu'à monter en grade, quitte pour ça à écraser les agents qu'ils dirigent. Il n'y a pas de loyauté qui tienne, là-bas. Chacun pour soi, un point c'est tout... Le FBI est rongé par la bureaucratie, conclut-il.

— Vous êtes cynique.

— Oh que oui !

Avery se tourna vers sa vitre.

— Merci quand même.

— De quoi ?

— D'être venu avec moi. Vous auriez pu refuser.

— Que les choses soient claires : je ne fais pas ça pour vous ni pour votre tante. Je veux coincer Monk avant qu'il frappe de nouveau.

— En d'autres termes, vous agissez selon vos priorités et non pour m'être agréable. J'ai compris.

Mais en fait, non, elle ne comprenait pas. Comment pouvait-on être si dur ? Cet homme devait être capable de passer devant un accident sans s'arrêter et d'enjamber un malade cardiaque écroulé en travers de son chemin.

Le silence s'installa entre eux, qu'Avery fut la première à briser :

— Qu'avez-vous appris sur Monk ? Je suppose qu'il procède toujours selon le même schéma, comme tous les tueurs.

John Paul s'étonna que cette femme possédât de telles notions dans ce domaine.

— Avant, oui, mais il semble avoir modifié ses habitudes.

— Comment ?

— Monk veille d'ordinaire à rester discret. Il exécute ses contrats le plus rapidement et le plus proprement possible.

— Vous semblez l'admirer.

— Non, pas du tout. Je dis juste que son mode opératoire n'a guère varié à ce jour. Au début, il commettait tous ses meurtres de l'année en l'espace de deux semaines. Et ç'a duré sept ans ainsi. J'ai une théorie là-dessus.

— Vous pensez qu'il occupe un emploi quelque part et qu'il mène une double vie ?

— Qu'il *menait* une double vie, la corrigea-t-il. Le crime paie bien ; je le soupçonne d'avoir quitté son boulot. Imaginez-le assis à un bureau à travailler consciencieusement.

Un gars sympa, très apprécié. Du genre à suivre le résultat des matchs de foot et à recevoir les confidences des gens. J'en mettrais ma main au feu, Avery. Le jour où il se fera pincer, ses collègues n'en reviendront pas. Ils jureront leurs grands dieux que c'était un mec si charmant, si attentionné.

— Comme Ted Bundy[1].

— Exactement.

— Comment avez-vous fait le rapprochement entre lui et ses premiers meurtres ? Il laissait une carte pour s'en attribuer le mérite ?

— Plus ou moins. Il aime les roses et il en dépose une rouge à chaque fois à côté de sa victime.

— Ça donne froid dans le dos. Un employé bien rangé qui assassine des gens pendant ses vacances avant de devenir tueur à gages à temps plein… Qu'est-ce qui a changé d'autre chez lui ? Vous avez l'air de l'avoir bien étudié.

— Il n'a jamais rien tenté de tel… trois personnes en même temps. Il n'a pas fait dans l'esbroufe jusqu'à maintenant. Et il a toujours agi seul, alors qu'il s'est adjoint une femme cette fois. Il sort peut-être le grand jeu pour l'épater.

Le 4 × 4 roula sur une bosse. Avery agrippa de nouveau le tableau de bord tandis que son crâne heurtait le plafond du véhicule.

— On va toujours vers le nord ? s'inquiéta-t-elle.

Avec les arbres qui masquaient le ciel et plongeaient cette partie de la forêt dans la pénombre, il lui était difficile de déterminer dans quelle direction ils avançaient.

— Nord-ouest, répliqua John Paul.

Un cri retentit au loin. Ou plutôt un ululement. Avery frissonna.

— Comment obtient-il ses contrats ?

---

1. Ted Bundy : Américain arrêté, condamné à mort et exécuté en 1989 pour le meurtre de nombreuses jeunes femmes dans les années soixante-dix et quatre-vingt. *(N.d.T.)*

— Par Internet, à mon avis. C'est simple, anonyme, et il sélectionne ses cibles avec soin. Il doit avoir du travail pour les cinquante prochaines années. Vous seriez surprise de voir combien de maris souhaitent la mort de leur femme, et réciproquement.

— Mon oncle Tony n'est pas mêlé à cette histoire.

— Ah oui ?

— J'en suis certaine.

Il abandonna le sujet pour l'instant et enchaîna :

— Selon vous, il y a un rapport entre ces femmes ?

— J'ai essayé de relier les faits entre eux et j'en ai déduit que si quelqu'un a chargé Monk de les tuer toutes les trois, elles ont forcément un point commun. À moins que mon hypothèse de départ ne soit fausse.

— C'est-à-dire ?

— Il se peut aussi que trois personnes différentes aient contacté Monk et que, pour une raison ou pour une autre, il ait décidé de liquider ses victimes en même temps.

John Paul en convint.

— Une chose est sûre : Monk a touché un pactole. Il ne brade pas ses services. Maintenant, si ces femmes ont été réunies par hasard, la question est : qui veut se débarrasser de votre tante ?

Il s'attendait qu'elle s'insurge au prétexte qu'un être aussi adorable ne pouvait compter un seul ennemi au monde.

— Carrie a beaucoup de détracteurs, déclara-t-elle cependant. Et certains la détestent sans doute.

— Vraiment ? sourit-il, dérouté.

— Elle a un caractère parfois… revêche.

— Oh.

— Il est vrai qu'elle évolue dans un milieu impitoyable.

— Lequel ?

— La publicité.

— Pardon ?

— Elle fait des publicités.

Il éclata d'un rire qui résonna durement dans l'habitacle confiné de la voiture.

— Il n'en reste pas moins, continua-t-elle en ignorant sa réaction, qu'aucun de ses associés n'aurait recours à de tels extrêmes.

— Comment pouvez-vous l'affirmer ?

— J'en suis certaine.

— D'accord. Tout ça nous ramène donc à votre oncle Tony. Leur couple est solide ? Il y a eu des tensions entre eux récemment ?

Avery eut soudain l'estomac noué.

— Carrie pense que Tony la trompe.

— Ah.

— Ils ont consulté un conseiller conjugal.

— Et ?

— Tony aime ma tante.

— Vous le connaissez bien, votre oncle ?

— Pas autant que je le devrais. Durant toute ma scolarité, j'ai été interne, et quand je rentrais à la maison pour les vacances d'été, je travaillais avec Carrie. Mais je me considère comme bon juge pour ce qui est de la valeur des gens. Tony ne lui est pas infidèle.

— Les épouses s'en rendent pourtant vite compte, en général.

— Carrie n'est pas une épouse ordinaire. Elle est très suspicieuse de nature. Je crois que, au fond d'elle-même, elle n'arrive pas à accepter qu'un homme puisse l'aimer. Elle compense son manque d'assurance par une attitude souvent rébarbative parce qu'elle ne veut pas qu'on devine sa vulnérabilité.

— On en revient par conséquent à la case départ…

— S'il s'agit de contrats séparés et que quelqu'un ait payé Monk pour nous tuer Carrie et moi, alors…

— Quoi ?

— Je sais qui c'est.

11

La première heure fut un cauchemar, et la suite pire encore.

Cette cinglée avait failli les expédier droit dans l'autre monde. Au moment où Anne posait la main sur la poignée de la porte, Carrie la plaqua durement au sol et l'écrasa de tout son poids. La frénésie et l'hystérie avec lesquelles Anne chercha à se dégager empêchèrent Carrie de lui faire entendre raison. Au terme d'une lutte acharnée entre les trois femmes, Anne se retrouva ligotée aux bras d'une chaise avec deux fils de téléphone.

— Comment osez-vous me traiter ainsi ! Vous n'allez pas vous en tirer comme ça. Attendez un peu. Je porterai plainte contre vous !

Épuisée, Carrie s'effondra à côté d'elle.

— Et comment vous y prendrez-vous, Anne ? lui demanda-t-elle posément.

— Salope ! J'appellerai la police !

— Avec plaisir ! Faites donc. Sauf que la ligne est coupée.

— Vous mentez.

Carrie s'adressa à Sara qui les observait, appuyée au bar.

— Elle vit sur une autre planète, ma parole. J'ai l'impression qu'elle a complètement disjoncté.

— Possible, commenta la juge. Un choc peut être à l'origine d'un comportement irrationnel chez certaines personnes.

— Qu'allons-nous faire ?

Sara s'approcha, prit place en face d'Anne et croisa les mains sur la table.

— Vous ne pouvez pas continuer à prétendre que tout va bien, Anne. Nous sommes dans le même pétrin et nous avons besoin de vous.

— Vous, la grosse vache, laissez-moi tranquille ! cracha aussitôt Anne.

— Comme c'est charmant, marmonna Carrie.

— Sale garce !

— Si vous persistez sur ce ton, je serai obligée de vous bâillonner, l'avertit Sara. Calmez-vous !

Mais l'autre se contenta de la fixer d'un œil noir.

— Où est votre lettre ? enchaîna la juge.

Cette fois, Anne détourna la tête.

— Le silence maintenant…

— Quelle bénédiction ! ironisa Carrie.

— Vous savez, Anne, reprit Sara, si vous n'en avez pas eu…

— Ce qui est le cas !

— Alors vous pourriez n'être qu'un témoin innocent pris au piège de notre… dilemme.

Dilemme ? Carrie manqua s'insurger contre le choix de ce mot. Elles étaient coincées à l'intérieur d'une bombe, tout de même ! Mais lorsque son regard croisa celui de Sara, elle décida de se taire.

— Voyez-vous, Anne, poursuivit Sara, j'ai envoyé bon nombre de criminels derrière les barreaux en tant que juge. J'avais la réputation d'infliger de lourdes peines, mais tous ces hommes et toutes ces femmes étaient des récidivistes. Je n'ai aucun regret.

Anne la toisa froidement.

— Pourquoi me racontez-vous ça ?

— Parce que c'est important. J'ai reçu beaucoup de menaces de mort au fil des ans, mais j'ai toujours refusé de les prendre au sérieux.

Elle alla chercher les lettres que Carrie et elle avaient

trouvées sur leur table de chevet, puis revint s'asseoir pour lui lire la sienne. Quand elle eut fini, elle la lui montra afin de lui prouver qu'elle disait la vérité.

— Vous pensez que l'un de ces criminels met ses menaces à exécution ?

— Oui, tout à fait. Ce peut être un ancien condamné ou un prisonnier aidé par une personne de l'extérieur.

— Où voulez-vous que ces gens-là se procurent l'argent nécessaire pour engager un tueur ?

— On s'en fiche, intervint Carrie.

— Je ne vous parlais pas, à vous !

Sara leva une main afin d'apaiser les esprits et d'empêcher Carrie de provoquer de nouveau la colère d'Anne.

— La question est pertinente. J'ignore comment il ou elle a déniché cet argent. Un de ses proches a pu toucher un héritage ou...

— Ou peut-être que vous avez condamné un innocent et que sa famille le sait.

— Oui, pourquoi pas.

Carrie prenait sur elle pour ne pas les interrompre. Elle aurait aimé leur crier que, à cet instant précis, le plus urgent était de sortir de cette maison. Une fois saines et sauves, il serait toujours temps de démêler le pourquoi du comment de cette affaire.

— La lettre de Carrie différait de la mienne, déclara Sara. Elle était signée.

Anne parut intriguée.

— Son auteur souhaitait donc vous révéler combien il vous haïssait avant que vous mouriez ?

— Pas « il », rectifia Sara. « Elle ».

Carrie confirma d'un hochement de tête. Anne s'obstinait à ne pas la regarder, mais elle s'en moquait.

— Ma lettre a été écrite par ma sœur, Jilly.

Cette annonce choqua Anne à tel point qu'elle ne put lui opposer plus longtemps son silence méprisant.

— Votre sœur cherche à vous tuer ?

— Oui.

— Mais de quelle famille venez-vous ? s'écria-t-elle, effarée.

— D'une famille désaxée, grinça Carrie en se contenant. Très désaxée, même. Ma sœur est folle.

— Seigneur ! Non, attendez un peu. Vous mentez, n'est-ce pas ? Parce que, si votre sœur est réellement folle, pourquoi n'a-t-elle pas été internée ?

— On m'a dit il y a des années qu'elle avait péri dans un accident de voiture. La maison de pompes funèbres voulait même m'expédier ses cendres. Il apparaît maintenant que Jilly était bien plus rusée que je ne l'imaginais. Elle a patienté et réfléchi durant tout ce temps au moyen de se venger de moi.

— Pourquoi ? Que lui avez-vous fait ?

— Elle considère que je lui ai volé son enfant.

— Et c'est faux ?

— Oui. Jilly a abandonné sa fille à la naissance. Ma mère et moi l'avons élevée seules.

— Elle n'est jamais revenue ?

— Oh, si ! Quand Avery avait cinq ans, Jilly a réapparu en compagnie d'une petite frappe nommée Dale Skarrett. Elle s'imaginait pouvoir emmener la petite comme ça, sans plus de façon. Elle avait déjà extorqué de l'argent à ma mère à l'époque – c'était le prix à payer pour que nous puissions garder Avery. Je vous jure, insista-t-elle devant la mine horrifiée d'Anne. J'étais à la maison le jour où elle a débarqué avec son copain, et pendant que je me démenais pour la jeter dehors, ma mère a appelé la police. Dale Skarrett a fichu le camp en traînant Jilly derrière lui sitôt qu'il a entendu la sirène de la voiture de patrouille. La scène s'est déroulée la veille de mon départ pour la Californie. Avery est restée avec ma mère pendant que je faisais carrière là-bas, jusqu'à ce que, six ans plus tard, Jilly envoie Skarrett la kidnapper. Mais ma nièce a refusé de le suivre. Elle s'est débattue de toutes ses forces, tant et si bien qu'il l'a rouée de coups avec sa ceinture. Elle était si jeune… si impuissante. Et moi qui la regardais pratiquement comme ma fille, je n'ai pas été là pour la protéger le jour où il l'aurait fallu.

— Et votre mère ? Elle ne s'est pas interposée ?

— Le chef de la police locale, qui comptait parmi ses amis, lui avait donné un revolver et appris à s'en servir, répondit Carrie en baissant les yeux. Elle jardinait dehors et n'a été alertée par les cris d'Avery qu'en rentrant dans la maison. Elle était devenue dure d'oreille. D'après ce qu'ont réussi à établir les enquêteurs, elle a voulu faire feu sur Skarrett. Mais elle a d'abord dû le menacer parce qu'il a attrapé Avery. Puis le coup est parti. La balle a touché ma nièce.

Les mots franchissaient ses lèvres sur un ton monocorde, mais des larmes brillaient dans ses yeux.

— J'ai laissé une vieille femme prendre soin de cette enfant alors que je me doutais que Jilly rôdait autour d'elles.

— Vous ne pouviez tout de même pas anticiper...

— Je savais de quoi Jilly était capable.

— Qu'est-ce qui est arrivé à votre mère ? s'enquit Sara.

— Elle a été terrassée par une crise cardiaque. La police l'a découverte sans vie, et celle d'Avery ne tenait plus qu'à un fil. J'ai pris un vol pour Jacksonville, mais, le temps d'arriver, la petite avait déjà été opérée et se trouvait en soins intensifs. La première chose que m'a annoncée le médecin, c'est qu'elle s'en sortirait. Je n'ai pourtant pas eu le temps de m'en réjouir parce qu'il a ajouté qu'elle ne pourrait jamais avoir d'enfants. Une hystérectomie à onze ans. Ce doit être un record ! nota-t-elle avec amertume.

Sara sembla surprise – probablement en réaction à son macabre récit.

— La pauvre enfant ! compatit Anne.

— Je me souviens d'elle, murmura Sara.

— Quoi ?

— Les noms... j'en ai vu défiler un paquet, et celui d'Avery ne m'a rien évoqué jusqu'à ce que vous mentionniez cette hystérectomie. Je n'oublierai jamais ma lecture du compte-rendu des audiences.

— Je ne comprends pas, la coupa Carrie. Comment y avez-vous eu accès ? C'est le juge Hamilton qui a présidé ce procès.

— Oui, mais il est mort avant la date du verdict – crise cardiaque, lui aussi. L'affaire m'a été confiée et c'est moi qui ai condamné Skarrett. Cet homme a toutes les raisons de souhaiter ma mort : je lui ai infligé la peine maximale.

Stupéfaite, Carrie s'affaissa contre le dossier de sa chaise.

— *Voilà* le lien entre nous deux. Dale Skarrett… et Jilly.

— Elle n'a jamais été inculpée dans cette histoire, n'est-ce pas ?

— Il n'y avait aucune preuve contre elle et, de toute façon, elle s'était volatilisée. Skarrett a été reconnu coupable d'homicide sur la seule foi du témoignage d'Avery. Quelques semaines après son incarcération, j'ai reçu un appel d'une maison de pompes funèbres, à Key West, qui me demandait ce que je désirais faire des cendres de Jilly. C'est ainsi que j'ai été informée de sa mort.

— Une mort fictive…

— En effet. Jilly était dans ma chambre cette nuit. En chair et en os. Physiquement, elle est restée la même. Toujours aussi superbe… et toujours aussi déséquilibrée.

Sara alla chercher une tasse et une soucoupe dans la cuisine.

— Je rêvais d'avoir une fille, mais mon mari ne voulait pas d'enfant, déclara alors Anne. Il m'a persuadé que notre style de vie en pâtirait.

— Et quelle vie meniez-vous ? l'interrogea Sara en lui servant un café.

— Je travaillais. En permanence. Du coup, je me sentais un peu coupable et j'ai cédé à mon mari sur des tas de petits riens.

Parce que avoir des enfants entrait pour elle dans la catégorie des petits riens ? s'étonna silencieusement Carrie.

— Je vois, fit-elle.

— Éric a dix ans de moins que moi, continua Anne. Mais l'âge n'a jamais eu d'importance à ses yeux. Il m'adore.

— Je n'en doute pas.

— Il m'a soulagée de plusieurs tâches, comme la gestion des affaires courantes. Il est si intelligent. Il a trouvé une assurance maladie avec des tarifs de groupe deux fois moins élevés qu'avec celle que nous avions.

Tandis que Carrie s'interrogeait sur ce qui poussait Anne à s'épancher ainsi, Sara lui détacha le poignet gauche et plaça sa tasse de café devant elle.

— Il n'y a pas de lait, juste du sucre.

— Ça ira, merci.

Carrie ne put en tolérer davantage. Se croyaient-elles dans un salon de thé ?

— Que va-t-on faire ? tonna-t-elle.

— Sortir d'ici, décréta Sara. Nous sommes toutes les trois aussi futées, ce ne devrait donc pas être sorcier.

Cette conversation n'intéressait toutefois pas Anne.

— Sara ? Qu'entendiez-vous par « témoin innocent » tout à l'heure ?

La juge remplit sa tasse et se rassit.

— Si vous n'avez pas eu de lettre sur votre table de nuit…

— Je n'en ai pas eu, lui assura-t-elle de nouveau.

— Alors je devine ce qui s'est produit. Votre avion a atterri quelques minutes avant le mien, n'est-ce pas ?

— Oui.

— Vous nous avez expliqué que vous étiez agacée parce qu'un chauffeur m'attendait devant ma porte de débarquement, alors que le centre vous avait oubliée. Et vous avez ajouté que si vous n'aviez pas remarqué cet employé avec son écriteau, vous auriez dû porter vos bagages et prendre un taxi.

— Oui, je m'en souviens. J'étais très contrariée. D'ailleurs, j'ai toujours l'intention de me plaindre auprès du directeur. Il est inadmissible que personne ne m'ait accueillie à l'aéroport.

— Par conséquent, enchaîna Sara en ignorant cette digression, votre enlèvement n'était peut-être pas prévu au départ. Mais le fait est que vous êtes ici avec nous et que vous mourrez vous aussi quand cette maison sautera.

— Pourquoi ? Je n'ai rien à me reprocher.

— Parce que nous, si ? s'écria Carrie.

Anne haussa les épaules.

— Répondez-moi. Pensez-vous sérieusement que nous méritons de mourir ainsi ?

— Je n'en sais rien. Je suppose que vous avez joué un sale tour à votre sœur pour la rendre aussi folle, et que vous, Sara, vous avez condamné un innocent.

Les espoirs nourris par Carrie quelques instants plus tôt s'envolèrent en fumée. Anne n'était toujours pas redescendue sur terre.

— Je ne saisis pas pourquoi il m'a emmenée ici, en revanche.

— Parce que vous avez aperçu sa tête, marmonna Carrie. Comment avez-vous pu diriger une entreprise en étant aussi stupide ?

— Je ne vous aime pas !

Anne conclut cette déclaration infantile en avalant une gorgée de café.

— Je m'en fiche complètement ! lui rétorqua Carrie.

— Mesdames, cela ne nous mènera à rien, intervint Sara. Anne, notre chauffeur n'avait pas intérêt à vous laisser repartir. Vous m'aviez vue moi aussi, et si vous étiez allée à Utopia, vous vous seriez plainte auprès de la direction. L'alerte aurait alors été donnée puisque, visiblement, ils n'avaient organisé aucune navette entre l'aéroport et le centre.

— Et vous auriez été à même de décrire Monk à la police et de leur indiquer notre destination. Le risque était trop grand pour lui, renchérit Carrie.

— Oh, je suis certaine qu'il a menti sur ce point comme sur le reste, soupira Sara, l'air soudain las.

— Non, vous faites erreur.

Carrie et Sara posèrent sur Anne un regard interrogateur.

— Qu'en savez-vous ?

— Il y avait une plaque ternie en laiton au milieu du portail et j'ai lu l'inscription quand nous sommes passées devant. La Terre entre les Lacs. Il n'a donc pas menti.

— Quel sens de l'observation ! la félicita Sara.

— Ça ne nous avance pas à grand-chose, relativisa Anne. Nous n'avons aucun moyen d'avertir qui que ce soit.

Carrie se redressa subitement.

— Oh, mon Dieu ! Si, j'ai informé quelqu'un !

— Comment ?

— J'ai appelé ma nièce à Aspen. Je suis tombée sur sa boîte vocale et je lui ai laissé un message lui disant où nous dormirions cette nuit. Quelle idiote ! Je n'ai pas arrêté de déblatérer sur les célébrités qui avaient séjourné là. Ce Monk s'est bien renseigné sur moi. (Des larmes lui vinrent aux yeux.) Voilà pourquoi il me racontait ces anecdotes ridicules sur des stars de ciné. Il avait prévu que je serais impressionnée et moi, comme une imbécile, j'ai tout gobé.

— Il a abusé chacune d'entre nous, l'apaisa Sara. Avez-vous mentionné le nom de la propriété dans votre message ?

— Oui. Mais je ne suis pas sûre qu'Avery l'ait écouté. Elle était peut-être déjà en route vers l'aéroport. Et si jamais il l'a guettée à l'arrivée, elle aussi ?

Sa voix se brisa sur un sanglot.

Sara lui tapota la main par-dessus la table.

— En ce cas, ne pensez-vous pas qu'il l'aurait conduite ici ? Ils l'attendent peut-être toujours, ce qui expliquerait qu'ils ne nous aient pas encore...

— Quoi ? la pressa Anne.

— Tuées.

— Mais la cuisine est copieusement approvisionnée. C'est donc qu'ils veulent nous garder en vie quelque temps.

— Non. Ces provisions m'angoissent, justement. Qu'ils n'aient pas vidé les placards me paraît inquiétant.

Carrie n'avait pas envisagé la situation sous cet angle, mais elle abonda dans le sens de Sara.

— À mon avis, ils projettent de faire bientôt exploser la maison. Ils ne vont pas compter les heures jusqu'à ce qu'on ait fini toutes les boîtes de conserve. Et ils n'ont pas coupé l'eau. Je dois prévenir Avery, souffla-t-elle en enfouissant sa tête entre ses mains. Si ce monstre l'a kidnappée…

— Réfléchissez plutôt à la façon de sortir d'ici, Carrie. Vous pourrez ensuite secourir votre nièce.

Anne l'approuva.

— Du moment que vous reconnaissez toutes les deux mon innocence, je m'engage à vous aider et à ne rien entreprendre de dangereux, comme ouvrir une porte. Mais je veux d'abord vous l'entendre dire.

— Dire quoi ?

— Que je suis innocente.

Par là, elle impliquait que Carrie et Sara ne l'étaient pas. Ce côté sainte nitouche exaspéra Carrie, mais un signe de la juge l'incita à ne pas contrarier Anne. Elles avaient besoin de sa coopération.

— Oui, vous êtes innocente, articula-t-elle.

— Vous devriez présenter vos excuses à votre sœur et essayer de réparer le mal que vous lui avez fait, la sermonna Anne après avoir également obtenu gain de cause auprès de Sara. (Carrie se mordit les lèvres. Oh, comme elle la haïssait…) La famille est notre bien le plus précieux, je l'ai constaté récemment. Pouvoir se reposer sur quelqu'un… mon mari a toujours été là dans les moments difficiles. C'est essentiel. J'ai beaucoup de chance, insista-t-elle. Il est fou amoureux de moi. (Elle se tourna vers Sara et poursuivit avec animation.) Il alertera la police. Éric me téléphone tous les jours, sans exception. Je lui ai répété de ne pas se donner cette peine pendant mon séjour à Utopia parce qu'il lui serait difficile de me joindre vu mon programme de soins, mais non, il s'est entêté. Il m'a assuré qu'il ne parviendrait pas à s'endormir le soir avant de m'avoir parlé. Vous voyez ? Il suffit qu'on tienne jusqu'à ce qu'il envoie la police passer le Colorado au peigne fin.

— On sera mortes avant, jeta Carrie.

Sara secoua la tête d'un air désapprobateur devant son manque de sang-froid.

— Vous semblez avoir une vie de couple idyllique, Anne, nota-t-elle.

— Oh, oui ! Nous sommes très heureux ensemble, confirma-t-elle avec une pointe de défi dans la voix. Mon mari remuera ciel et terre pour me retrouver.

— Oui, j'en suis sûre. Mais nous n'avons peut-être pas assez de temps devant nous. Le Colorado est si vaste.

— C'est vrai, admit Anne. Il faudra qu'on se débrouille seules. Bon, déclara-t-elle en dénouant le cordon autour de son bras droit. Que puis-je faire ? Je ne vous serai pas d'une grande utilité parce que je me remets tout juste d'une longue maladie. J'ai perdu du poids et je n'ai pas encore recouvré toutes mes forces. Par contre, je suis très bonne cuisinière. Je m'occuperai volontiers des repas.

— Ce serait formidable, acquiesça Sara. Merci, Anne.

Carrie, quant à elle, se méfiait. Soit Anne était redevenue raisonnable, soit elle les faisait marcher. Le doute n'étant pas permis dans cette situation extrême, Sara et elle devraient avoir cette femme à l'œil en permanence.

— Quelqu'un a faim ? demanda Anne.

— Moi, oui, répondit Sara.

— Je regrette de vous avoir traitée de grosse vache tout à l'heure. J'étais à bout de nerfs, mais cela ne justifie rien.

— Sara, pourquoi ne tiendriez-vous pas compagnie à Anne pendant que je fouille de nouveau la maison ? les interrompit Carrie. Je commencerai par le dernier étage. Quelque chose m'a forcément échappé.

En proie à une bouffée d'optimisme, elle grimpa les marches quatre à quatre et examina méthodiquement toutes les ouvertures de sa chambre. Une petite fenêtre située en hauteur dans un angle attira son attention. Elle amena avec peine le bureau contre le mur, monta dessus, mais n'atteignit pas le vasistas. Elle courut au rez-de-chaussée chercher l'une des lourdes chaises du salon, mais avisa alors Sara qui, munie d'un rouge à lèvres, écrivait les mots « au secours » sur la baie vitrée.

Elle l'arrêta.

— Si Monk a installé un détonateur à l'extérieur…

— La maison sautera à l'approche du premier venu.

— Ce n'est pas à exclure.

— J'efface ça tout de suite, décida Sara, qui partit en quête d'une serviette.

— Pourquoi ne pas couper le verre ? suggéra Anne tandis que Carrie retournait à l'étage avec son fardeau.

Hisser la chaise sur le bureau, escalader son échafaudage relevèrent de l'acrobatie. Elle s'y reprit à trois fois avant d'y arriver et, une fois face à la fenêtre, elle éclata en sanglots. Ce salaud l'avait piégée, elle aussi.

Malgré le caractère désespéré de la situation, elle refusa de s'avouer vaincue. Si l'idée d'Anne était la bonne ? Si elles réussissaient à entailler les carreaux sans toucher aux fils ? Essuyant ses larmes, elle s'attaqua à la porte vitrée coulissante avec son solitaire. Un quart d'heure plus tard, elle renonça. Le verre était à peine éraflé.

Carrie descendit au premier étage et inspecta les chambres d'Anne et de Sara. Elle passa des heures à tester diverses solutions puis, pour finir, baissa les bras. Elle avait perdu son après-midi et une partie de sa soirée à tenter l'impossible.

12

Jilly se laissa aller un moment à observer un cours de tai-chi. Si le professeur se mouvait avec grâce, ses élèves, eux, avaient la maladresse et la raideur des débutants.

Utopia la ravissait, et elle se promit de revenir s'y prélasser une semaine une fois cette affaire réglée.

Son téléphone sonna au moment où elle se glissait au volant de son 4 × 4. Monk.

— Bonjour, mon chéri.

Monk sourit. Il adorait sa voix rauque et la manière dont elle murmurait ses mots tendres.

— Tu l'as vue ? s'enquit-il.

— Oui, je viens de la faire partir et je suis sur le point de démarrer moi aussi. Avec le raccourci que tu m'as trouvé, j'aurai presque trois quarts d'heure d'avance sur elle.

— Ça t'a plu de parler à ta fille ?

— Un vrai bonheur ! Elle est morte de trouille. Merci de m'avoir laissée m'en charger, chéri. Il y a juste un petit souci.

— Lequel ?

— Elle n'était pas seule.

— Quoi ? Qui voyageait avec elle ?

— Un type. Son copain, sans doute. J'ai dû l'inclure dans nos projets parce qu'il savait que Carrie avait disparu. Il avait accompagné Avery dans le bureau du directeur. J'ai bien fait, dis ?

Il fut touché par son besoin d'être rassurée.

— Oui, bien sûr. Tu as son nom par hasard ? Tu as pu apprendre quelque chose sur lui ?

— Non. J'ai failli interroger le réceptionniste, mais j'ai pensé qu'il valait mieux que je t'en parle d'abord. Tu veux que je fasse demi-tour ?

— Non, non, surtout pas. On risquerait de te remarquer. Tu es si belle que les gens s'en souviendraient... et il est vrai que vous vous ressemblez, Avery et toi. Je m'en occuperai.

— D'accord. Tu es prêt à les accueillir tous les deux ?

— Il y a un changement de programme.

— Oh ?

— La boutique près de la rivière est ouverte et ne désemplit pas depuis ce matin.

— Tu plaisantes ? s'écria-t-elle. Tu t'étais renseigné. Le propriétaire a été attaqué par un ours et ne quittera pas l'hôpital avant au moins une semaine. Tu t'étais renseigné ! répéta-t-elle.

Il s'efforça d'apaiser ses craintes.

— Ce n'est pas grave.

— Mais comment le magasin peut-il être ouvert ? insista-t-elle.

— Un cousin du proprio a débarqué de l'Arkansas ce matin. Il a dû être appelé à la rescousse. Aucune importance. On passe juste au plan B. Je t'avais bien dit que j'en prévoyais toujours un, n'est-ce pas ?

— Oui, reconnut-elle, soulagée. Tu es si intelligent, mon chéri.

Dès qu'elle lui adressait un compliment, si minime fût-il, Monk avait encore plus envie de lui plaire.

— Une minute ! ajouta-t-elle soudain. Le paquet avec le foulard rouge de Carrie, il est toujours là-bas ?

— Non, mais ne t'inquiète pas.

Il avait déjà résolu le problème. Leur plan de départ avait été d'attirer Avery dans la boutique en plaçant une grosse enveloppe à son nom près de la fenêtre, de sorte qu'elle ne puisse pas la rater lorsqu'elle jetterait un œil à l'intérieur. Ils comptaient qu'elle entrerait alors par effraction et tomberait sur Monk, qui l'aurait liquidée puis enterrée dans les bois à une centaine de mètres de là. Il s'était même donné la peine de creuser sa tombe. Le trou était assez profond pour elle et son amant, mais il ne pouvait plus suivre ce plan maintenant que la boutique fourmillait de clients.

— Tu as le portefeuille de Carrie ? vérifia-t-il.

— Oui, dans mon sac.

— Très bien. Il va nous servir.

— Je pourrai t'aider ? Tu l'as promis.

Comment refuser ? Il aurait préféré que Jilly accepte de rester à Utopia et le laisse accomplir seul son travail, mais sa présence l'emplissait d'une telle joie qu'il se moquait bien qu'elle compliquât tout avec ses exigences. Comme la nuit précédente, quand il avait essayé de la persuader de faire sauter la maison avant leur départ. Elle n'avait rien voulu savoir. Elle tenait à ce que sa sœur se réveille en découvrant qui allait la supprimer, et pourquoi.

Monk ne s'était résolu à abandonner ses victimes sans surveillance que parce que l'arrivée d'Avery l'avait pris au dépourvu et qu'il ne pouvait être à deux endroits à la fois. Il s'était gardé de montrer à Jilly combien ces imprévus le déstabilisaient et le contrariaient – et il s'en félicitait d'autant plus que, après l'avoir reconsidérée, il maîtrisait de nouveau la situation. Tout au plus aurait-il aimé avoir plus de temps pour peaufiner son plan.

— Chéri, tu m'entends ? Je pourrai t'aider, n'est-ce pas ?

Il chassa ses soucis de son esprit.

— Oui, oui. Que dirais-tu d'une autre conversation avec Avery ?

— Je ne demande pas mieux ! s'exclama-t-elle en éclatant de rire. Je me dépêche – je suis déjà au niveau de la petite route que tu m'as indiquée. Dès que je t'aurai rejoint, tu m'expliqueras ce que tu attends de moi, au juste.

Je n'ai pas envie de me planter comme le jour où j'ai volé la voiture de cette vieille, en Virginie.

— Ch-chut. Oublie ça, c'est du passé. Et puis, tu débutes dans le métier, s'amusa-t-il. C'est normal que tu commettes quelques erreurs.

— Je ne pensais qu'à te faire plaisir, et je m'étais fourré dans le crâne qu'immobiliser Avery te faciliterait les choses. Tu aurais pu t'introduire chez elle, l'achever sur place et maquiller la scène en cambriolage.

Ils en avaient déjà discuté à plusieurs reprises et, chaque fois, il lui avait juré qu'il lui pardonnait son impair. Jamais elle n'aurait dû essayer de renverser Avery – non seulement parce qu'elle avait mis sa propre vie en danger, mais aussi parce qu'elle aurait pu tuer sa fille. Jilly s'était montrée si fière de son travail de recherche. Elle avait épié la résidence, découvert l'antique Cadillac, propriété d'une vieille dame qui ne la conduisait jamais, et pénétré de manière astucieuse dans l'appartement de cette dernière pour lui subtiliser ses clés. Elle s'était même prise au jeu en se présentant à elle déguisée en femme flic chargée de récolter des fonds pour les veuves des agents morts dans l'exercice de leur fonction.

Cependant, elle n'avait pas assez réfléchi. Quand Monk lui avait gentiment fait remarquer que Carrie aurait annulé ses vacances si sa nièce était morte, elle s'était sentie humiliée. Désormais, elle sollicitait son approbation en toute circonstance de peur d'agir de façon irréfléchie, et il adorait cette confiance aveugle qu'elle témoignait à son égard.

— On se retrouve au point de rendez-vous, déclara-t-il. Voilà ce que je veux que tu fasses.

Elle l'écouta, de plus en plus enthousiaste à mesure qu'il lui exposait son plan.

— C'est parfait, chéri, glousse-t-elle à la fin. Absolument parfait !

13

— Il s'appelle Dale Skarrett, annonça Avery, et il est en prison à l'heure actuelle.

— Où ça ?

— En Floride. Il a demandé sa remise en liberté conditionnelle il y a quelques années. Carrie et moi avons été entendues et la commission a pris nos arguments en considération. C'est à cause de nous qu'il n'est pas sorti.

— Il a donc une bonne raison de souhaiter votre mort.

— En effet.

— Qu'avait-il fait ?

Avery détestait évoquer ces souvenirs douloureux.

— Je vous raconterai plus tard.

— Qu'avait-il fait ? insista-t-il calmement.

Elle se tourna vers sa vitre.

— Il a assassiné ma grand-mère, répondit-elle avant de consulter la montre. Nous n'avons plus que vingt-trois minutes pour nous rendre Dieu sait où. Que devons-nous chercher, à votre avis ?

Il comprit la manœuvre : elle voulait qu'il se concentre sur leur problème afin de mettre un terme à ses questions. Même s'il comptait bien obtenir d'elle les informations qu'il jugeait nécessaires à leur survie, il n'exigea pas plus de détails pour le moment. Ils n'avaient, il est vrai, que vingt-trois minutes devant eux.

— On cherche tout ce qui détonne dans le paysage.

Le chemin, sinueux, les menait de plus en plus haut dans

la montagne. Avery avait perdu son sens de l'orientation – mais pas John Paul, heureusement.

Les rayons du soleil percèrent de nouveau entre les branches. La forêt de conifères se clairsemait et elle estima qu'ils approchaient d'un espace à découvert ou d'un sommet. Ne risquaient-ils pas d'offrir une cible idéale à Monk ?

— On va attraper le mal des montagnes, à ce rythme-là. Vous n'avez pas froid ? hasarda-t-elle.

— Non.

Elle, en revanche, si. John Paul, qui l'avait vue se frictionner les bras quelques instants plus tôt, alluma le chauffage. Avery régla aussitôt la ventilation afin que l'air chaud souffle sur elle.

— Que voulait-elle dire ?

— Qui ?

— Cette femme. Quand elle m'a répondu « boum ». Je n'arrête pas d'imaginer ma tante et les deux autres femmes ligotées à des chaises bardées d'explosifs.

— Possible. À moins qu'elles ne soient enfermées dans un endroit piégé.

— La région recèle des grottes et des puits abandonnés, je crois ?

— Oui. Mais il y en a des centaines.

Avery regarda la montre.

— Vingt et une minutes.

— Je ne l'oublie pas !

— Vous ne pouvez pas aller plus vite ?

— Vous voulez le volant ?

— Non, fit-elle en s'apercevant qu'elle déversait sur lui sa frustration et sa peur. Désolée, ce n'était pas une critique. Je me doute que vous faites de votre mieux.

Il lui apparut soudain qu'elle ignorait presque tout de cet homme qu'elle avait été si prompte à suivre. Elle en avait appris juste assez pour se fier à lui mais désirait creuser un peu plus le personnage.

— Vous étiez doué dans votre domaine avant de prendre un congé sans solde ?

— De quoi parlez-vous ? sursauta-t-il.

— Vous étiez dans l'armée.

— D'où tenez-vous ça ?

— J'ai demandé à une amie de consulter votre dossier sur son lieu de travail.

Elle guetta sa réaction avec en tête une excuse toute prête pour justifier pareille immixtion dans sa vie privée.

— Quand l'avez-vous interrogée ? lâcha-t-il après quelques secondes de silence.

— Dans le bureau du directeur, à Utopia. Vous étiez parti courir après Cannon.

— Vous vous êtes renseignée sur moi ! souffla-t-il d'un ton incrédule.

— Oui.

Il lui jeta un regard noir de colère.

— Et où travaille votre amie ?

— À Quantico[1].

La nouvelle n'était visiblement pas à son goût.

— Put...

— Vous avez été dans les marines..., balbutia-t-elle.

Il prit une longue inspiration. Avery comprit qu'il luttait pour garder son calme. Oh, oui, il écumait de rage – la rougeur de son cou le trahissait. Elle n'en avait cure, cependant. Elle n'avait écouté que sa raison et il faudrait bien que John Paul s'en accommode.

Un muscle de sa mâchoire tressauta. Bon sang, ce qu'il était beau ! Cette pensée surgie de nulle part s'imposa à elle. Ressaisis-toi ! songea-t-elle. Elle insista.

— Vous avez été dans les marines.

— Et ?

Elle dut se cramponner lorsqu'il donna un brusque coup de volant pour éviter une souche. Malgré les profondes ornières imprimées dans la route par les véhicules qui s'y

1. Quantico : ville de Virginie, siège du centre d'entraînement du FBI. *(N.d.T.)*

étaient aventurés avant eux, l'endroit était si isolé, si... tranquille qu'elle se sentait désorientée. Comme un poisson hors de l'eau. Habituée en bonne citadine à s'endormir au son des klaxons et des sirènes de police, Avery trouvait ce silence presque assourdissant.

Des nuées de moustiques se dispersaient devant leur pare-brise. Elle s'empara de la montre. Encore dix-sept minutes.

John Paul ne cessait de la dévisager par intermittence. Probablement attendait-il qu'elle finisse sa phrase.

— C'est une information non négligeable, conclut-elle.

— Pourquoi ?

— Les marines sont entraînés au combat, ce qui pourrait nous aider, dans le cas présent. (Il ne pipa mot.) J'ai aussi découvert que vous aviez été recruté dans...

— Je connais mon parcours, la coupa-t-il. Pas la peine de me le retracer.

Mince. Elle avait espéré qu'il lèverait le voile sur une zone d'ombre en terminant sa phrase à sa place. Avait-il opéré au sein des forces d'intervention spéciales ou clandestines de la CIA ? Et quel avait été son domaine de compétence ?

Elle examina la carte en réfléchissant. Le meilleur moyen de le savoir était encore de le questionner.

— Que faisiez-vous exactement ?

— Votre amie ne vous l'a pas dit ?

— Votre dossier était classé secret.

— C'est étonnant !

Et voilà, encore ce ton railleur.

— On vous a appris à être odieux ou vous êtes né comme ça ? Vous êtes rebutant de la tête aux pieds.

— Bouclez-la, Avery.

— Vous ne me faites pas peur.

Il plissa les yeux et la fixa.

— Oh si.

— Oh non.

Il sourit malgré sa mauvaise humeur. Peut-être ne

l'effrayait-il pas, en effet. Intéressant, pensa-t-il. Et inhabituel.

— Monk, il surveille nos mouvements, n'est-ce pas ?

— Comment ? la défia-t-il en retenant un autre sourire. Il connaissait déjà la réponse, mais était curieux de voir si elle l'avait devinée.

— Il y a un mouchard dans la montre.

— Oui, confirma-t-il. Il peut donc nous localiser sans problème.

Avery frissonna.

— Nous devrions nous en débarrasser, non ?

— Surtout pas. Autant l'utiliser à notre avantage. On avisera en fonction de ce qui se passera quand on approchera du point marqué sur la carte.

Elle reprit la montre et l'étudia avec soin.

— Pas d'éraflure ni d'encoche. Rien n'indique qu'elle a été trafiquée.

— Monk est un professionnel. Il fait attention à ce genre de détail.

— Il maîtrise donc les systèmes de transmission ?

— Oui.

— Comment vous est-il devenu si familier ?

— J'ai lu son dossier.

— Celui du FBI ? s'écria-t-elle. C'est illégal de la part d'un agent en congé.

— Je n'en doute pas.

— John Paul, vous risquez gros !

Sa prévenance le toucha. Il allait bientôt finir par l'apprécier.

— J'ai des relations capables de me tirer du pétrin.

— Votre beau-frère, par exemple ?

— Qui vous a parlé de Theo ?

— Son nom était mentionné dans votre dossier.

— Avoir un proche au ministère de la Justice peut être utile.

— Vous ne le portez pas dans votre cœur ?

Quelle drôle de question, songea-t-il.

— Bien sûr que si. Ma sœur l'aime et ils vivent heureux ensemble. Pourquoi vous me demandez ça ?

— Vous avez ricané en prononçant les mots « ministère de la Justice ».

— Pas du tout, répliqua-t-il tout en notant avec amusement que rien ne lui échappait.

Avery préféra ne pas insister.

— Vous pensez que Monk a été engagé par la femme qui m'a appelée ?

— Peut-être, mais ça me paraît peu probable. D'après ce que vous m'avez dit, Monk la laisse mener le jeu. Je pencherais plutôt pour une coéquipière. C'est franchement bizarre, d'ailleurs. Il ne s'est jamais lancé dans de telles mises en scène avant. Pourquoi cette chasse au trésor ?

— Mystère…

— On aura peut-être une chance de retourner la situation en notre faveur si cette femme prend des décisions sans être aussi perfectionniste que lui.

— Elle nous connaît, ma tante et moi.

— Ah oui ?

— Elle avait une voix moqueuse en évoquant Carrie. Elle la déteste.

— C'est évident.

— Ce qui signifie qu'elle l'a déjà côtoyée.

— Et vous ?

— Elle m'a traitée d'idiote. J'en déduis qu'elle n'a guère de sympathie pour moi non plus.

Avery souleva la montre, avant de la replacer prudemment entre eux. Une lumière rouge clignotante pulsait comme un cœur à l'intérieur. Cette image l'emplit d'effroi.

John Paul était bon conducteur, aussi le laissa-t-elle se soucier seul de maîtriser la route. Elle ferma les yeux et laissa ses pensées vagabonder. Elle avait raté quelque chose, mais quoi ? La pièce manquante de ce puzzle lui semblait cachée dans un recoin inaccessible de son esprit.

— Écoutez, reprit John Paul. J'ignore ce qui nous

attend, alors soyez coopérative. Si je vous ordonne de vous jeter à terre, jetez-vous à terre, un point c'est tout. Quand j'aurai repéré l'endroit correspondant à cette croix rouge, je le dépasserai et j'inspecterai les alentours. Vous ne bougerez pas de la voiture.

— Il faut que Monk me voie.

— Non.

— Vous êtes fou ? Ils tueront Carrie et les deux autres si nous sommes en retard ou s'il ne me voit pas.

— Cette femme vous a-t-elle fourni la moindre preuve qu'elles étaient encore en vie ? Vous lui en avez demandé une ?

— Non. J'aurais dû, mais nous sommes restées trop peu de temps au téléphone et je n'ai pas pu lui poser de questions.

— Il aurait mieux valu refuser, alors.

— Et prétendre que je n'acceptais pas son chantage ?

— Oui. C'est ce que j'aurais fait.

— Je ne vous crois pas. Mais je suis désolée de ne pas avoir exigé de preuve. Je reconnais que j'ai commis une erreur.

— Ça ne sert à rien de pleurer, maintenant. On a neuf chances sur dix de foncer droit dans la gueule du loup, alors je veux...

— Je vous le répète, je n'ai pas le choix. Il faut que je me montre. J'espère juste réussir à raisonner cette folle.

— Raisonner une folle ? Belle contradiction dans les termes, vous ne trouvez pas ?

— Ne commencez pas...

— À quoi ? À faire le malin ? compléta-t-il en haussant un sourcil. C'est ce que vous alliez dire ?

— Non.

— Quoi alors ?

— Eh ! Si vous voulez vous défiler, pas de problème ! rétorqua-t-elle sur la défensive. Conduisez-moi juste à l'endroit indiqué sur la carte et fichez le camp.

— Je ne me défilerai pas.

— Très bien, lâcha-t-elle, agacée de ne pouvoir masquer son soulagement. J'ai conscience que Monk a sûrement déjà creusé nos tombes, mais si vous croyez que je vais me cacher dans les bois en priant pour mon salut, vous vous fourrez le doigt dans l'œil.

— J'essayais seulement de vous faire comprendre que, avec un peu de chance, je parviendrai à l'approcher sans qu'il s'en aperçoive.

— Et comme vous ne voulez pas avoir à vous inquiéter à mon sujet, vous exigez de moi une obéissance aveugle.

— Voilà.

— Deux têtes valent mieux qu'une.

— Vous avez été formée aux techniques de survie ?

— Non, mais je peux quand même vous aider.

— Ben voyons.

— Arrêtez vos sarcasmes, John Paul. Je sais me défendre.

Elle se concentra sur la route. Dieu merci, cet ours n'avait rien à ajouter. Sa mine renfrognée faisait peur à voir.

Elle perçut un bruit et baissa rapidement sa vitre.

— Vous avez entendu ?

John Paul l'imita, éteignit la ventilation et hocha la tête. De l'eau coulait quelque part.

— On a parcouru plus de distance que je ne le pensais si on arrive déjà à la rivière. Sauf s'il s'agit d'un affluent. On dirait une cascade.

Ils atteignirent un croisement visiblement plus emprunté que le précédent. Cloué à un arbre, un panneau annonçait : *Boutique de la dernière chance. Bières et location de canoës.* En dessous, une flèche indiquait la direction de l'ouest.

La route redescendait la montagne en s'engageant à travers bois.

— Le magasin doit être après le prochain virage, déclara John Paul.

Il quitta le chemin et s'enfonça entre les arbres jusqu'à ce que la végétation leur laisse à peine assez de place pour faire demi-tour. Satisfait de constater qu'elle les dissimulait au regard des éventuels passants, il arrêta le moteur.

— On a encore combien de temps ?

— Douze minutes. On y est, d'après vous ?

— Ça ne peut être que là. Il n'y a rien d'autre dans les parages.

Très juste. L'épais feuillage ne permettait de distinguer qu'un petit bâtiment rudimentaire planté au bord de la rivière à l'intention des canoéistes en quête de ravitaillement.

John Paul se pencha pour sortir un SIG Sauer de sous son siège. Avery écarquilla les yeux à sa vue.

— Je vous laisse les clés, fit-il en ignorant sa réaction. En cas de coups de feu, dégagez. C'est compris ?

Elle n'avait pas l'intention de l'abandonner à son sort, mais elle acquiesça pour éviter qu'il ne s'énerve.

— Il est chargé ? s'enquit-elle.

— Évidemment !

Quelle imbécile. Bien sûr qu'il l'était.

— Soyez prudent, lui recommanda-t-elle en se glissant sur le siège conducteur.

— Donnez-moi la montre.

— Vous l'emportez avec vous ?

— Vous préférez que Monk sache où vous êtes ? Donnez-la-moi.

— Que comptez-vous faire ?

— Aller à la chasse.

14

De longues minutes s'écoulèrent. Avery était sur le point de sortir rejoindre John Paul quand il ouvrit sa portière. Elle ne l'avait pas entendu arriver.

— Aucune trace de Monk, l'informa-t-il. Mais il ne va peut-être pas tarder.

— On continue à pied ou en voiture ?

— En voiture.

Chacun regagna sa place, Avery côté passager, John Paul au volant.

— Et s'il se cache derrière un arbre ou un buisson ?

— J'ai regardé. Il n'y avait aucun signe de sa présence.

— Vous l'auriez vu, sinon ?

— Quelle question !

Son arrogance la rassura.

— Très bien, alors.

— Il y a un vieux camion derrière la boutique, à une trentaine de mètres au sud, et à côté un camping-car vide.

— Vous êtes monté dedans pour vérifier ?

— La boutique est tenue par un couple, enchaîna-t-il sans lui répondre. Le type s'affairait au bar pendant que la femme téléphonait dans le bureau du fond, mais il n'arrêtait pas de lorgner dehors par la fenêtre, comme s'il attendait de la compagnie. Le camion du laitier est passé à un moment et un autre gars a déchargé des caisses de bière. Et j'ai dénombré trois ou quatre clients. Vous voyez l'homme qui nous observe ? À droite, près de l'entrée.

Deux petits garçons franchirent le seuil de la boutique, pressés par leurs parents. L'inconnu claqua la porte sitôt qu'ils se furent éloignés et apposa un écriteau derrière la vitre.

— Qu'est-ce qui lui prend ? marmonna John Paul. Fermé ? Mon œil !

Il gara le 4 × 4 contre le flanc du bâtiment de façon qu'Avery soit protégée par celui-ci, puis fourra ses clés dans la poche de son jean, son arme dans sa ceinture, et bondit hors du véhicule.

Une voiture entra alors dans le parking sur fond de musique rap diffusée à pleins tubes. John Paul alla épier les nouveaux arrivants depuis l'angle de la façade : quatre jeunes à peine sortis de l'adolescence émergèrent de leur vieille Chevy en riant, canette à la main. Deux kayaks étaient attachés sur le toit.

John Paul fit signe à Avery de rester où elle était et revint vers elle.

— Je vais refaire le tour au cas où, lui expliqua-t-il.

Il laissa l'homme à la fenêtre le suivre des yeux jusque dans le bois et gagna la galerie à l'arrière de la maison afin de vérifier ce qui se passait à l'intérieur.

La femme parlait toujours au téléphone. Habillée d'une salopette sale et d'une chemise en flanelle aux manches roulées, elle énumérait des références en tournant les pages d'un catalogue de VPC. Toute à son affaire, elle ne le remarqua pas. John Paul recula au moment où un homme pointa le bout de son nez dans le bureau.

— Chrystal, on a un problème, articula-t-il avec un fort accent montagnard, une main appuyée sur la porte battante de la pièce pour l'empêcher de lui revenir en pleine figure. Y a deux bagnoles sur le parking, avec quatre mecs bourrés dans la première et une fille dans l'autre. Les gars, j'te parie qu'ils veulent juste de la bière, mais la nana me turlupine un peu plus. Elle va avoir tôt fait de ramener ses fesses. Elle s'est p't-êt' rendu compte que je la surveillais parce qu'elle s'est garée de l'autre côté de la maison. C'est elle, tu crois ?

— Un instant, s'il vous plaît, déclara Chrystal dans le combiné, avant de pivoter sur sa chaise et de le toiser, agacée. Oui, c'est sûrement elle, mais je n'en ai pas encore fini avec ma commande et tu m'avais promis…

— Pas forcément, l'interrompit-il. Elle a p't-êt' juste besoin d'aller aux toilettes. Le gros balèze qui l'accompagne doit être en train de se soulager dans le bois, comme les quatre autres. Y en a un qui pisse sur les pétunias.

— Tu ne vois pas que je suis occupée, Kenny ? Si cette fille veut se servir des toilettes, dis-lui d'acheter d'abord quelque chose, et ne la laisse surtout pas s'aventurer par ici. J'ai au moins dix pages à éplucher encore.

— Je m'demande pourquoi t'y as pas pensé plus tôt. Faut toujours que t'attendes le dernier moment, hein ?

John Paul contourna la boutique. Il était déjà posté devant la porte lorsque Kenny la déverrouilla.

Avery surgit de l'angle du bâtiment et courut le rejoindre. Il la poussa derrière lui en un geste protecteur, mais elle ne s'en formalisa pas. Elle craignait tant de s'être trompée d'endroit que tout le reste lui était égal.

— Vous savez pas lire ? On est fermés !

— C'est une urgence, s'interposa-t-elle.

— Faut que vous achetiez quelque chose, alors.

— Pardon ?

— Vous m'avez très bien entendu, aboya Kenny. Faut que vous achetiez quelque chose, et ensuite seulement vous pourrez utiliser les commodités.

L'homme, peu avenant physiquement avec ses cheveux teints en noir corbeau et ses sourcils châtains broussailleux, portait une chemise écossaise noire qu'il avait rentrée dans son jean. Son ventre débordait largement par-dessus sa ceinture.

— C'est clair ? gronda-t-il devant son silence. J'bougerai pas tant que vous m'aurez pas répondu.

Il changea toutefois d'avis quand John Paul s'avança. S'il

ne s'était pas écarté, il ne doutait pas que ce dernier lui serait passé sur le corps.

De près, Kenny se révélait plus jeune que John Paul ne l'avait estimé – trente-cinq ou quarante ans environ. Plus vif aussi. Il ne quitta pas des yeux son imposant visiteur tout en se hâtant de regagner sa place derrière le comptoir, comme pour mettre une barrière entre eux deux.

Les mains bien à plat, il se pencha ensuite vers Avery et lui décocha un sourire au milieu duquel brilla la couronne en or d'une de ses canines.

— OK, ma p'tite dame. J'vais vous dire comment qu'on va s'arranger. Puisque vous êtes si mignonne, j'veux bien faire une entorse au règlement. Vous aurez rien à débourser. Pas un rond. Les commodités sont par là, précisa-t-il en lui désignant une porte à l'autre bout du magasin.

Avery secoua la tête.

— Je m'appelle Avery Delaney, et voici John Paul Renard. Quelqu'un est-il venu ici en nous cherchant ?

— Non, répondit-il un peu trop vite.

Il mentait. Tout en lui le prouvait : son incapacité à la regarder en face, son agitation croissante. Son hostilité également. Il ne cessait de jauger John Paul en basculant le poids de son corps sur une jambe, puis sur l'autre.

La porte s'ouvrit soudain violemment et détourna l'attention d'Avery et de Kenny. John Paul, lui, ne relâcha pas sa vigilance à l'égard du tenancier des lieux. Il n'avait aucune confiance en lui.

Trois des quatre garçons pénétrèrent dans la boutique en titubant.

— Salut la compagnie ! lança l'un d'eux à la cantonade.

Deux d'entre eux étaient visiblement frères, à en juger par leur ressemblance et le tatouage identique en forme d'aigle qui ornait leur avant-bras. Le plus âgé du groupe se distinguait quant à lui par une barbichette ridicule et un piercing au niveau du sourcil.

— La boutique est fermée ! leur cria Kenny.

— C'est pas vrai. Ils sont bien entrés, eux, répliqua Barbichette en montrant Avery et John Paul. Nous, on veut que de la bière.

— Ouais, de la bière, appuya l'un des frères.

Ils se dirigèrent d'un pas mal assuré vers la vitrine réfrigérée installée contre le mur du fond. Au passage, l'un d'eux trébucha et renversa une pile de boîtes de conserve, au grand amusement de Barbichette.

Kenny, lui, ne trouva pas ça drôle du tout.

— Vous aller me les ramasser et les remettre comme elles étaient, compris ?

Un jeune ricana tandis que Barbichette levait son majeur.

— Foutez-moi le camp ! beugla Kenny, avant d'invectiver Avery. Et vous, si vous ne vous décidez pas à disposer des commodités ou à acheter quoi que ce soit, alors vous feriez bien de dégager vous aussi !

— Et un appel ? Avez-vous eu un appel pour moi ? s'enquit-elle d'une voix désespérée.

— Non.

Debout à ses côtés, l'un des tatoués la dévisageait avec insistance.

— Arrêtez de me fixer comme ça, lui intima-t-elle, gênée.

Il afficha un air béat et stupide, puis se jeta sur elle avec le désir évident de la serrer dans ses bras.

John Paul voulut la tirer près de lui, mais elle le prit de vitesse et, sans effort, décocha un coup de pied dans le ventre de l'ivrogne, l'envoyant s'écraser contre le mur avant de se retrouver sur les fesses.

— Restez là, lui ordonna-t-elle.

Trop éméché pour ressentir la moindre douleur, le garçon continua d'arborer le même sourire imbécile.

Avery se tourna vers Kenny.

— Puis-je utiliser votre téléphone ?

Du coin de l'œil, elle avisa Barbichette et le deuxième tatoué qui s'en revenaient, chargés chacun de deux packs de bière et d'un sac de glaçons.

— Une minute, vous deux ! les interpella-t-elle. Asseyez-vous près de votre ami et tenez-vous tranquilles jusqu'à ce que j'en ai fini avec monsieur.

— C'est pas toi qui vas me dire ce que je dois faire, poupée ! protesta le premier.

— On n'a pas de téléphone, marmonna Kenny en même temps.

— Si, intervint John Paul.

Barbichette tenta alors de passer entre Avery et John Paul pour se précipiter vers le jeune écroulé sur le sol.

— Ben ça alors, Mark, qu'est-ce qui t'est arrivé ?

— À mon tour, déclara John Paul une fraction de seconde avant de l'envoyer faire un vol plané vers son copain.

Le garçon s'affala et laissa tomber ses paquets.

Ils n'eurent pas à demander au troisième larron de le rejoindre. En chancelant, le jeune homme alla s'asseoir avec ses canettes de bière et en ouvrit une dont il but une grande gorgée.

Kenny s'aperçut que John Paul regardait le téléphone qui trônait sur le comptoir.

— En fait, je voulais dire que oui, on en a un, bien sûr, mais la ligne est en rade. Faut toujours attendre des semaines et des semaines avant qu'un réparateur se déplace jusqu'ici. C'est qu'on crèche au milieu de nulle part !

Il parlait si vite que les mots se télescopaient dans sa bouche. Constatant que John Paul ne le croyait pas, il s'adressa à Avery, de nouveau tout sourires :

— Votre ami a un problème ?

Et, sans se départir de sa fausse bonhomie, il tendit lentement le bras sous le comptoir. Un clic retentit aussitôt, qui le fit sursauter ; celui d'un revolver pointé sur son front.

— Eh là, du calme ! bafouilla-t-il.

— John Paul, on a besoin de lui, plaida Avery.

— Et c'est comme ça qu'on s'assurera sa coopération.

Kenny, mains en l'air, face au mur derrière vous. Avery, allez chercher son arme.

Elle s'exécuta et repéra immédiatement le Magnum posé sur un rayon. Elle le saisit avec précaution. Il était chargé, prêt à l'emploi. Avery repositionna le cran de sécurité, s'empara aussi d'une boîte de cartouches et glissa le tout dans un sachet en plastique.

— Qu'est-ce que vous fabriquez avec un Magnum ? Vous avez un permis ? lança-t-elle à Kenny.

— C'est pas vos oignons.

Son masque débonnaire avait disparu, cédant la place à un visage rouge déformé par la fureur.

— J'ai le droit de refuser de servir qui je veux, et si j'ai envie d'avoir un flingue ici, c'est moi que ça regarde. Je peux me retourner maintenant ? Je commence à avoir un torticolis. Servez-vous de mon téléphone. C'est juste que… j'avais peur que ce soit pour un appel longue distance. Mon cousin George est le propriétaire de cette boutique, et il m'aurait dit de payer la facture s'il s'en était rendu compte.

— Où est-il, ce George ? le questionna Avery.

— Il s'est fait attaquer par un ours. Je peux me retourner maintenant ? les supplia-t-il de nouveau. Vous voyez bien que je coopère, et puis vous avez mon revolver.

— Ouais, d'accord, acquiesça John Paul.

Avery se dirigeait vers le téléphone quand elle aperçut un portefeuille dans la poubelle. Elle se pencha pour le récupérer. Il s'agissait d'un modèle féminin tout neuf, et griffé Prada. Or Carrie était fan de cette marque.

— Si vous êtes venus me dévaliser, geignit Kenny, j'aime autant vous prévenir tout de suite que j'ai pas beaucoup de liquide. Deux billets de cent et quarante dollars en petite monnaie à tout casser.

— Où avez-vous eu ces billets ? l'interrogea John Paul.

— C'est un client qu'a réglé ses achats avec.

— Nous ne sommes pas là pour vous dévaliser, le rassura Avery.

Elle ouvrit le portefeuille, vide, et le montra à John Paul.

— Je pense que ceci appartient à ma tante.

Kenny l'attrapa tout à coup par-derrière et l'enveloppa de ses gros bras en la soulevant pour qu'elle lui fasse office de bouclier.

— Lâchez-moi, lui ordonna-t-elle. Je n'ai pas le temps de m'amuser.

— Je vous lâcherai quand votre copain aura rengainé son flingue.

John Paul fut surpris par le sang-froid d'Avery. Tout au plus semblait-elle contrariée.

— Certainement pas, répondit-il. Avery, vous allez devoir vous changer.

— Pourquoi ?

— Parce que vos habits seront couverts de sang quand j'aurai dégommé ce conn…

— Non ! s'écria-t-elle. Kenny, je me moque que vous ayez pris l'argent qu'il y avait dans ce portefeuille. Mais il faut me dire où vous l'avez trouvé. Lâchez-moi, maintenant.

— Non, grinça-t-il en resserrant l'étau de ses bras.

Ses mains étant nouées autour de sa taille, Avery saisit l'un de ses petits doigts et le tira brusquement en arrière. Au même moment, elle baissa le menton, puis lui donna un bon coup de tête en pleine figure. Kenny poussa un hurlement en même temps qu'il la libérait.

— Quoi ? s'étonna-t-elle devant la mine incrédule de John Paul.

— Pas mal, la complimenta-t-il avec un sourire indolent.

Elle roula de gros yeux d'un air exaspéré, puis se concentra sur Kenny, appuyé au comptoir.

— Où avez-vous trouvé ce portefeuille ? insista-t-elle.

— C'est celui de ma femme, Chrystal. Elle l'a jeté parce qu'il lui plaisait plus.

— Arrêtez de mentir. Il en va de la vie de quelqu'un, gronda-t-elle. Encore une fois, je me fiche que vous l'ayez vidé, mais dites-moi comment il a atterri ici.

— Je viens de vous l'expliquer…

Il n'en démordait pas. Bien que rassurée par cette preuve qu'elle se trouvait au bon endroit, l'angoisse oppressait toujours Avery, et la mauvaise volonté de cet homme l'exaspérait.

— Je vais porter plainte, la menaça Kenny en appliquant un Kleenex contre son nez ensanglanté. Vous allez voir !

— John Paul, vous allez devoir le dégommer, finalement.

— Pourquoi pas une balle dans le genou ?

Kenny prit aussitôt la menace au sérieux.

— D'accord, d'accord, fit-il. Quand on a ouvert ce matin, on a découvert un paquet avec votre nom, sur le comptoir, et Chrystal a décidé de regarder ce qu'il contenait.

— Et ?

— C'était juste un foulard rouge qui empestait le parfum. Comme elle l'aimait pas, elle l'a remis dans l'enveloppe et flanqué à la poubelle.

— Et le portefeuille ?

— J'y arrive, grogna-t-il avec rancœur. Une femme a débarqué tout à l'heure et elle nous a offert un billet de cent dollars en échange du paquet. Forcément, on a accepté. Et puis elle a raflé une autre enveloppe sur un rayon, comme ça, sans même demander, elle s'est tournée pour pas qu'on voie ce qu'elle faisait et elle a fourré le portefeuille dedans. Après, elle l'a fermée, elle a écrit votre nom dessus et elle nous a promis qu'elle nous filerait encore cent dollars si on vous demandait d'attendre ici son appel.

— Et vous avez décacheté l'enveloppe dès qu'elle est partie, conclut John Paul.

— Non, pas tout de suite. Mais Chrystal, ça la démangeait trop, et quand elle est tombée sur le portefeuille bourré de fric, elle s'est servie. Tout le monde aurait fait pareil.

Avery ne perdit pas son temps à discuter d'éthique avec lui.

— Que vous a déclaré cette personne, exactement ?

— Je viens de vous le dire.

— Reprenez depuis le début, lui ordonna John Paul.

— Elle va vous appeler. Elle savait à quelle heure vous vous pointeriez et elle voulait que vous attendiez son coup de fil.

— Et vous comptiez nous mettre dehors sans jamais nous parler de ce portefeuille ni de cette femme ?

Kenny ne répondit pas.

— Y avait pas grand-chose dedans, se justifia-t-il avec indifférence. Juste quelques billets de vingt dollars.

— Pas de quoi se faire casser le nez, hein ? ironisa John Paul.

— Écoutez, je regrette de pas vous avoir avertis. Quand Chrystal aura libéré la ligne, je suis sûr que cette fille téléphonera. Patientez un peu, c'est tout.

— Où est votre femme ? l'interrogea Avery.

— Dans la pièce au fond, l'informa John Paul, qui la retint ensuite par le bras. Vous avez déjà manié un revolver ?

Elle se dégagea et pressa le pas vers l'arrière-boutique.

— Je refuse de tirer sur qui que ce soit, John Paul.

— Soyez prudente !

Elle suivit son conseil et entrebâilla lentement la porte battante du bureau avant de couler un regard à l'intérieur. Penchée sur son catalogue, le dos tourné vers elle, Chrystal achevait sa commande. Avery s'avança sans bruit.

— Non, j'en veux cinq, l'entendit-elle préciser. C'est ça. Cinq. Et le dernier article porte la référence A3491. La chaîne hi-fi argentée avec le range-CD. Il m'en faut huit. Et puis non, dix. Voilà, parfait. Vous êtes prêt à noter mon numéro de carte bancaire ? Quoi ? Oh, Salvetti. Carolyn Salvetti. Je vous règle avec ma carte American Express, mais expédiez-moi la marchandise dans ma maison de l'Arkansas.

Furieuse, Avery lui arracha l'appareil. Chrystal bondit de sa chaise.

— Qu'est-ce que vous… ? cracha-t-elle.

— Annulez tout, lança Avery dans le combiné en la surveillant. Elle utilise une carte volée.

— Non ! rugit Chrystal lorsqu'elle raccrocha. Vous n'avez pas le droit d'entrer ici. Vous êtes dans mon bureau. Rendez-moi ce téléphone.

— Kenny et vous écoperez d'une peine de prison.

— Eh ! on n'a rien fait de mal !

La mine affolée, telle une souris prise au piège, la femme se mit à réfléchir à toute allure. Avec ses yeux marron un peu trop rapprochés et son visage rond déformé par la colère, elle apparut très laide à Avery.

— Y a pas de quoi alerter les flics, protesta-t-elle en faisant un pas menaçant dans sa direction.

Une lueur anima soudain son regard et Avery imagina sans mal son raisonnement : se sachant plus grande et plus lourde qu'Avery d'au moins trente kilos, elle estimait certainement avoir l'avantage.

— N'y pensez même pas, la prévint-elle.

— Vous êtes dans une propriété privée ! cria Chrystal en plongeant sur elle.

Avery n'eut pas à se défendre. Elle s'écarta juste vers la gauche tandis que son assaillante s'écrasait sur son bureau. Le précieux catalogue se déchira et tomba par terre.

— Un peu de tenue ! la réprimanda-t-elle avec le ton sévère d'une institutrice confrontée à une élève indisciplinée. Relevez-vous et retournez dans le magasin. Plus vite ! tonna-t-elle devant son refus de bouger.

Le permis de conduire de Carrie et toutes ses cartes de crédit étaient étalées sur le bureau, à l'exception de son American Express.

— Vous ne renoncez donc jamais ? Donnez-la-moi ! exigea-t-elle en voyant Chrystal la glisser dans sa poche.

L'autre la lui jeta à la figure, et Avery la rattrapa au vol. Elle lui désigna de nouveau la sortie.

Chrystal se précipita hors de la pièce en repoussant

violemment la porte vers elle. Avery réussit à la bloquer avec son pied.

— Poufiasse ! l'insulta la femme. (Puis elle aperçut Kenny et passa sa fureur sur lui.) Je t'avais dit qu'on aurait des ennuis, mais t'as pas voulu m'écouter !

John Paul enfonça son revolver à l'arrière de son jean et fixa Avery d'un air interrogateur.

— Chrystal se servait de la carte de ma tante pour effectuer ses courses de Noël avec un peu d'avance.

— Ces deux-là font la paire !

— En effet. Grâce à eux, j'ai une bonne raison supplémentaire de ne jamais me marier.

— Inutile de faire venir la police, marmonna alors Chrystal.

— Qu'est-ce que les flics ont à voir là-dedans ? s'étrangla Kenny. Qu'est-ce qui t'a pris de les mêler à ça ?

— J'y suis pour rien, abruti ! C'est la blonde, là ! Et tout est de ta faute, d'abord. Si quelqu'un doit aller en taule, c'est toi. J'ai déjà été épinglée une fois, moi. Je t'avais pourtant dit de m'empêcher d'ouvrir ce paquet, hein ? brailla-t-elle. T'as gagné maintenant !

— La ferme !

Chrystal remarqua enfin l'état dans lequel se trouvait son mari : assis sur le comptoir, il balançait ses jambes tout en pressant un Kleenex déchiré contre son nez. Puis elle examina John Paul.

— C'est qui, lui ? Et pourquoi tu te tritures le nez ?

— J'me triture pas le nez. La fille derrière toi me l'a cassé. Je vais engager un avocat et porter plainte.

— Quand tu seras en prison, peut-être ? rugit sa femme. Espèce de demeuré ! T'es pas bien, non !

John Paul, que cette scène de félicité conjugale commençait à agacer, alla se poster près de la porte.

— Ça suffit ! se fâcha Avery.

À sa grande surprise, le couple se calma.

— Pas la peine de nous houspiller, m'dame. Vous voyez bien qu'on essaie de vous aider, se défendit Chrystal.

— Très bien. Où est l'enveloppe, dans ce cas ?

— Celle du portefeuille ?

— Oui.

— Dans la poubelle, près des toilettes. Y avait que ça dedans, mais je vais aller vous la chercher pour que vous puissiez vérifier.

Elle traversa la boutique sans se presser et, une minute plus tard, lui ramena une enveloppe jaune.

— J'mentais pas : elle est bien vide.

— Je vous ai répété tout ce que m'avait dit cette nana, mais elle a été plus bavarde avec Chrystal.

— C'est vrai, confirma celle-ci. Elle avait la langue bien pendue. Elle m'a raconté que vous jouiez à la chasse au trésor. Seriez pas un peu vieux pour ça, des fois ?

Avery eut envie de s'arracher les cheveux. Ces gens la rendaient folle.

— Quand elle est entrée ici, vous avez aperçu sa voiture ? Quelqu'un attendait à l'intérieur ?

— Elle avait une belle Mercedes toute neuve, répondit Kenny. Mais personne avec elle, non.

— Et vous a-t-elle confié où elle comptait nous envoyer ?

Son angoisse était si palpable que Chrystal recouvra son aplomb.

— Ça dépend, répliqua-t-elle.

— Ça dépend de quoi ?

Elle frotta son pouce contre son index et son majeur pour lui réclamer de l'argent. Avery n'avait cependant pas la patience de négocier.

— Elle a laissé des instructions aussi, mais Kenny et moi, on dégoisera pas un mot de plus si ça nous rapporte rien.

— OK. John Paul, on va employer votre méthode, finalement. Descendez-en un. Le deuxième devrait être plus disposé à parler après.

Cette décision le ravit. Moins de deux secondes plus tard, il avait sorti son SIG Sauer et ôté le cran de sécurité.

— Vous avez une préférence ? s'enquit-il.

Chrystal leva les mains en l'air.

— Eh là ! Ne nous énervons pas ! Kenny et moi, on est des gens cool, pas vrai Kenny ? Alors voilà : cette femme a dit qu'une certaine Avery allait venir ici. C'est vous, je parie ?

— Oui. Qu'a-t-elle dit d'autre ?

— Qu'elle vous appellerait et qu'après vous décamperiez dare-dare. Sauf qu'elle s'est plantée, hein ? Parce que vous êtes toujours là, que je sache.

— Ils peuvent pas décamper tant qu'elle a pas téléphoné, idiote ! ricana Kenny.

— Avery, je rêve de mettre fin à leur calvaire, grinça John Paul.

— Posez votre arme, le pria-t-elle, bien qu'elle partageât son sentiment.

Chrystal retrouva le sourire dès qu'il eut abaissé son revolver.

— Kenny, ils auront besoin de provisions pour le trajet. Aide-les à charger leur voiture pendant que je fais le total dans ma tête. Vous avez du liquide sur vous, pour vos achats ? demanda-t-elle à Avery.

— Nous n'avons besoin de rien.

— Peut-être, mais si vous voulez qu'on vous indique le point de rendez-vous fixé par la fille…

Le message était clair, il fallait qu'ils consomment.

— D'accord, céda Avery.

— Leur fais pas de rabais, Chrystal, intervint Kenny. Et pas de paiement par carte. M'est avis qu'ils seront morts le temps que leur compte soit débité.

Chrystal opina du chef.

— C'est vrai qu'elle vous a choisi un niveau cinq.

Qu'entendait-elle par là ? s'interrogea Avery.

— J'vois pas comment vous pourrez descendre la rivière, enchaîna Kenny. Avec toute la flotte qu'est tombée ces jours-ci, faut rien avoir dans le crâne pour faire du raft dessus. Expérimentés ou pas, vous finirez noyés avant même les premiers rapides.

Cette possibilité l'amusa tant qu'il gloussa.

— Oh oui, pour sûr, vous finirez noyés, renchérit Chrystal. La fille a ajouté que vous verriez un panneau et que ce que vous cherchez serait juste à côté.

— Elle a précisé ce qui était écrit sur ce panneau ?

— Coward's Crossing – le passage des Peureux. Les habitants du coin surnomment l'endroit comme ça parce que ceux qui ont peur de canoter sur la rivière se contentent de la regarder de là. Y avait un pont avant, d'où le mot « passage ».

— On peut y accéder uniquement à pied, les avertit Kenny. Je connais bien le terrain parce que je m'y promène depuis tout petit, et y a pas de route qui va là-bas.

Chrystal n'était pas d'accord et le lui fit vertement savoir.

Avery profita de leur dispute pour tendre la main vers le téléphone, avant de se raviser. Rien qu'un rapide coup de fil à Margo, pensa-t-elle. Lui dire où elle était et ce qui se passait. Devait-elle tenter sa chance ?

Kenny eut le dernier mot face à sa femme. Pendant que Chrystal boudait, il détailla à Avery l'itinéraire à suivre pour se rendre à Coward's Crossing.

Pendant ce temps, John Paul enfourna quelques victuailles dans son sac, puis se dirigea vers sa voiture. Kenny sauta du comptoir, bien déterminé à lui faire payer ses achats.

De son côté, Avery griffonna le numéro de Margo et le tendit à Chrystal.

— Je veux que vous appeliez quelqu'un, mais d'un autre téléphone que le vôtre. Expliquez à la personne qui décrochera que je suis passée ici avant de partir à Coward's Crossing. Une grosse récompense vous attend si vous acceptez, lui promit-elle. Mais ne le faites surtout pas depuis cette ligne.

— Grosse comment, la récompense ?

— Cinq mille dollars, prétendit-elle en énonçant la

première somme qui lui venait à l'esprit. Et une fois que nous aurons capturé l'homme que nous pourchassons, vous toucherez le double.

— Combien exactement ?

— Dix mille dollars, mentit Avery avec de plus en plus d'assurance.

— Qu'est-ce qui me prouve que vous piocherez pas votre part dans cet argent ?

— Parce que j'appartiens au FBI. Mon badge est dans la voiture. Vous voulez que j'aille le chercher ?

— Je l'aurais parié ! Avec vos airs supérieurs et tout et tout, c'est pas étonnant. Vous avez bien la tête d'un agent. Je m'en suis doutée quand je vous ai vue faire vos prises de karaté dans le bureau. J'aurais dû écouter la petite voix qui me disait de me méfier.

Quelles prises de karaté ? s'étonna Avery. Elle ne se souvenait que de s'être écartée quand Chrystal s'était jetée sur elle.

— Quel sens de l'observation ! la félicita-t-elle sèchement.

— Revenons-en à l'argent. Je toucherai donc quinze mille dollars au total ?

— Oui.

— En échange d'un simple coup de fil ?

— Oui, et...

— Deux secondes, la coupa Chrystal, qui avait lu le numéro noté sur le papier. C'est un appel longue distance. Je peux le faire en PCV ?

— Oui.

— Très bien, alors, mais j'avoue que je pige pas grand-chose. Vous pourriez vous servir de ce téléphone-là, fit-elle remarquer en lui désignant l'appareil sur le comptoir. C'est quoi le problème ?

Avery ne perdit pas son temps à lui expliquer qu'il était peut-être sur écoutes et qu'elle ne pouvait courir ce risque.

— N'utilisez pas celui-là, un point c'est tout. D'ici vingt

minutes, vous prendrez votre pick-up et vous irez jusqu'à la cabine la plus proche.

— Vous paierez l'essence ?

— Oui, acquiesça-t-elle, à deux doigts d'exploser.

John Paul entra dans la boutique à l'instant même où le téléphone sonna. Avery tressaillit.

— C'est sûrement elle, dit Chrystal. On n'a pas eu un seul appel depuis la réouverture ce matin. Vous voulez que je réponde ?

Mais Avery s'en chargea à sa place.

— Tu es en retard, lui reprocha la voix au bout du fil.

— Faux. On était pile à l'heure. La femme à qui vous avez laissé le paquet était en ligne quand on est arrivés.

— Exact.

Avery eut là la confirmation de ses soupçons. Dieu merci, elle n'avait pas essayé de joindre Margo.

— On vous a indiqué le chemin jusqu'à la prochaine étape ?

— Oui. Je veux parler à Carrie.

— Non, impossible.

— Comment puis-je être sûre qu'elle est encore en vie ?

— Elle l'est… pour le moment du moins. Il ne tient qu'à toi qu'elle et ses amies le restent.

— Pourquoi faites-vous ça ?

— Assez de questions, siffla l'inconnue. Sinon je raccroche. C'est clair ?

— Oui.

— Tu participes à une belle chasse au trésor et tu marques des points à mesure que tu avances. Le prix à remporter est Carrie. Tu as envie de la revoir, n'est-ce pas ?

— Oui.

— Parfait. (La femme éclata de rire.) Je te sens si appliquée à ne pas me contrarier. Tu as intérêt à ne pas traîner, Avery.

— Combien de temps… ?

— Dépêche-toi.

Et elle coupa la communication. Le cœur battant, Avery reposa le combiné.

— C'était elle ?

— Oui. Décrivez-la-moi, Chrystal.

— Vous voulez savoir comment elle était ?

— C'est ça.

— Plus vieille que vous, mais pas autant que moi, ni aussi forte. Kenny ? cria-t-elle. Tu lui donnerais quel âge à cette femme ?

Kenny rentra à son tour et se gratta la joue en réfléchissant.

— Aucune idée. J'me trompe toujours sur l'âge des gens. Elle était canon, par contre.

Chrystal approuva.

— Elle avait les cheveux blonds. C'est marrant, en fait, que vous me demandiez à quoi elle ressemblait.

— Pourquoi ?

— Eh bien… parce que… (Chrystal haussa les épaules.) Elle vous ressemblait, figurez-vous.

15

Chrystal annonça à Kenny qu'ils recevraient une grosse récompense s'il consentait à aller en ville passer un coup de fil pour Avery. Sceptique, il ne se montra pas du tout disposé à rendre ce service.

Contrairement à Avery, John Paul ne voyait pas l'intérêt d'essayer de les amadouer. Il ne comprenait que trop bien comment fonctionnait leur cervelle de moineau. Exaspéré par le manège du couple, il plaqua Kenny contre le mur et l'informa calmement qu'il le traquerait jour et nuit jusqu'à lui faire la peau s'il n'obéissait pas. Il n'en fallut pas davantage. Kenny le crut sur parole, et sa femme aussi. La mine de John Paul suggérait qu'il n'était pas du genre à proférer des menaces en l'air.

Chrystal fit un bond en arrière lorsqu'il la frôla en passant à côté d'elle. Elle renversa le téléphone, s'empressa de le ramasser et d'approcher le combiné de son oreille pour s'assurer que personne n'était au bout du fil.

— Il ne marche plus, signala-t-elle à Kenny.

— Quoi ? Y a plus de tonalité ? ahana-t-il.

— Je viens de te le dire !

— C'est elle, décida-t-il en décochant un regard furieux à Avery. Elle a dû le casser en raccrochant. T'étais témoin, hein, Chrystal ? Vous me paierez la réparation, je vous préviens !

Avery s'empara du téléphone pour vérifier. En effet, il

n'y avait plus de tonalité. C'est du rapide, pensa-t-elle. Ils devaient se tenir prêts.

John Paul attendait près de la porte.

— Avery…

— Une minute.

Elle s'avança vers les jeunes toujours étendus par terre. Deux d'entre eux dormaient en chien de fusil, mais le dénommé Mark la contemplait toujours, assis contre le mur, avec son éternel sourire stupide accroché aux lèvres.

— Qui conduit parmi vous ? l'interrogea-t-elle.

— Hein ?

— Qui conduit ?

— Moi.

— Donnez-moi vos clés.

— Je suis pas obligé, protesta-t-il d'une voix molle, en souriant toujours, alors même qu'il fouillait sa poche pour les en extraire.

Il agita les clés devant elle en ricanant. Elle les lui arracha et les jeta sur le comptoir.

— Chrystal, veillez à ce que ces garçons ne reprennent pas le volant. Compris ?

— Je ne suis pas leur baby-sitter. Vous espérez que je vais rester plantée là à les surveiller ?

— Faites-les dormir dehors, mais ne leur rendez pas les clés.

Avery s'apprêtait à partir quand John Paul lui fit signe de s'arrêter.

— Voici de nouveaux clients. (Il observa par la fenêtre deux vieilles dames – des randonneuses à en juger par leur tenue – qui descendaient d'une Ford.) Ne venez pas avec moi, dit-il en l'écartant de la porte.

— Oh que si !

— Écoutez-moi. Retournez en ville avec ces deux femmes et prévenez la police. Gardez le revolver au cas où.

— Pendant que vous, vous irez à Coward's Crossing ?

— Oui. Si j'y parviens assez vite, je pourrai peut-être tendre une embuscade à Monk.

— Nous ne retrouverons jamais Carrie et les autres, alors.

— La fille sait où elles sont.

— Elle s'enfuira, vous vous en doutez. Le risque est trop grand. Et puis, si Monk ou elle découvrent que je ne suis pas avec vous…

— Ils ne s'en apercevront pas.

— Il faut que vous m'emmeniez.

— Non, c'est trop dangereux pour vous et vous me ralentiriez.

— Alors je vous suivrai. Kenny nous a indiqué l'itinéraire à tous les deux. Moi aussi je sais y aller. J'emprunterai la voiture de ces jeunes. C'est aussi simple que ça, John Paul. Vous avez besoin de moi pour coincer Monk. Maintenant, ôtez-vous de mon chemin.

Il ne voulut pas prendre plus de retard en débattant de la question. La meilleure solution était d'abandonner Avery quelque part en cours de route. Dans un endroit sûr.

— Ne vous éloignez pas de moi, lui murmura-t-il en ouvrant la porte aux deux randonneuses.

Celles-ci se dirigèrent vers les commodités, ainsi que les désignait Kenny de façon désuète, sans paraître remarquer les jeunes affalés sur le sol.

— Combien de temps nous faudra-t-il, selon vous, pour arriver à destination ? s'enquit Avery auprès de Chrystal, laquelle faisait preuve à ce stade d'un peu plus d'affabilité que son mari.

— Ne comptez pas y être avant la nuit. Avec la pluie, les sentiers sont détrempés.

— Hé ! Attendez, s'insurgea Kenny à cet instant. Mon revolver ! Laissez-moi mon revolver ! J'ai besoin de me protéger, moi. J'suis seul ici avec ma femme !

— Laisse tomber, Kenny, l'interrompit Chrystal. George n'a jamais eu de permis pour ce truc-là de toute façon.

— Pourquoi il faut toujours que tu la ramènes ? Tu pouvais pas te taire ! fulmina-t-il, le visage rouge de colère.

— Elle aurait exigé de le voir, se justifia-t-elle. C'est dans leurs habitudes.

— Leurs habitudes à qui ?

— Au FBI, fit-elle en prononçant chaque lettre comme s'il s'était agi d'une obscénité.

— Quoi ? s'écria Kenny. Cette fille bosse pour le FBI ?

— Eh ben, mec, on va tous finir en taule, grogna Mark.

Ignorant le commentaire de l'ivrogne, John Paul referma la porte.

— Vous êtes un agent du FBI ?

Avery grimaça. John Paul semblait si outragé qu'elle estima préférable d'éluder la question.

— Répondez-moi, insista-t-il avec l'intention évidente de ne pas bouger avant d'être fixé. Vous êtes un agent du FBI ?

— Plus ou moins, souffla-t-elle.

C'est le moment que choisit Chrystal pour ajouter :

— Elle m'a même proposé d'aller chercher son badge dans sa voiture pour me le prouver.

— Je m'en vais, déclara Avery, qui essaya de toutes ses forces d'écarter John Paul de la porte.

Il refusa d'abord, puis céda et recula d'un pas.

— On en rediscutera plus tard, déclara-t-il.

— Certainement pas, rétorqua-t-elle, saisie du désir infantile d'avoir le dernier mot.

John Paul démarra à nouveau sur les chapeaux de roue.

— Ralentissez, lui intima Avery.

Il leva le pied pendant qu'elle étudiait sa carte.

— J'aurais dû demander à Chrystal le nombre de kilomètres, pesta-t-elle.

— Je vous rappelle que c'est une randonnée à pied qui nous attend.

— Je marcherai à votre rythme.

— On verra. Que vous a dit la femme au téléphone ?

Elle lui rapporta leur conversation, puis précisa :

— J'ai exigé de parler à Carrie, mais elle a prétendu que ce n'était pas possible.

— Et vous persistez à croire que votre tante est encore en vie ?

— Oui. J'ai l'impression que cette femme souhaite... temporiser.

Avery avait conscience que cette conviction n'avait aucun fondement. Peut-être nourrissait-elle un espoir en dépit du bon sens.

— Quelque chose m'échappe cependant, avoua-t-elle.

— Quoi ?

— Pourquoi se donnent-ils autant de mal pour me tuer ? Pourquoi une telle mise en scène ? Ils avaient largement le temps de me tendre un piège pendant que je faisais route vers Utopia. Vous n'auriez pas été impliqué dans cette affaire, tout aurait été beaucoup plus simple pour eux. (Elle se frappa le front.) Mais bien sûr ! Ils ignoraient que je m'y rendrais en voiture ! Quand j'ai raté mon avion, ils ont été obligés d'improviser. Quant à vous, vous représentiez une autre complication. Vous traîniez au centre en posant trop de questions. Tout s'explique maintenant.

Désabusée, elle se dit qu'elle devait être bien fatiguée pour avoir été si lente à comprendre. Elle repensa à ce coup de fil.

— Cette femme... elle s'amuse.

— Vous dites ?

— Je l'entendais à sa voix. Elle était joyeuse, même quand elle me rabrouait ou me traitait d'imbécile. Elle n'a pas envie que ce jeu se termine tout de suite. (Avery réfléchit quelques instants.) Elle aime commander, et tant qu'on participera à sa fameuse chasse au trésor, elle continuera.

John Paul roulait aussi vite que le permettaient les sentiers de montagne, guidé par Avery, laquelle était absorbée dans ses pensées.

— Très bien, Avery. C'est le moment maintenant.

— Pardon ?

— C'est le moment. Pourquoi m'avez-vous caché que vous étiez un agent du FBI ?

— Vous n'avez pas fait mystère de votre animosité à l'égard du Bureau.

— Ah oui ? Quand ça ?

— Quand vous avez contacté votre ami Noah, à Utopia. Vous lui avez ordonné de battre le rappel des troupes.

— Et ?

— Vous m'avez affirmé ensuite que les fédéraux feraient foirer l'enquête. Quand je vous ai demandé de justifier votre attitude, vous êtes devenu carrément agressif. De plus... (Elle se sentit rougir.) Je ne suis pas tout à fait agent, du moins pas encore.

John Paul ralentit.

— Vraiment ? Alors pourquoi racontez-vous le contraire ? Comment peut-on être assez tordu pour se prétendre agent du FBI ?

Avery détestait être mise sur la défensive. Ce type était décidément le plus borné qu'elle eût jamais rencontré.

— Je ne le crie pas sur les toits d'ordinaire. Je l'ai juste dit à Chrystal afin de l'inciter à nous aider. Contrairement à vous, je n'emploie pas de méthodes brutales et coercitives pour parvenir à mes fins.

John Paul ignora la critique. À quoi bon réparer ce qui n'était pas cassé ? Le recours à la force lui avait toujours réussi.

— User de ses dons naturels, telle est ma devise.

Il fit une brusque embardée pour éviter une ornière, puis se cala à une allure plus raisonnable.

— J'ai bien peur que Chrystal ait raison, constata-t-il. On n'y sera pas avant la nuit.

— Soyons optimistes.

— Pourquoi ?

— La route sera peut-être meilleure un peu plus loin.

Au virage suivant, ils en aperçurent une autre, située à l'ouest, en contrebas de la leur, et apparemment plus empruntée. John Paul décida de la rejoindre.

— Accrochez-vous, conseilla-t-il à Avery en s'engageant sur la pente.

Celle-ci était raide et parsemée de grosses pierres tranchantes. Avery aplatit ses mains sur son siège tandis qu'ils avançaient en cahotant.

— Alors, reprit John Paul. Pourquoi avez-vous menti ?

— Je n'ai pas menti. J'ai bien une attestation de mon appartenance au FBI dans mon sac à dos.

— Mais vous n'êtes pas agent ?

— Non.

— Alors que fabriquez-vous avec ces papiers ?

— Je travaille pour eux, mais pas sur le terrain, c'est tout.

— Heureusement.

— Pourquoi ? Parce que vous détestez le Bureau ?

— Non, parce que vous n'êtes pas douée.

— Qu'en savez-vous ?

Cet homme n'ouvrait décidément la bouche que pour la vexer. Personne ne lui avait jamais à ce point tapé sur les nerfs.

— Vous n'avez pas l'instinct nécessaire, décréta-t-il. Et avant que vous montiez sur vos grands chevaux, répondez franchement à une question.

— Laquelle ? se renfrogna-t-elle en croisant les bras.

— Avez-vous anticipé le geste de Kenny ? Avez-vous, ne serait-ce qu'une seconde, envisagé qu'il puisse avoir une arme sous son comptoir ?

— Non.

— Vous voyez !

— Je n'ai pas été formée pour ça.

— Ce n'est pas une excuse. Ce genre de chose ne s'apprend pas. Je vous reconnais quelques points forts, concéda-t-il cependant. La façon dont vous avez envoyé ce gosse au tapis était impressionnante. Mais vous n'en feriez pas moins un mauvais agent.

Elle refusa de commenter son jugement.

— Quel poste occupez-vous au juste ? enchaîna-t-il.

Il la vit de nouveau rougir – de gêne, ou bien de fureur contre lui, sans doute. Il ne put s'empêcher de la trouver belle. Pourtant, cette femme incarnait tout ce qu'il méprisait.

— Je suis employée de bureau, fit-elle en se reprochant aussitôt d'avoir eu l'air de s'en excuser. Il n'y a rien de mal à ça.

— Je n'ai jamais dit le contraire.

— Je suis membre d'une équipe importante.

— Allons bon.

— Quoi ?

— Vous avez tout gobé, hein ? Le maillon d'une chaîne... Vous votez à gauche, je parie ?

— Il se trouve que oui. Et je n'ai pas honte d'être employée de bureau... c'est un boulot comme un autre, après tout.

— D'accord, d'accord.

— Arrêtez d'être condescendant. J'entre des informations dans notre base de données à longueur de journée, mais ce n'est pas ce qui était prévu au moment de mon embauche. On peut changer de sujet maintenant ?

— Oui, acquiesça-t-il, l'air soucieux.

— À quoi pensez-vous ?

— On avance mieux sur cette route. Peut-être qu'on approchera de Coward's Crossing avant la nuit. On marchera sur quelques kilomètres, et une fois qu'on vous aura déniché une cachette, je...

— Halte-là ! Voici comment je vois la suite, moi : vous allez me déposer, faire demi-tour, et avec un peu de chance vous serez à Aspen d'ici ce soir.

— Et pourquoi retournerais-je à Aspen ?

— J'ai bien examiné le problème...

— Oh !

— Vous devriez partir tant que c'est encore possible, poursuivit-elle. Vous avertirez le FBI de ma position.

— C'est une blague, hein ?

Avery croisa et décroisa les mains.

— Non, je suis sérieuse. Ils ne peuvent rien contre vous si vous filez. Et, honnêtement, vous n'avez pas à être mêlé à cette histoire. Vous l'avez dit vous-même. C'est après moi qu'ils en ont, pas après vous. Et puis vous avez joint Noah, et il fait partie du FBI. Je suis sûre qu'il a déjà alerté les agents locaux et qu'ils sont en route. Quand vous parviendrez à une cabine téléphonique, vous n'aurez qu'à le rappeler pour l'informer de l'endroit vers lequel je me dirige.

— J'ai une occasion de coincer Monk, et vous vous imaginez... (John Paul écumait de rage.) Mettons les choses au point. Vous me croyez vraiment capable de vous fausser compagnie au milieu de nulle part ?

— N'est-ce pas ce que vous aviez prévu ?

— Pas du tout. Je comptais trouver un endroit où vous auriez pu m'attendre en toute sécurité. Un endroit où Monk n'aurait pas eu l'idée de vous chercher.

— En d'autres termes, vous auriez déguerpi en m'abandonnant en pleine forêt. N'espérez pas vous débarrasser de moi comme ça, trancha-t-elle sans même lui laisser le temps de se défendre. Sauf si vous décidez de regagner Aspen.

— Vous êtes cinglée, on vous l'a déjà dit, ça ? Complètement cinglée !

— Ce qui signifie que vous refusez ?

Il ne releva pas son sarcasme.

— Si seulement on pouvait sortir de cette voiture, soupira-t-elle en repoussant ses cheveux en arrière. J'ai besoin d'un coin tranquille pour réfléchir.

— Parce que vous ne pouvez pas le faire là ?

Elle savait qu'il ne comprendrait pas. Quand elle travaillait à son bureau, elle éprouvait les mêmes sensations que lors d'une séance de yoga. Elle faisait le vide dans son esprit, puis étudiait chaque indice en sa possession pendant que ses mains couraient sur le clavier. Non, il ne comprendrait pas, et elle-même n'avait pas les mots pour le lui expliquer.

— Au fait, qui vous ressemble ? s'enquit John Paul.

— Pardon ?

— D'après Chrystal, la femme qui est passée au magasin

vous ressemblait. Je vous demande donc si votre famille compte quelqu'un capable d'essayer de vous tuer.

— Non. Ma tante Carrie et son mari Tony sont ma seule famille.

— Vos parents sont morts ?

— J'ignore qui est mon père, lâcha-t-elle en lui faisant face, et celle qui m'a donné naissance aurait été bien en peine de le désigner.

Elle guetta sa réaction, certaine qu'il serait choqué, mais il demeura impassible.

— Elle est morte dans un accident de voiture il y a des années, ajouta-t-elle. Je n'ai pas d'autres parents.

— Mais Chrystal…

— Oui, je l'ai entendue moi aussi. Vous avez une idée du nombre de personnes qui répondent à cette description ?

— Ils sont donc vrais ?

— Quoi ?

— Vos cheveux.

— Vous voulez savoir si je porte une perruque ?

— Non. Je m'interroge sur leur couleur. Vous êtes une vraie blonde ?

— En quoi est-ce que la couleur de mes cheveux vous intéresse ?

— En rien, répliqua-t-il avec irritation. Mais puisque, physiquement, cette fille présente des points communs avec vous, j'ai supposé que…

— Non, je ne me teins pas les cheveux.

Il en fut surpris et ne le masqua pas.

— Ah oui ? Et vos yeux ?

— Quoi, mes yeux ?

— Vous avez des lentilles de couleur ?

— Non.

— Je ne vous crois pas.

— Vous faites exprès d'être aussi désagréable ?

— Je tente juste d'assembler les pièces du puzzle, OK ? Kenny a affirmé que la fille était superbe. Un vrai canon.

— Et alors ?

Il haussa les épaules.

— Vous vous êtes déjà regardée dans une glace ? Vous devez bien avoir conscience…

— Que quoi ? le pressa-t-elle lorsqu'il se tut.

— Enfin… Que vous êtes fichtrement jolie, jeta-t-il d'un air furibond.

C'était le compliment le plus hostile et le plus sardonique qu'elle eût jamais reçu mais, chose étrange, elle ne s'en offusqua pas. Pour la première fois, même, elle ne ressentit pas le besoin de réciter sa tirade favorite sur la futilité des apparences.

Elle se força à se concentrer sur la situation présente.

— En soi, cette donnée ne permet pas de tirer la moindre conclusion.

— Bon Dieu, vous parlez comme une machine. Beaucoup d'éléments ne collent pas dans cette affaire.

Elle approuva d'un hochement de tête. En proie à de subits maux d'estomac, elle attrapa son sac à dos, en sortit deux barres de céréales énergétiques, une bouteille d'eau et des comprimés d'antiacide, qu'elle avala avant de lui tendre la bouteille.

— Merci, fit-il après s'être longuement désaltéré.

— De rien.

Un sourire fugitif éclaira le visage de John Paul. Elle le remarqua et, à son propre étonnement, n'y fut pas insensible. Elle ne le jugeait plus aussi odieux qu'une heure plus tôt. Et puis, il avait un très beau profil… et un charme fou. Il aurait été ridicule de prétendre le contraire.

Il se souciait d'elle également. Ne l'avait-il pas exhortée à la prudence quand elle s'était précipitée à l'arrière de la boutique ? Il avait paru… inquiet. Inquiet pour elle. Elle avait apprécié. Il n'était pas qu'un bloc de glace, finalement.

— Il va pleuvoir, nota-t-il.

— La pluie nous ralentira.

— Tant pis. Le soleil se couchera bientôt. Je vais aller

enterrer la montre à deux ou trois kilomètres d'ici. On continuera ensuite tant qu'on le pourra. (Il gara le 4 × 4.) Qu'avez-vous fait du revolver de Kenny ?

— Il est dans le sac, à l'arrière.

— Sortez-le et gardez-le sur vos genoux. Vous vous êtes déjà entraînée à tirer ?

— Non.

Il soupira avec humeur.

— Laissez le cran de sûreté, alors. Je n'en ai pas pour longtemps.

Il disparut avant qu'elle ait pu lui recommander de faire attention à lui. Peu après, une bruine se mit à tomber, voilant le pare-brise. Un long moment s'écoula avant que John Paul revienne au pas de course.

— Où avez-vous enterré la montre ?

— Je l'ai accrochée à une branche, près d'un croisement situé plus à l'ouest. Si Monk est à nos trousses, j'espère qu'il prendra l'autre direction.

John Paul monta en zigzag le versant de la montagne, non sans se féliciter d'avoir un véhicule tout terrain, puis, une fois la végétation devenue trop dense, avança entre de gros pins et arrêta le 4 × 4. De là, on ne pouvait pas le voir de la route.

La nuit ne tarda pas à les envelopper. La bruine s'était transformée en pluie et un coup de tonnerre résonna au loin. Avery tressaillit.

— Vous avez une arme au cas où, ainsi que de la nourriture et de l'eau, déclara John Paul.

— Qu'est-ce que ça signifie ? Vous croyez pouvoir me planter là ?

Mais, déjà, il ouvrait sa portière.

16

Lorsqu'elle s'affala sur le canapé du salon, Carrie avait perdu tout espoir. Jilly et Monk avaient piégé chaque fenêtre, sauf, peut-être... la lucarne qui surplombait l'escalier. Le rectangle de verre se trouvait à neuf mètres de hauteur. Elle secoua la tête. Même en empilant tables et armoires, elles ne réussiraient pas à l'atteindre.

Découragées, les trois femmes mangèrent en silence le repas préparé par Anne. Le soleil avait disparu et elles s'étaient contentées de quelques bougies en guise d'éclairage. Elles préféraient ne pas allumer les lampes, de peur que Jilly et Monk ne les observent, et ce d'autant plus qu'il n'y avait pas de rideaux aux fenêtres. À table, Sara émit l'hypothèse qu'elles puissent être surveillées par une caméra. Carrie, paniquée, se lança alors dans une énième fouille de la maison.

Anne se reposait dans le canapé et la juge dans un fauteuil quand elle redescendit les marches.

— Rien à signaler, annonça-t-elle. J'ai regardé partout, même dans les douilles des lampes – du moins celles qui m'étaient accessibles. Je ne crois pas qu'ils nous espionnent.

— Quelle importance, qu'ils puissent nous voir ou pas ? s'étonna Anne.

— Parce que si jamais nous décidons de creuser un tunnel au sous-sol pour sortir d'ici et qu'ils s'en aperçoivent, ils nous feront sauter sur-le-champ, répondit Carrie, affligée par la stupidité de sa question.

Creuser un tunnel au sous-sol était bien sûr inenvisageable. En plus d'être fermée à clé, la porte qui y menait comportait un avertissement. Un simple mot, mais suffisant pour les dissuader de s'attaquer à la serrure : « Boum ».

Épuisées et effrayées, Sara et Carrie contemplèrent sans rien dire les ombres qui s'allongeaient peu à peu sur le paysage.

Carrie fut intriguée par une pile de papiers entassés à côté d'Anne.

— Qu'est-ce que c'est ?

— Des articles de journaux qui étaient rangés dans la commode de l'entrée. L'un des propriétaires les a conservés. Tenez, fit-elle en lui montrant une photo de jeunes mariés.

— Ils ont l'air heureux.

— Ils l'ont peut-être été, mais maintenant ils sont en train de divorcer et ils se battent pour garder la maison. Lisez ça. C'est sordide. Vous avez encore assez faim pour la suite ? ajouta-t-elle, comme une parfaite maîtresse de maison face à ses invitées.

Carrie et Sara éclatèrent de rire.

— Oh, je ne sais pas si je pourrai encore avaler quoi que ce soit ! s'exclama la juge. Après les haricots à la sauce tomate et les betteraves en conserve que nous avons dégustés, j'ai le ventre plein.

— N'oublions pas la purée de maïs, leur rappela Anne. Je me suis donné du mal pour y incorporer juste ce qu'il fallait de poivre.

— Elle était délicieuse, la complimenta Sara.

— J'ai fait l'inventaire du cellier et je vous propose des pêches au sirop en dessert. Que diriez-vous de finir de dîner aux chandelles dans la cuisine ? J'ai fermé les stores pour que personne ne puisse nous voir depuis l'allée.

Son entrain alarma Carrie. Elle avait ri pour masquer sa nervosité, mais Anne, elle, ne semblait guère affectée. Bien au contraire, elle se conduisait comme si elle passait un agréable moment avec de vieilles amies.

— J'aurai une surprise pour vous, après, les informa-t-elle avec un sourire en coin.

— Vous ne projetez pas de forcer la porte du garage, n'est-ce pas ? s'inquiéta Sara. Elle est piégée elle aussi. J'ai vérifié.

— En d'autres termes, vous avez lu l'écriteau qui y était fixé, fit Carrie.

— Euh… oui, reconnut piteusement la juge, qui se leva de son fauteuil avec son aide. Excusez-moi, je suis un peu rouillée.

Anne les avait déjà devancées dans la cuisine en chantonnant. Carrie s'attendit à la trouver juchée sur le plan de travail en granit, une main tendue vers la fenêtre au-dessus de l'évier. Elle se précipita. Heureusement, Anne s'employait à ouvrir une boîte de pêches au sirop. Mais Carrie redoutait toujours un acte irréfléchi de la part de cette femme, qui n'avait toujours pas saisi la gravité de leur situation.

— Vous n'allez pas nous rejouer le numéro de tout à l'heure, n'est-ce pas, Anne ?

Celle-ci éclata d'un rire aigu.

— Je ne pense pas. Asseyez-vous et détendez-vous.

À ce stade d'abattement, Carrie aurait obéi à n'importe quelle injonction de ses deux compagnes. Elle se rongeait les sangs au sujet d'Avery et, bien qu'elle répugnât à l'admettre, aurait souhaité avoir Tony à ses côtés.

— Mon mari me manque, articula-t-elle à voix haute, surprise par son propre aveu. Je dois l'aimer, finalement.

— Vous n'en êtes pas sûre ? l'interrogea Anne en leur servant les pêches.

— J'étais persuadée qu'il me trompait. Lui affirmait que non, mais je ne le croyais pas. Une femme n'arrêtait pas d'appeler la nuit. Comme le téléphone se trouve de mon côté du lit, c'est toujours moi qui répondais. Elle demandait à parler à Tony, et quand je lui donnais le combiné, il me disait qu'elle avait raccroché. Et si c'était Jilly ?

— Vous n'aviez pas confiance en votre mari.

— Non.

Les trois femmes achevèrent leur repas sans échanger un mot de plus.

— Vous savez ce que j'espère ? fit soudain Carrie, qui n'avait cessé de ruminer ses idées noires.

— Quoi ?

— Qu'on sera toutes si profondément endormies quand la maison sautera qu'on ne s'apercevra de rien.

— C'est gai ! ironisa Sara.

— Le bruit de l'explosion nous réveillera-t-il avant qu'on soit incinérées...

— Ça suffit, Carrie ! Ce n'est pas le moment !

— Écoutez, si j'ai envie...

— Mesdames, je vous en prie, les interrompit Anne. Êtes-vous prêtes pour ma surprise ?

— Vous êtes cinglée, marmonna Carrie. Vous avez déniché quoi ? Des céréales pour le petit déjeuner ?

Anne l'ignora.

— J'ai fait construire deux maisons au cours des dix dernières années. La seconde avait une superficie de près de trois cents mètres carrés. Elle était en cèdre, précisa-t-elle en riant nerveusement. J'ai engagé un entrepreneur, bien sûr, mais j'étais présente tous les jours pour m'assurer que tout était effectué comme je le voulais. Je l'ai rendu fou.

— Je n'en doute pas !

— Pourquoi nous racontez-vous ça ? la questionna Sara.

— Parce que cela nous amène à mon propos, répliqua Anne, qui prit une inspiration puis murmura : J'ai trouvé.

— Quoi ?

— Un moyen de nous échapper ! leur assena-t-elle, rayonnante de satisfaction.

17

— Vous serez en sécurité ici, lança John Paul à Avery.

— Comment ça, je serai en sécurité ? Vous comptez aller à Coward's Crossing là, maintenant ? Dans le noir… sous la pluie ? Vous avez perdu la tête ?

— Avery…

Elle le retint par le bras.

— Très bien, puisque vous êtes décidé, je vous suis.

Bien entendu, il ne voulut pas en entendre parler. Il lui expliqua d'un ton presque courtois qu'elle le ralentirait et qu'il préférait ne pas avoir à s'inquiéter pour elle. En vain. Il tenta alors l'intimidation, menaçant même de l'attacher au volant.

Pendant qu'il gaspillait sa salive, Avery se glissa sur le siège arrière, où elle attrapa sa veste de jogging. Elle l'enfila, fouilla ensuite son sac à la recherche de sa casquette de base-ball et, après avoir rassemblé ses cheveux dessous, se rassit pour ôter ses tennis, trop blanches quand on souhaitait comme elle se fondre au maximum dans la nuit.

Dieu merci, elle avait emporté ses chaussures de randonnée. Consciente du regard de John Paul sur elle, elle entreprit de refaire son sac.

— Il faut être cinglé pour marcher dans l'obscurité, déclara-t-elle. Seul un idiot s'y risquerait, mais puisque vous n'en démordez pas, je suis de la partie.

— Vous restez là, grinça-t-il.

Elle poursuivit sans lui prêter attention.

— Nous n'irons pas loin, l'un de nous trébuchera peut-être et se cassera la cheville parce qu'il n'aura pas vu un trou dans le chemin. Si j'avais mon mot à dire dans cette histoire, ajouta-t-elle en replaçant avec soin ses tennis dans son sac, je ne bougerais pas de la voiture avant l'aube. On repartirait à ce moment-là.

— Sauf que vous n'avez pas votre mot à dire, justement. C'est moi qui commande.

Elle repoussa son sac par terre, appuya ses mains sur le repose-tête et se pencha tout près de lui.

— Pourquoi ?

La colère et la mauvaise humeur de John Paul ne résistèrent pas à son sourire.

— Est-ce que toutes les employées du FBI font les malignes comme vous ?

Son reproche visait à la mettre sur la défensive afin qu'elle cesse de s'opposer à lui. Il aurait alors toute latitude pour œuvrer comme on le lui avait appris. Il estimait avoir bien calculé son coup, à ceci près qu'Avery ne céda pas.

— Est-ce que toutes les têtes brûlées sont aussi agaçantes et obstinées que vous ?

Il réprima un sourire.

— Probablement, répondit-il.

— On y va, oui ou non ? Le temps passe, John Paul.

— Attendons qu'il fasse jour, trancha-t-il. Et ne prenez pas cet air-là, mon chou. J'avais déjà changé d'avis.

— Oui, oui.

Il était assez intelligent pour savoir quand lâcher du lest, et force lui était de reconnaître qu'elle était encore plus têtue que lui. Mais peu importait ; il avait un autre plan. Il s'éclipserait sans bruit au petit matin. À son réveil, elle n'aurait pas d'autre choix que de patienter dans le 4 × 4 jusqu'à son retour.

Et s'il ne revenait pas...

— Je laisse les clés dans la voiture.

— D'accord.

— Remontez à l'avant pour que je puisse déplier nos sièges. J'ai un sac de couchage. Vous n'aurez qu'à dormir dedans.

— Nous l'utiliserons tous les deux.

— Ah oui ?

— Ne vous faites pas d'idées, Renard, l'avertit-elle en roulant de gros yeux.

— Quelles idées ? rit-il.

Déjà, elle avait mis les dossiers en position couchette et étendu le sac de couchage. Puis elle fourra ses chaussures de randonnée dans un coin. John Paul se coucha sur le dos, les pieds contre le tableau de bord. Les mains sur la poitrine, les yeux fermés, il semblait confortablement installé.

Avery l'enjamba en frissonnant. Elle claquait des dents lorsqu'elle s'allongea à son côté.

Elle avait toujours mis un point d'honneur à ne jamais se plaindre et supportait en général petits et grands maux en silence. Mais à cet instant précis elle n'aspirait qu'à se lamenter devant l'indifférence et l'attitude odieuse de cet homme.

— Merde, murmura-t-elle une minute plus tard, persuadée d'avoir les orteils gelés.

— Pardon ?

— J'ai dit que j'avais froid.

— Ah.

— Ah quoi ?

— J'aurais juré avoir entendu « merde ».

Et en plus, il prenait plaisir à être grossier. Pas étonnant, d'ailleurs. Il excellait dans ce domaine. Avery sourit malgré elle.

— Vous ne trouvez pas qu'il fait froid, vous ?

— Non.

Ignorant sa réponse, elle insista :

— Nous devrions nous rapprocher. (John Paul ne cilla pas.) Serrez-vous contre moi, nom d'un chien. Je suis frigorifiée. Vous pouvez bien agir en gentleman, pour une fois.

Comme il n'esquissait pas le moindre geste, elle vint se coller à lui pour profiter de la chaleur dégagée par son corps. Ce type était une vraie bouillotte.

John Paul luttait pour ne pas éclater de rire.

— Si je vous serre contre moi, mon chou, il y a des chances que je ne me conduise pas longtemps en gentleman.

— J'accepte de courir le risque, *mon chou*, riposta-t-elle.

Il roula sur le côté pour l'enlacer et il eut l'impression d'étreindre un glaçon. Dans le même temps, il effleura du menton le sommet de son crâne. Elle avait un parfum si agréable... un parfum de menthe, se dit-il en commençant à lui frotter le dos.

— Comment faites-vous pour avoir autant la chair de poule ? la taquina-t-il.

Avery n'avait plus assez d'énergie pour discuter. En proie à un incroyable bien-être, elle s'abandonnait à ses caresses. Bientôt, elle sentit les mains de John Paul se glisser sous son T-shirt.

Elle se redressa brusquement au moment où il atteignait sa cicatrice et se cogna contre sa tête.

— Hé ! protesta-t-il en se massant la mâchoire. Qu'est-ce qui vous prend ?

Avery rabaissa son T-shirt et s'écarta de lui.

— Dormez.

Elle s'était fermée comme une huître en l'espace d'une seconde. John Paul se rallongea. Ses doigts avaient reconnu du tissu cicatriciel, il en était certain. Qu'était-il arrivé à Avery ? Qui lui avait fait ça ?

— Fichez-moi la paix, gronda-t-elle.

Ramassée sur elle-même, elle attendit, puis souffla bruyamment. Pourquoi ne disait-il rien ? Pourquoi ne l'interrogeait-il pas ?

Elle se répéta qu'elle n'avait pas à avoir honte ni à être gênée, mais le peu d'hommes qui avaient vu ou touché son dos avaient eu des réactions similaires. L'un d'eux en particulier, qu'elle n'avait pourtant pas jugé superficiel, avait frémi. Ensuite, bien sûr, venaient la compassion et les questions…

John Paul, lui, ne pipait mot. Ce silence finit par lui peser. Elle se tourna vers lui et se hissa sur un coude en le fusillant du regard. Il avait peut-être l'air de dormir, mais elle n'était pas dupe.

— Ouvrez les yeux, bon sang.

— Je m'appelle John Paul, pas Bon Sang.

Pourquoi ce homme ne témoignait-il pas plus de curiosité… ou de dégoût ? Elle savait qu'il avait frôlé ses cicatrices.

— Alors ?

— Alors quoi ? soupira-t-il.

— À quoi pensez-vous ? s'énerva-t-elle.

— Croyez-moi, il vaut mieux que vous l'ignoriez.

— Oh, non ! Ça m'intéresse.

— Vous êtes sûre ?

— Répondez-moi.

— Très bien. Puisque vous y tenez, je pense que vous êtes une vraie plaie.

— Pardon ?

— Vous m'avez très bien entendu. J'ai dit que vous étiez une vraie plaie. Vous avez failli me briser la mâchoire quand vous avez sursauté. D'abord vous me demandez de vous réchauffer, et ensuite vous essayez de me tuer.

— Je n'ai pas essayé de vous tuer.

— Vous auriez pu me casser une dent, répliqua-t-il.

C'était la meilleure, celle-là !

— Écoutez, je suis désolée, d'accord ? J'ai été surprise et… Une minute. Pourquoi je m'excuse ?

Il lui décocha un sourire canaille qui lui fit battre le cœur.

— C'est la moindre des choses, lâcha-t-il de sa voix traînante à l'accent charmeur.

Cet homme affichait une telle impassibilité… C'en était d'autant plus rageant qu'elle-même se sentait troublée. La proximité de son visage, sa barbe naissante, son parfum aussi la rendaient folle. Et quand il l'avait serrée dans ses bras, son corps s'était révélé tellement protecteur. Il était si séduisant, si viril, si... Ressaisis-toi, se réprimanda-t-elle. Il faut que tu aies la situation en main.

Elle leva devant elle son pouce et son index en les écartant d'à peine un centimètre.

— Je suis à ça près de vous haïr.

Non contente d'avoir mis juste ce qu'il fallait de colère dans sa phrase, elle ponctua celle-ci d'un hochement de tête pour bien lui signifier qu'elle ne plaisantait pas.

John Paul n'en fut pas le moins du monde impressionné.

— Ça ne m'empêchera pas de dormir, répliqua-t-il avec nonchalance en fermant les yeux.

18

— On va traverser le mur, annonça Anne, avant d'attendre les commentaires de ses compagnes.

Sara la fixa, incrédule. Carrie s'irrita.

— Génial, rétorqua-t-elle. Je me servirai de mes super-pouvoirs de karatéka et de ma vision infrarouge...

— Écoutons plutôt ce qu'elle a à dire, la réprimanda Sara.

— Ça peut marcher, leur assura Anne. En sortant de la voiture, je me suis approchée du parapet pour jeter un œil en contrebas. Le versant de la montagne n'est pas aussi pentu à cet endroit que derrière les fenêtres du salon.

— Continuez.

— J'ai également remarqué que les flancs de la maison sont en cèdre et non en pierre, contrairement à la façade. Comme l'un des murs du cellier donne sur l'extérieur, de l'autre côté du parapet, je suggère de percer un gros trou dans le plâtre, près du sol, de façon qu'on ne nous voie pas depuis l'avant de la propriété quand nous arracherons les planches.

— Mais, Anne, ce mur n'est sûrement pas fait que de plâtre et de bois, objecta Sara.

— Je sais très bien ce qu'il y a derrière, se vanta-t-elle. De la laine de verre, qui se déchirera aisément. Quelques fils électriques, peut-être, que nous contournerons sans mal, un revêtement protecteur...

— Et quoi d'autre ? s'enquit la juge, qui se pencha tout en réfléchissant à cette option.

— Du bois d'œuvre de deux pouces sur quatre, dont les plaques sont espacées d'environ quarante centimètres. Nous devrions réussir à nous faufiler entre.

— Et comment percera-t-on le plâtre ? À coups de poing ?

— Avec le tisonnier de la cheminée. On utilisera ensuite des couteaux pour élargir le passage. J'ai inspecté la cuisine : les tiroirs n'ont pas été vidés. En commençant dès maintenant, nous pourrions bien être libres demain matin.

— Le temps nous manque, intervint Carrie. Je propose de briser une fenêtre en espérant que nous ne...

Elle se tut devant la mine désapprobatrice de Sara.

— Trop risqué, fit cette dernière. Moi je vote pour le plan d'Anne.

— Que faites-vous des planches en cèdre ?

— Ce ne sera pas aussi difficile que vous le pensez. Elles sont clouées, mais en les frappant assez fort elles finiront par sauter.

— Seigneur ! Nous tenons enfin une solution ! s'écria Sara, tout sourires. Nous n'aurons certainement pas la moindre corde pour nous enfuir, mais des draps devraient faire l'affaire.

— Je m'en occupe, décida Anne. Et peut-être que je les tresserai au lieu de les nouer.

— Parfait, déclara Sara. Pendant ce temps, Carrie et moi nous attaquerons au mur. Anne, vous êtes formidable. Cette idée ne me serait jamais venue à l'esprit, mais elle m'a l'air réalisable.

— Il faudra partir de nuit, leur rappela Carrie. Arpenter la forêt dans le noir ne me réjouit guère, mais si on parvient à descendre la montagne jusqu'aux limites de la propriété, alors nous n'aurons plus qu'à rejoindre la route et à la suivre jusqu'à la prochaine ville.

Tout semblait si facile. Était-elle naïve ou ce plan avait-il des chances d'aboutir ?

— Nous aurons intérêt à emporter quelques couteaux bien aiguisés, avança Sara. Au cas où on tomberait sur des animaux sauvages.

— Ou sur Monk, frissonna Carrie. Je crois que je préférerais encore affronter une bête féroce plutôt que de croiser son chemin. Savez-vous…

Elle s'interrompit, soudain embarrassée par ce qu'elle avait failli avouer.

— Quoi ? demanda Sara.

— Je vais vous choquer, mais je l'ai trouvé très mignon.

— Moi aussi ! s'amusa la juge. J'adorais son accent. Pensez-vous qu'il était authentique ?

— À mon avis, oui. Et il m'a paru séduisant aussi.

Anne, jusque-là restée en dehors de leur conversation, ne put se contenir plus longtemps.

— Honte à vous, Carrie ! la sermonna-t-elle. Vous êtes mariée.

— Peut-être, mais je ne suis pas aveugle, et il n'y a aucun mal à apprécier la vue d'un bel inconnu. Vous aussi, vous avez bien dû…

— Pas du tout. Moi, désirer un autre homme ? Je n'insulterais jamais mon Éric de la sorte.

— Je n'ai pas dit que j'avais désiré Monk.

— Cessez de vous chamailler, les supplia Sara. Vous me donnez envie d'ouvrir une porte !

19

John Paul récupéra la montre et effectua une large boucle de plus de vingt kilomètres autour du point indiqué sur la carte, en quête du moindre élément insolite dans le paysage – comme un sniper tapi dans les broussailles par exemple. Une fois assuré d'être seul, il enfouit la montre dans le sol et revint sur ses pas six kilomètres durant en direction de Coward's Crossing.

Il ne faisait aucun doute qu'il était au bon endroit : un panneau de fortune récemment planté annonçait le lieu-dit en lettres blanches peintes à la main. La peinture avait l'air fraîche. La flèche au sommet pointait vers un puits de mine abandonné et obturé, à l'entrée duquel pendait un foulard de soie rouge.

L'aube se profilait, et le soleil dissipait peu à peu le brouillard. Masqué par des arbres et des buissons, John Paul surveillait les alentours. Ce puits ne lui inspirait pas confiance. Les trois femmes étaient-elles retenues là ? Pas sûr, estima-t-il. Monk ne se serait pas amusé à guider Avery jusqu'à elles après les avoir kidnappées. Non, il cherchait à isoler sa proie, John Paul en était certain.

Quand ferait-il feu ? Peut-être espérait-il qu'Avery et lui s'engageraient dans le puits. Comment prévoyait-il de les tuer dans ce cas ? Avec des explosifs ? Oui, probablement. Ce serait du travail net et sans bavure. Personne ne risquait d'entendre une explosion souterraine, et il n'aurait même pas à se soucier d'enterrer leurs cadavres.

Un peu de cran, l'exhorta John Paul. Montre-toi. Une bonne trentaine de mètres séparait le couvert des arbres et la mine. Allez, Monk. Laisse-moi te tirer dessus juste une fois. Je n'aurais plus ensuite qu'à t'immobiliser pour pouvoir t'interroger et, avec un peu de chance, te faire avouer où se trouvent tes trois victimes.

Quelqu'un rôdait à proximité. Le silence qui régnait dans le bois le lui confirma. Les oiseaux ne chantaient plus et les écureuils s'étaient terrés. Seul le vent sifflait à travers les branches, et le roulement occasionnel du tonnerre grondait au loin.

John Paul était patient, et il se savait capable de le demeurer très longtemps. Mais Avery ? Quand se réveillerait-elle ? Et lorsqu'elle découvrirait son départ, essaierait-elle de le rattraper ? Cette hypothèse lui fit froid dans le dos. Il l'imagina tombant dans un piège et dut se forcer à chasser de son esprit l'idée qu'elle puisse être abattue.

Il crut percevoir un bruit et tendit l'oreille. Toujours rien.

Que faisait Avery à cet instant ? Dormait-elle encore, douillettement roulée dans son sac de couchage, avec le revolver à son côté ?

Il lui en avait coûté de l'abandonner. Malgré sa certitude qu'elle ne craignait rien, bien à l'abri dans sa voiture cachée à plus de quinze kilomètres d'ici, l'incertitude le tenaillait toujours.

Comment diable en était-il arrivé à l'avoir si vite dans la peau ? D'où venait cette soudaine attirance qu'il éprouvait pour elle ? C'était une gauchiste, une de ces filles désireuses de sauver le monde. Pis, elle aimait jouer collectif, et l'équipe dont elle défendait les couleurs n'était autre que le FBI.

Ils étaient totalement, absolument et irrémédiablement incompatibles. Et pourtant, elle le rendait malade d'inquiétude.

Monk pouvait très bien les avoir pistés… Un craquement retentit derrière lui. Il le situa à neuf ou douze mètres de distance, mais le vent ne lui permettait pas d'être plus précis.

Il se retourna et se figea jusqu'à ce que, cinq minutes plus tard, des feuilles se mettent à bruire. Il s'accroupit lentement, se concentra et visa.

C'est alors qu'il distingua de grands yeux bleus rivés sur lui entre deux brindilles écartées.

John Paul devint livide. Il s'en était fallu de peu qu'il ne la tue. Où avait-elle la tête pour s'approcher de lui comme ça, à pas feutrés ? Si elle était restée parfaitement immobile sans faire le moindre bruit et sans lui dévoiler son visage, il l'aurait dégommée. Putain ! jura-t-il *in petto* en relâchant la détente. Putain de merde !

Heureusement, il ne l'avait pas blessée – pensée curieuse, maintenant qu'il envisageait de lui tordre le cou.

En se retenant à grand-peine pour ne pas l'insulter, il lui fit signe de ne pas bouger. Elle refusa et lui désigna du doigt un point derrière elle.

John Paul la rejoignit.

À voir ses mâchoires crispées, Avery comprit tout de suite qu'il était fou de rage. Elle s'agenouilla et se pencha vers lui.

— Il a repéré la voiture, chuchota-t-elle à son oreille.

John Paul perçut alors un mouvement, ainsi que le reflet du soleil sur un canon d'acier à quinze mètres de là. Il bondit.

Avery n'eut pas le temps de réagir. Elle atterrit à plat ventre, la tête dans les feuilles mortes, pendant que John Paul tirait, couché sur elle pour la protéger. De la terre vola autour d'eux.

Puis il roula sur le côté et tira encore tout en l'aidant à se redresser.

— Foncez, lui ordonna-t-il.

Dès le premier coup de feu, il avait compris que Monk était armé d'un fusil de forte puissance, vraisemblablement équipé d'un viseur à infrarouge. Ce salaud n'avait besoin que d'une occasion d'ajuster son tir. Ou plutôt de deux.

Et il leur bloquait le passage pour les obliger à courir à découvert...

Avery coopéra par inadvertance en bifurquant à droite, loin des balles qui pleuvaient. John Paul la souleva aussitôt afin de la pousser devant lui et de lui servir ainsi de bouclier.

— Plus vite, la pressa-t-il à voix basse.

Avery trébucha, retrouva son équilibre avant qu'il eût pu lui déboîter l'épaule une nouvelle fois, et continua à gravir le terrain en pente en se faufilant entre les arbres. Un grondement enflait autour d'eux, qu'elle attribua aux battements de son cœur.

Elle se trompait. Parvenue au pied d'un boulder, elle entreprit d'escalader tant bien que mal la roche humide, avant de s'arrêter net. John Paul et elle surplombaient un à-pic d'au moins quinze mètres, au bas duquel bouillonnait un torrent.

Pas question d'aller plus loin. Elle ne voyait aucun moyen d'en réchapper, avec d'un côté les rapides, de l'autre un tueur lancé à leurs trousses. Pour autant, le spectacle des eaux tumultueuses l'incita à juger leurs chances de survie supérieures s'ils se mesuraient à Monk.

Elle ouvrit la poche de son coupe-vent et sortit son revolver. John Paul, lui, remit un chargeur dans le sien, engagea le cran de sécurité et, après s'être penché pardessus le boulder, fourra son arme dans la poche d'Avery, dont il remonta la fermeture Éclair. Il lui prit ensuite son revolver pour le glisser dans la poche opposée.

Tout cela ne disait rien qui vaille à la jeune femme.

— On reste ici et on l'affronte, déclara-t-elle.

Devant le refus de John Paul, elle appuya sa décision d'un vigoureux hochement de tête. Tous deux entendaient Monk avancer à travers les broussailles et mitrailler les alentours au hasard. John Paul serra Avery contre lui.

— Vous savez nager ? s'enquit-il en plongeant dans le vide.

20

Si elle savait nager ? Il avait le culot de lui poser cette question *après* l'avoir emprisonnée dans ses bras et précipitée du haut du promontoire ? Avery ne hurla pas. Sa vie ne défila pas devant ses yeux durant leur chute interminable. Elle était trop occupée à le bourrer de coups de poing pour se libérer. Et trop terrifiée pour proférer le moindre son. Seigneur, faites qu'on ne se noie pas, pria-t-elle.

Ils s'enfoncèrent brutalement dans une eau si glacée qu'elle eut le sentiment d'avoir les pieds transpercés par des milliers d'aiguilles, qui se propulsèrent à la vitesse de la lumière jusqu'à son cerveau. Le choc la paralysa.

John Paul ne la lâcha pas. Ni lorsqu'ils furent aspirés vers le fond, ni lorsqu'ils luttèrent pour émerger à la surface. Ils y parvinrent au moment où elle croyait ses poumons sur le point d'éclater. Ils eurent à peine le temps de reprendre leur souffle que, déjà, ils étaient entraînés sous l'eau.

Avery luttait pour vivre, et surtout pour dire ses quatre vérités à John Paul. Mais, comme si quelque chose l'avait agrippée par les chevilles, elle coula de nouveau. Il lui faudrait dépenser plus d'énergie pour s'en tirer. Au cours de son enfance, alors qu'elle habitait à proximité de l'océan, elle avait eu l'habitude de pratiquer la natation. Sauf que ce qu'elle vivait là ne s'y apparentait en rien. John Paul et elle étaient emportés par le courant tels des bouchons.

Ils réussirent à ressortir la tête hors de l'eau. Tout en inspirant une grande gorgée d'air, Avery avisa non loin d'elle une grosse branche noueuse ballottée d'une crête d'eau à une autre. Elle s'y accrocha et battit des jambes avec vigueur pour se rapprocher de la rive, aidée par John Paul, qui orienta leur planche de salut dans cette direction. Quand enfin ils eurent pied, il hissa Avery sur la terre ferme.

Tous deux demeurèrent étendus côte à côte sur l'herbe, trop épuisés pour bouger. Avery s'efforçait de reprendre son souffle en tremblant.

— Ça va, mon chou ? haleta John Paul.

Elle se redressa brusquement, victime d'un haut-le-cœur. Il lui semblait avoir avalé la moitié de la rivière.

— « Savez-vous nager ? » suffoqua-t-elle. C'est bien ce que vous m'avez demandé après m'avoir poussée de ce promontoire ?

— Vous m'avez entendu, alors ? fit-il en tendant la main vers elle pour écarter les cheveux qui lui tombaient devant les yeux.

Elle contempla les rapides. Dieu était venu à leur rescousse, songea-t-elle. Il n'y avait pas d'autre explication.

— Maintenant, au moins, on saura ce qu'est un niveau cinq, fit-elle remarquer.

— Ah oui ?

— Il existe apparemment un classement des rapides. De un à cinq. Celui-là était de niveau cinq sur l'échelle de la dangerosité.

John Paul n'en croyait pas ses oreilles. Ils venaient d'échapper à une mort certaine, et elle ne trouvait rien de mieux à faire que de lui expliquer le sens d'une expression.

— Vous avez reçu un coup sur la tête ?

— Non, j'ai juste compris la logique du système.

— Vous avez envie de remettre ça ?

— J'ai déjà donné, rétorqua-t-elle, avant d'examiner le sommet des falaises alentour. On l'a semé, non ?

— Pas sûr.

Au prix d'un gros effort, John Paul se leva et s'ébroua comme un chien après un bain. Puis il lui tendit la main.

Avery commit l'erreur de l'accepter. Il la remit debout sans ménagement, manquant lui arracher le bras pour la énième fois. Ce type ne mesurait pas sa force. Et maintenant, qu'allait-il inventer ? se demanda-t-elle en le voyant examiner le lieu où ils avaient échoué.

— Qu'y a-t-il ?

— Ramassez des branchages et couvrez-en nos traces de pas, lui intima-t-il. Et puis non, inutile. Vous ne feriez qu'en ajouter d'autres. Je m'en occupe.

Elle s'avança sous les arbres et l'observa disséminer des brindilles par terre.

— Pourquoi présumez-vous d'emblée que je suis incompétente ? C'est avec moi que vous avez un problème ou avec toutes les femmes ?

— Seulement avec vous, sourit-il avant de lui tourner le dos.

Il adorait l'agacer, mais elle était trop fatiguée pour riposter.

— Vous avez une idée de l'endroit où nous sommes ? articula-t-elle avec peine, prise de violents frissons.

— Non.

Ce n'était pas la réponse qu'elle attendait.

— J'en déduis que vous n'avez jamais été boy-scout ?

— Je suis capable de nous conduire à bon port.

— C'est-à-dire ? À la voiture ?

— Non. On perdrait trop de temps à retraverser le torrent.

— Il nous faut un téléphone.

Ainsi qu'une douche chaude et des habits secs, compléta-t-elle en son for intérieur.

John Paul finit de masquer leurs empreintes et recula pour jauger le résultat.

— Bien sûr qu'il nous faut un téléphone, acquiesça-t-il une fois satisfait en revenant vers elle. Ma parole, vous êtes gelée ?

— Pas vous ? fit-elle tandis qu'il l'enlaçait et lui frottait vigoureusement les bras.

— J'ai de l'eau glacée dans les veines, à ce qu'il paraît.

— Qui prétend ça ?

— Ma sœur.

— Oh. (Silence.) Elle doit être bien placée pour le savoir.

— Il vous reste encore un peu d'énergie ? s'enquit-il en récupérant son revolver, à peine mouillé, dans la poche de son coupe-vent et en le coinçant à l'arrière de son jean.

— Autant qu'à vous.

— Alors courez. Vous vous réchaufferez vite.

— Dans quelle direction ?

— D'abord on monte, ensuite on redescendra.

Avery étudia le paysage montagneux autour d'eux.

— Il serait plus facile de longer la rivière, mais Monk doit s'y attendre.

Elle s'élança donc dans les bois. L'eau clapota entre ses orteils, lui procurant la sensation désagréable d'avoir des glaçons fondus sous les pieds.

John Paul la suivit à la même allure. Durant plus d'une heure, ils ne s'arrêtèrent ni n'échangèrent un seul mot.

L'endurance de la jeune femme l'impressionna. Sitôt son rythme trouvé, elle avança sans ralentir, sans geindre, sans porter la main à son ventre. À son physique il l'avait déjà supposée en bonne forme, mais son train régulier lui prouva qu'elle ne se contentait pas d'une heure de sport une fois par semaine dans un petit club.

Il aperçut une crique devant eux et jugea préférable de marquer une pause.

— Stop ! lui lança-t-il.

Merci mon Dieu ! Merci mon Dieu !

— Vous êtes sûr de ne pas vouloir continuer ? lui demanda-t-elle, tout en songeant qu'elle éclaterait en sanglots ou s'écroulerait de fatigue s'il répondait oui.

Un point de côté lui cisaillait le flanc, et elle avait dû

faire appel à toute sa volonté pour ne pas se plier en deux. Lui, en revanche, ne semblait même pas essoufflé.

Elle s'étira afin de prévenir les crampes dans ses jambes, puis s'effondra.

— Vous croyez qu'il a abandonné ?

— J'en doute. Mais il sera obligé de traverser les rapides lui aussi, ce qui nous laisse un peu de temps. Racontez-moi ce qui s'est passé près de la voiture.

Avery s'assit dans l'herbe et s'adossa à un arbre. John Paul ne tarda pas à l'imiter.

— Vous étiez parti quand je me suis réveillée, alors j'ai décidé de vous rejoindre. Au bout de quelques pas, j'ai vu des phares dans le brouillard. Mon premier réflexe a été de me précipiter vers eux, mais je me suis ravisée et j'ai attendu que la voiture se rapproche.

— Bon Dieu, murmura-t-il. Vous avez failli vous jeter droit dans la gueule du loup, et là...

Il ne put achever sa phrase. Lui qui se maudissait déjà de l'avoir laissée seule n'osait imaginer le sort auquel elle avait échappé.

— Le conducteur s'est arrêté plus bas et est descendu avec une lampe torche et un fusil sous le bras, enchaîna Avery. Il s'est ensuite dirigé vers le 4 × 4 – il avait dû le localiser avant que vous déplaciez la montre. J'ai soupçonné qu'il s'agissait de Monk, évidemment, et je suis restée cachée.

— Et après ?

— Il a inspecté la voiture.

— Vous avez aperçu son visage ?

— Non. J'aurais pu, en me décalant un peu, mais j'ai craint de faire du bruit et d'attirer son attention. Il a ensuite ouvert le capot et arraché une pièce qu'il a balancée dans un fossé. Je serai capable de la retrouver si on fait demi-tour. La capuche de son K-way dissimulait ses traits et ses cheveux, mais je peux dire qu'il mesurait au moins un mètre quatre-vingts. Pas très élancé. Costaud, sans être corpulent. Il m'a fait pensé à un culturiste.

— Cet homme maîtrise parfaitement l'art du déguisement. Le FBI s'appuie sur une description de Noah, mais lui non plus ne l'a pas bien vu. Monk pourrait lui passer sous le nez sans qu'il le reconnaisse.

— Je ne sais pas s'il était seul ou non, ajouta Avery. Il conduisait un Land Rover, mais quand il en est descendu, la lumière à l'intérieur s'est éteinte. Et puis il s'était garé à une bonne distance, si bien que je ne distinguais rien. La femme était avec lui, à votre avis ?

— Je l'ignore.

— Il est doué, n'est-ce pas ? s'enquit Avery avec découragement.

— Oh oui !

— Il n'a pas bougé pendant un long moment. Rien, pas le moindre muscle. C'en était effrayant.

— Il devait tendre l'oreille en espérant capter un bruit quelconque.

— Moi, par exemple.

— Oui. (Il l'entoura de son bras et la serra contre lui.) Heureusement que vous n'avez pas essayé de fuir en courant.

— J'ai envisagé de sortir mon revolver de ma poche, mais j'étais si près de lui que j'ai eu peur qu'il m'entende.

— Si vous ne vous étiez pas réveillée plus tôt…

Elle l'interrompit avant qu'il ait pu finir.

— Il m'aurait tuée, c'est ça ? Je vais vous dire une chose, John Paul : filez encore une fois comme vous l'avez fait et c'est exactement le sort que je vous réserve.

Sa menace n'eut toutefois que peu d'effet, Avery s'étant dans le même temps collée contre lui pour mieux se réchauffer.

— Je ne vous lâcherai plus, lui promit-il d'une voix rauque. Je n'aurais jamais dû. Bon sang, c'est à croire que je me suis absenté trop longtemps. Mon instinct n'est plus ce qu'il était.

Elle médita cette réflexion.

— Vous vous êtes absenté trop longtemps ? Mais de quoi, John Paul ?

— Assez traîné, mon chou, répliqua-t-il. Il est temps de repartir.

En clair, n'insistez pas. Avery décida d'obtempérer pour l'instant et de retenter sa chance plus tard. Les membres raides et douloureux, elle se leva en grognant et se massa le bas du dos, sans se soucier d'apparaître peu féminine.

— Vous savez ce qu'il me faudrait ? lâcha-t-elle.

— De la nourriture, des habits secs...

— Oui, ça aussi. Mais j'apprécierais avant tout de pouvoir faire mon yoga et de pratiquer mes exercices de libre association.

— Vos quoi ?

— Mes exercices de libre association. Vous laissez des fragments d'idées flotter dans votre esprit et, une fois que vous êtes complètement détendu, vous les analysez un par un. Mais ce n'est possible que lorsqu'on a atteint un état de relaxation total.

John Paul la regarda étirer ses longues jambes.

— Et comment y parvenez-vous ?

— Par la visualisation. Je me réfugie mentalement dans un endroit où je me sens en sécurité, un peu comme dans une maison... Une sorte de paradis terrestre.

— Vous vous moquez de moi.

— Pas du tout.

Il éclata de rire.

— Vous vous rendez compte qu'on pourrait vous croire folle ?

— C'est de famille, répondit-elle gravement.

Elle fit quelques mouvements de bras et de jambes pour décrisper ses muscles, puis reprit sa course, moins vite cette fois, mais avec autant de détermination. John Paul régla son pas sur le sien jusqu'à ce qu'elle soit à bout de souffle. Ils n'avaient cessé de monter depuis qu'ils avaient quitté la rivière, et toujours pas le moindre signe de civilisation à l'horizon. Où se trouvaient-ils ? Avaient-ils franchi la frontière du Colorado ?

Avery s'arrêta tout à coup et se courba en deux, hors d'haleine. Les mains sur les hanches, elle se redressa lentement.

— Ça va ? s'inquiéta-t-il.

Pourquoi n'était-il même pas fatigué ? C'était un être humain, non ? Elle se jura que, quoi qu'il advienne, elle ne s'abaisserait pas à se plaindre.

— À force, je ne sais même plus ! fit-elle avec désinvolture, faute de réussir à paraître joyeuse.

— Vous voulez vous reposer ?

Quelle question ! Évidemment qu'elle voulait se reposer !

— Non, répondit-elle faiblement, avant de poursuivre d'un ton plus ferme : Je peux continuer… à moins que vous ne préfériez…

— Non. Allons-y.

— On se dirige toujours vers le nord ? l'interrogea-t-elle, histoire de gagner quelques instants. (L'air lui semblait si raréfié que la tête lui tournait.) Je ne me repère plus. Si encore le soleil était visible…

— On va vers le nord-est.

Un pied devant l'autre, se répéta-t-elle. Et sois régulière. Du nerf, Delaney. Le temps nous est compté, alors, serre les dents.

Et tandis qu'ils progressaient à travers bois, elle se soumit sans répit à ce tir de barrage psychologique, s'efforçant d'oublier ses sous-vêtements trempés qui lui collaient à la peau et le demi-kilo de boue que soulevaient ses chaussures de randonnée à chaque pas.

Elle trébucha sur une branche morte et se serait aplatie contre un arbre si John Paul ne l'avait rattrapée. Le terrain devenait plus pentu, plus traître. Les muscles de ses mollets la brûlaient, et elle dut ralentir au moment où ils émergèrent de la forêt.

Elle s'immobilisa soudain. Ils étaient parvenus à une

saillie rocheuse qui s'avançait dans le vide. Devant eux s'étalait un paysage de montagnes moins élevées, où de vertes prairies nichées entre des falaises alternaient avec des centaines d'arbres aux branches dressées vers le ciel. Tout était si verdoyant, si plein de vie. Et pourtant, ils n'avaient encore croisé personne. Pareil éden devait bien drainer les foules tout de même. Où se cachaient-elles ?

— N'est-ce pas pittoresque ?

— Ouais, tout à fait, marmonna-t-il.

— Les verres sont toujours à moitié vides avec vous ? Vous n'êtes pas capable d'apprécier…

— Vous avez remarqué où nous sommes ? Il va nous falloir deux ou trois jours avant d'arriver à la ville la plus proche.

Il examina le pied de la montagne en quête d'une route, sans résultat. Mais, au moins, il parvenait à situer où ils étaient, à présent.

— C'est plus de temps que nous n'en avons, soupira-t-elle.

Découragée, elle contempla le panorama à la beauté désormais menaçante et prit pleinement conscience du caractère dramatique de leur situation. À ce stade, celle-ci ne pouvait guère empirer… Avery réprima une forte envie de pleurer. Du nerf, se morigéna-t-elle de nouveau.

— Je tiendrai le coup, déclara-t-elle.

— Ah oui ? Pourquoi êtes-vous si sûre de vous ?

Elle dut réfléchir une minute avant de répondre.

— Parce qu'il est l'heure de faire une pause.

Ce fut alors que la pluie recommença de tomber.

21

Anne était l'une des personnes les plus collet monté et les plus rigides que Carrie eût jamais rencontrées. Pour autant, elle dut réviser son jugement quant à l'efficacité de la femme d'affaires. Anne abattit en effet plus que sa part de besogne : après avoir noué les draps, elle les aida à percer le mur sans ménager sa peine, déployant même une énergie étonnante. Certes, elle n'avait aucun sens de l'humour, mais il fallait avouer que les circonstances ne prêtaient pas à rire et, dès lors que la conversation ne portait pas sur son couple, elle offrait presque une compagnie agréable.

Elle s'imposa également comme une meneuse en dirigeant le trio. Pratiquer un large passage dans le plâtre fut un jeu d'enfant grâce au tisonnier. L'isolation, bien que plus touffue, ne constitua pas non plus un gros problème et elles en remplirent un sac entier. Par chance, il n'y avait ni fils électriques ni tuyaux à cet endroit. Elles découpèrent ensuite le fin revêtement en bois avec des couteaux de cuisine.

Vint le moment d'attaquer les planches en cèdre. Là, ce fut une autre histoire. Carrie se blessa au pouce et Sara s'enfonça une écharde.

À trois heures du matin, toutes trois accusaient la fatigue, mais alors que Sara et Carrie arboraient des pansements à chaque doigt, Anne ressemblait toujours à une gravure de mode. Elle ne s'était même pas cassé un ongle.

— Où en sont les draps ? s'enquit la juge en roulant les manches de son chemisier à rayures jusqu'aux coudes et en s'affaissant dans un fauteuil.

— Ils sont prêts, l'informa Anne en déposant un bol de soupe à la tomate devant elle.

Elle alla ensuite chercher celui de Carrie.

— Je suis trop éreintée pour avaler quoi que ce soit, geignit celle-ci.

— Vous avez besoin de reprendre des forces, lui rappela Anne, avant de sortir deux comprimés de sa poche et de leur tourner le dos pour les avaler.

Son geste n'échappa cependant pas à Sara.

— Qu'est-ce que c'est ?

— Oh, rien.

— De l'aspirine ? présuma Carrie.

— Exactement.

Mais Sara secoua la tête.

— Non. Il s'agissait de capsules roses.

— Vous avez le sens de l'observation ! On m'a prescrit ces médicaments contre la nausée. Je me remets tout juste d'une petite maladie.

Carrie l'écoutait distraitement. Accoudée à la table, le menton sur une main, elle était trop lasse pour se soucier de bien se tenir.

— Quel genre de maladie ? insista Sara en remuant sa soupe.

— Pas grand-chose. Je me suis trouvé une minuscule grosseur il y a dix-huit mois. J'en ai parlé à Éric et il m'a accompagnée chez le médecin. Ce n'était quasiment rien en fait.

Sara ne quittait pas Anne des yeux.

— Où était située cette grosseur ?

— Dans mon sein droit. J'ai passé une biopsie et la vie a repris son cours. Comme je vous l'ai dit, ce n'était pas grand-chose.

— La tumeur n'était pas maligne, donc ?

Carrie se demanda pourquoi Sara ne laissait pas tomber

le sujet. Anne ne leur avait-elle pas affirmé à l'instant qu'elle allait bien ? La juge lui parut pour le moins indiscrète et elle ne le lui cacha pas :

— Elle vient de vous…

— La tumeur n'était pas maligne ? répéta Sara en lui donnant un coup de pied sous la table.

— Si, reconnut Anne, les yeux baissés sur son assiette.

Carrie se redressa.

— C'est ce que les médecins vous ont annoncé ?

— Oh, vous savez comment ils sont. Tous des alarmistes. Éric m'a expliqué qu'ils ne gagnaient de l'argent qu'en effectuant un maximum d'examens… et d'actes chirurgicaux… quand bien même ça ne s'impose pas.

— Ils vous ont recommandé une opération ? la questionna Carrie après avoir consulté Sara du regard.

— Bien sûr, mais Éric m'avait prévenue et il ne s'est pas trompé. Ces gens-là pensaient pouvoir me faire accepter une mammectomie. Vous imaginez les conséquences sur notre prime d'assurance ?

— Non, pas du tout, rétorqua Sara.

— Son tarif aurait grimpé en flèche. Et puis, de toute façon, notre compagnie aurait refusé de payer cette intervention, si mineure fût-elle.

Parce qu'une mammectomie s'apparentait pour elle à une intervention mineure ? Abasourdie, Carrie souleva sa cuillère et fit mine de manger.

— Éric a réalisé des investissements fabuleux avec l'argent ainsi économisé, poursuivit Anne. Il est si intelligent. Il s'agissait de bons placements et je les ai bien sûr approuvés quand il m'en a informée.

— Il ne l'a fait qu'après coup ? s'étonna Sara.

— Eh bien, oui. C'est mon associé et il a carte blanche.

Sara et Carrie notèrent qu'elle s'était raidie.

— Vous avez été bien inspirée pour le dîner, en tout cas, se hâta de la féliciter la juge. Je raffole de la soupe à la tomate.

— Moi aussi, sourit Anne.

— Pourquoi votre assurance ne vous aurait-elle rien remboursé ?

— Parce qu'elle ne couvre pas les maladies préexistantes. Notre ancien contrat était parvenu à terme, et le nouveau trouvé par Éric pour une somme plus raisonnable ne prenait effet que trente jours plus tard. J'ai subi ma biopsie durant cette période et l'assurance aurait pu arguer que j'étais déjà malade. Éric m'a conseillé d'attendre, mais je me suis affolée comme une idiote. Nous aurions eu les moyens de payer nous-mêmes la mammectomie si nous l'avions estimée nécessaire, précisa-t-elle. Seulement, mon mari s'est abondamment renseigné sur Internet et nous avons décidé de tenter des traitements alternatifs. Votre soupe refroidit, Carrie.

— Au sujet de..., commença celle-ci, avant que Sara lui décoche un deuxième coup de pied.

— Oui ? fit Anne, de nouveau sur ses gardes.

— Euh... il y a des crackers ?

— J'ai bien peur que non.

— Vous avez de la chance d'avoir quelqu'un comme Éric à vos côtés, la félicita Sara.

— Oui, en effet, renchérit Carrie. Dommage qu'il n'ait pas pu vous accompagner à Utopia.

— J'ai essayé de le persuader, répondit Anne. Éric m'a offert cette semaine pour mon anniversaire parce qu'il tenait à ce que je reprenne des forces avant de retourner consulter un médecin. Il n'a rien voulu entendre quand je me suis inquiétée du prix de ce séjour et il m'a juré que, s'il le fallait, on dépenserait jusqu'à notre dernier sou pour me guérir.

Quel salaud, songea Carrie. Il s'employait à se débarrasser d'elle mais Anne, peut-être encore sous le choc, niait la réalité au point de leur brosser le portrait flatteur d'un mari aimant. Lui avait-il adressé une lettre ou avait-il préféré qu'elle meure sans le savoir responsable ?

— Nous devrions être sorties d'ici avant l'aube, déclara Sara.

— J'ai la paume des mains à vif, et vous aussi. Descendre à la corde…

— C'est faisable.

— Anne, avez-vous une tenue de sport ? s'enquit Carrie. Vous ne pouvez pas arpenter la montagne en talons aiguilles ni en chaussons.

— Non, je n'en ai pas.

— À nous deux, nous arriverons bien à vous équiper, la rassura-t-elle.

Son attitude envers cette femme avait changé du tout au tout. Elle éprouvait désormais le besoin de la protéger et espérait qu'Anne continuerait à se voiler la face jusqu'à ce qu'elles aient rejoint la civilisation.

— Et si vous nous prépariez un en-cas à emporter ? lui suggéra-t-elle. Ainsi qu'une trousse de secours.

Anne s'exécuta aussitôt et se précipita vers la cuisine.

— Le fumier, murmura la juge sitôt Anne sortie.

— Maintenant, j'ai une autre raison de vouloir m'en tirer vivante, gronda Carrie. Je tuerai ce salopard.

— Vous tiendrez le revolver, et je presserai la détente, approuva Sara.

22

Un grognement s'éleva, qui n'avait rien d'humain. Avery se blottit plus étroitement contre John Paul. Après lui avoir promis vingt minutes de pause, il avait déniché cet abri sous une avancée rocheuse. Le sol y était sec, et l'endroit assez large et profond pour lui permettre d'allonger ses jambes.

Elle avait insisté pour qu'ils se réfugient plutôt dans une grotte, mais il s'y était opposé – il ne tenait pas à côtoyer des compagnons sauvages inattendus. Il avait également exclu d'allumer le moindre feu. La fumée aurait été visible à des kilomètres à la ronde.

Le feulement retentit encore, plus proche cette fois.

— Vous avez entendu ?

— Mmmm.

Il l'entoura de son bras et lui conseilla de se détendre.

Un bruit de feuilles froissées leur parvint de plus bas. Avery se figea. Puis il lui sembla distinguer un autre grondement. Qu'est-ce que c'était ? Un ours ? Un puma ? Quoi ?

John Paul avait une main sur la crosse de son revolver, qu'il gardait par terre à côté de lui.

Elle inspira et s'efforça de ne pas penser à l'inconfort de sa position. Vois les choses sous un bon angle, se dit-elle. Sois optimiste.

Seigneur, ils allaient mourir ici. Elle soupira. Pour l'optimisme, il faudrait repasser. John Paul dut la sentir frissonner parce qu'il lui frotta le bras. Elle apprécia l'attention et tenta de se calmer. Les pensées se bousculaient dans son esprit. Elle était épuisée et avait manqué s'évanouir en s'asseyant. Il lui fallait récupérer si elle voulait continuer à courir.

Qu'allait décider la femme du téléphone à présent ? John Paul avait-il raison ? Carrie et les deux autres étaient-elles déjà mortes ?

Elle chassa cette idée de son esprit en cherchant à s'installer plus à son aise. Tous les muscles de son corps la faisaient souffrir et ses orteils l'élançaient. Elle allait se déchausser mais John Paul l'en empêcha. Il fallait que ses pieds s'habituent à ses chaussures mouillées. Si elle avait des crampes, elle n'avait qu'à marcher. Il s'exprimait comme un expert en la matière, et parce qu'il avait été formé aux techniques de survie chez les marines elle ne protesta pas. De toute façon, elle n'avait plus assez d'énergie pour ça.

Avery était résolue à ne pas devenir aussi cynique que sa tante et lui. Quand la pluie s'était mise à tomber et qu'il s'était moqué d'elle parce qu'elle avait prétendu que le moment était venu de faire une pause, elle avait affirmé qu'il ne s'agissait que d'une douce et agréable bruine accompagnée d'une brume enchanteresse. Oui, voilà ce qu'elle lui avait sorti. En souriant, par-dessus le marché. Et puis la bruine avait tourné au déluge. Pour autant, elle avait persisté dans son optimisme. Que pouvait-il leur arriver de plus ? Ils étaient déjà trempés.

Le déluge avait alors cédé la place à une averse de grêlons aussi gros que des balles de golf, les contraignant à s'abriter sous les arbres.

De nouveaux bruits la rappelèrent à la réalité. John Paul y avait-il fait attention cette fois ? Elle leva la tête et tendit l'oreille. La lumière du jour, grise, s'enroulait entre les branches sous les trombes d'eau incessantes.

Elle dévisagea John Paul. Celui-ci cligna des yeux et son regard accrocha le sien. Elle lui était si reconnaissante d'être là, avec elle. Il lui procurait un sentiment de sécurité et, grâce à lui, elle n'avait pas à subir seule cette épreuve. Sa force la réconfortait, lui redonnait espoir.

— J'aimerais...

Elle ne put lui avouer combien elle appréciait son aide. Sa bouche l'hypnotisait.

— Moi aussi.

Plus tard, elle fut incapable de dire qui avait commencé. Elle s'était nichée contre lui, et il avait baissé la tête vers elle. À moins qu'elle ne l'ait attiré contre elle et qu'il se soit juste laissé faire ? Elle ne s'en souvenait plus. Leurs lèvres s'étaient tout simplement... fondues.

Cet instant fut merveilleux. John Paul savait comme personne venir à bout des défenses d'une femme. À la fois doux et rude, généreux et avide, il attisa son désir avant de lui saisir le menton pour l'amener à entrouvrir les lèvres.

Avery bascula sur ses genoux et noua ses bras autour son de cou. Ses inhibitions s'envolèrent sous ses caresses. Tremblante, chavirée, elle n'aspira plus qu'à se livrer à toutes les audaces.

La chaleur des mains de John Paul s'insinua dans son corps et elle ne s'aperçut qu'elles s'étaient glissées sous son T-shirt que lorsqu'ils se détachèrent l'un de l'autre. À n'en pas douter, cette étreinte l'avait troublé autant qu'elle : les battements rapides de son cœur étaient un signe qui ne trompait pas...

Elle voulut s'écarter, mais il la serra fermement contre lui, l'obligeant à s'appuyer sur son épaule.

— Vous savez ce qui me ferait plaisir ? murmura-t-il de sa voix chaude et bourrue.

Avery, qui tentait de reprendre son souffle, avait encore sur les lèvres le goût de leur baiser. Elle s'en remémorait chaque seconde... jusqu'à ce que le sens de sa question l'interpelle.

— Enfin, John Paul !

— Qu'y a-t-il ?

— Vous avez envie qu'on couche ensemble ?

Il demeura silencieux un long moment, comme s'il s'accordait un temps de réflexion.

— Ma foi, pourquoi pas ? Ce serait agréable aussi, j'imagine, et je ne refuserai pas si vous me le proposez. (Parce qu'elle ne le regardait pas, il se permit de sourire.) Seulement là, ce qui me ferait vraiment plaisir, c'est un cheeseburger.

Elle redressa vivement la tête, et il évita de justesse de recevoir un coup dans le menton.

— Quoi ?

— Je me disais qu'un cheeseburger serait le bienvenu, là, tout de suite. Et aussi des frites et une bière fraîche.

— Les broussailles de tout à l'heure ne vous ont pas calé ?

— Ce ne sont pas des broussailles que je vous ai fait manger, rit-il, mais des feuilles comestibles et des baies qui nous revigoreront un peu. Reste que j'avalerais volontiers un cheeseburger. Mon beau-frère m'a rendu accro à ces cochonneries.

— Vous ne songiez réellement qu'à la nourriture ?

— Oui, s'amusa-t-il. Mais si c'est vital pour vous de coucher avec moi, je devrais être en mesure de vous obliger.

— Je ne veux pas coucher avec vous.

— C'est pourtant ce que vous avez prétendu.

Ce type était horripilant.

— Pas du tout.

— Et vous m'avez embrassé, souligna-t-il. Alors j'en déduis…

— Oh, ça suffit !

— Il est évident que vous ne pensez qu'à me sauter dessus, mon chou.

Pas étonnant que l'amour et la haine soient si étroitement liés. À cet instant, elle ne rêvait que de l'étrangler tant il semblait se réjouir de l'avoir plongée dans l'embarras.

— Ce baiser ne signifiait rien !

— Alors comment se fait-il que vous soyez devenue toute fiévreuse ?

— Je ne suis pas devenue fiévreuse.

— Menteuse.

Lui seul pouvait conférer à cette insulte la douceur d'une caresse.

— Parce que vous, vous ne vous êtes pas emballé ?

— Certainement pas !

— Et qui ment cette fois ? ironisa-t-elle.

— La première règle dans toute opération consiste à mentir le moins possible. On repart dans dix minutes, alors essayez de vous reposer maintenant.

Elle savait qu'elle n'y parviendrait pas avant de s'être détendue, et elle ne voyait qu'un moyen pour cela : s'éloigner de lui et adopter la position du lotus apprise en cours de yoga. Dos droit, mains sur les genoux, paumes vers le haut, elle ferma les yeux, inspira profondément, puis éleva un barrage dans sa tête contre les bruits de la forêt et les préoccupations qui l'assaillaient. Il lui fallut cinq bonnes minutes avant de sentir ses muscles se décontracter.

— Que faites-vous ?

Sa question troubla sa concentration.

— Mes exercices de relaxation.

— Du yoga ?

— En quelque sorte. Je vide mon esprit, et ensuite...

— Quoi ?

— Je me représente mon paradis, répondit-elle. Ça vous va ?

Il ne se moqua pas d'elle.

— Ah oui ? Vous parliez sérieusement, alors ? J'avais cru à une plaisanterie.

— J'imagine un lieu dans lequel je me sens bien : une galerie avec une balancelle sur laquelle je m'assois... Il y a un parfum de lilas dans l'air, et de l'eau coule en arrière-plan. Le cadre est apaisant, il me libère. À ce moment-là, j'étudie les données que j'ai recueillies.

— À chacun sa méthode.

Il ne la comprenait pas, mais cela ne la surprenait guère, aussi referma-t-elle les yeux en l'ignorant pour de bon.

Quelques minutes supplémentaires s'écoulèrent avant qu'elle laisse s'assembler les pièces du puzzle. Ironie du sort, ce fut une remarque de John Paul qui accéléra le cours de ses pensées.

— Que vouliez-vous dire ? lança-t-elle soudain.

— À quel sujet ?

De nouveau, elle lui fit face.

— « La première règle dans toute opération est de ne pas mentir » ?

— Plus exactement, de mentir le moins possible.

— D'accord. Pourquoi est-ce important ?

— Parce que les mensonges peuvent se retourner contre vous… et vous piéger.

— Donc, si on se cantonne à la vérité pour les menus détails, on ne s'emmêle pas les pinceaux. Oh, bon sang, mais oui ! (Elle s'anima d'un coup et sortit sa carte détrempée de sa poche.) Quelle idiote ! J'ai supposé que Monk avait lu le nom de la propriété dans un journal et qu'il s'en était souvenu quand Carrie l'avait interrogé sur leur destination. Rien de plus normal, non ? Après tout, il mentait depuis le début. Mais si ce n'était pas le cas sur ce point précis ?

— Vous êtes sûre que ça va ? s'inquiéta-t-il.

— Oui, sourit-elle. Tout se tient.

— Où voulez-vous en venir ?

— Je sais peut-être où se trouvent Carrie et les deux autres femmes.

— Vraiment ?

— Carrie m'a dit où il l'emmenait.

— Et vous avez attendu tout ce temps pour m'avertir ?

— Vous ne m'écoutez pas ! J'ai cru que Monk lui avait raconté n'importe quoi. Je vous ai expliqué que ma tante m'avait laissé un message sur mon répondeur et que je l'avais effacé. Vous avez entendu la question que j'ai posée à Cannon, ensuite ?

— Vous vous êtes renseignée sur un problème de plomberie.

— Et il m'a juré que ce n'était pas possible à Utopia. Je lui ai alors demandé si le centre possédait un refuge dans les montagnes.

— D'après lui, non.

— Du coup, je n'ai pas insisté. Je suis partie du principe que Monk avait mené ma tante en bateau. Mais s'il avait fait une exception ?

— Qu'est-ce qui aurait pu l'y inciter ?

— Précisément la raison que vous avez évoquée. Pourquoi mentir quand ce n'est pas nécessaire ? « Les mensonges peuvent se retourner contre vous », le cita-t-elle. Monk l'avait déjà kidnappée, non ? Et il ne lui avait pas caché son nom. Elle de son côté le suivait gentiment, voire avec insouciance. Mais elle m'a appelée depuis les toilettes de l'aéroport, et ce détail, je doute qu'elle l'ait mentionné devant lui.

— Si Monk lui avait indiqué où il comptait l'emmener, il ne l'aurait pas quittée des yeux.

— Il ne pouvait pas entrer avec elle dans les toilettes pour dames, objecta-t-elle. Et il ignorait peut-être qu'elle avait l'un de ses téléphones portables dans sa poche.

— L'*un de ses* téléphones ?

— Elle en a toujours deux partout où elle va. Carrie est un bourreau de travail, et elle devient folle quand l'un de ses appareils n'a plus de batterie. Et puis, elle se sert de l'un pour ses appels personnels, et de l'autre pour les professionnels.

— Une batterie de rechange suffirait.

— Oh, elle en a une aussi. Alors, qu'en pensez-vous ?

— Sincèrement ? Tout ça me paraît tiré par les cheveux.

— Non, je ne fais qu'analyser des données, et j'estime avoir une chance sur deux de ne pas me tromper. Il faut qu'on vérifie.

— Où est ce refuge ?

Elle déplia sa carte tout en lui rapportant sa conversation avec le vieux monsieur du McDo.

— Voilà, c'est ici.

Elle lui répéta ensuite l'histoire du couple qui se disputait la propriété.

— Elle est inoccupée depuis des semaines. Le juge est censé décider bientôt lequel des deux la gardera.

John Paul hocha lentement la tête.

— D'accord, ça vaut la peine d'aller y jeter un œil. La pause est terminée. On se bouge.

— Il faut qu'on déniche un téléphone. C'est notre priorité.

— Non, murmura-t-il. Notre priorité est de rester en vie.

Ce qui, il le savait, était plus facile à dire qu'à faire.

23

Bien qu'enfin prêtes, les trois femmes étaient paralysées par la peur.

Il était quatre heures du matin, et elles estimaient disposer de deux heures environ avant le lever du soleil. Serrées autour de la table de la cuisine, vêtues chaudement en prévision de leur expédition dans la forêt, elles sirotaient un thé brûlant pour se préparer à affronter l'air froid de la nuit. Un vent glacial s'engouffrait par le trou percé dans le mur du cellier.

— Et si Monk avait semé des pièges à l'extérieur ? lança Carrie. Que fera-t-on ? On ne les distinguera pas dans le noir.

Elles étudièrent cette possibilité avec appréhension, jusqu'à ce que Sara décide de clore le débat :

— Ça m'étonnerait qu'il ait pris le temps d'escalader ce versant de la montagne. Il doit être persuadé d'avoir bloqué toutes les issues de la maison.

Carrie tremblait d'effroi.

— Écoutez, souffla-t-elle. Si jamais on échoue…

— Ne dites pas ça. Nous y arriverons, affirma Sara d'une voix qui manquait cependant de conviction.

— Laissez-moi quand même finir. Si je meurs, je veux que vous me promettiez de prévenir la police pour qu'elle retrouve Avery et qu'elle la protège. Et appelez aussi mon mari. Il voudra les aider…

La gorge nouée, elle ne put poursuivre.

— Concentrez-vous sur un souci à la fois, la sermonna Sara.

— Oui, acquiesça Anne. Pensez à ce qui nous attend dans l'immédiat.

— Vous avez raison, opina Carrie, avant de repousser sa tasse et de se lever. Il faut y aller maintenant. On ne peut plus reculer.

— Tout se passera bien, vous verrez, la tranquillisa Anne en lui prenant la main.

Carrie lui sourit. La frêle Anne avait les yeux de plus en plus vitreux, comme si elle venait d'avaler l'un de ses cachets contre la douleur. Carrie avait remarqué les flacons alignés sur sa coiffeuse en inspectant les étages. Il y avait de quoi ouvrir une petite pharmacie.

— Vous n'avez pas oublié vos médicaments ? s'assura-t-elle.

— Non, bien sûr.

— Je peux en caser une partie dans ma poche si vous voulez.

— Ce n'est pas la peine.

— Et les lettres ? s'enquit Sara. Vous les avez, Carrie ?

— Oui.

— Parfait. Allons-y, alors.

Il était déjà convenu que la juge sortirait la première.

Viendrait ensuite le tour de Carrie. Anne les avait en effet convaincues que, étant la moins lourde des trois, c'était elle qui aurait le plus de chances de s'en tirer si jamais la corde se détachait.

Malgré l'opposition de Carrie, elle n'en avait pas démordu.

— Si la corde lâche ou si je tombe, Sara et vous réussirez peut-être à me rattraper, alors que moi, je ne pourrai rien pour vous. Il faut que je ferme la marche.

— Oh, ne parlez pas de malheur. Votre corde est solide, Anne. Elle tiendra bon.

— C'est vrai, tout ira bien.

La femme d'affaires affichait une gaieté obscène.

Avait-elle de nouveau disjoncté ou n'était-ce qu'un effet de ses médicaments ?

Sara les précéda dans le cellier et, sous leur regard, noua l'extrémité de la corde autour de sa taille.

— J'espère qu'elle est assez longue, commenta-t-elle en se baissant.

Puis elle s'engagea dans l'ouverture.

— Mettez-vous à plat ventre, lui conseilla Carrie. Et ne vous pressez pas.

— Vous avez la lampe stylo ? vérifia Anne.

— Oui, oui !

Carrie s'assit par terre et prit appui avec ses pieds contre le bois d'œuvre tout en agrippant fermement la corde. Juste au moment où elle songeait que la juge n'atteindrait jamais le sol, le drap ballotta librement. Elle bascula en arrière et heurta Anne.

— À moi, marmonna-t-elle.

Elle roula sur le ventre et s'approcha du bord.

— Attendez ! chuchota Anne, avant de lui fourrer une grosse enveloppe dans la poche.

— Que faites-vous ?

— Vous êtes la plus en forme de nous trois, alors au cas où Sara et moi... veillez bien...

— Oui ? Dites-moi, Anne.

— Veillez-y bien. Ne tardez plus maintenant.

Carrie ne perdit pas son temps à l'interroger. Elle éluciderait cette énigme une fois qu'elles seraient loin de la maison.

Les mains en sang, et trop terrifiée pour pleurer, elle entama lentement sa descente, tandis qu'Anne manquait chuter dans le vide en voulant l'aider.

Enfin, elle toucha le sol.

La corde mollit. Parce qu'elle aussi l'avait tenue de toutes ses forces, Anne tomba à la renverse. Elle se redressa vivement et balaya des yeux l'obscurité en contrebas afin d'apercevoir ses compagnes. Elle resta ainsi un long moment à quatre pattes, à écouter leurs appels étouffés.

Puis elle remonta la corde et s'écarta de l'ouverture.

— *Une souris verte*, fredonna-t-elle. *Qui courait dans l'herbe...*

Elle rentra dans la cuisine, non sans avoir d'abord épousseté le pantalon de jogging qu'on lui avait prêté.

— *Je l'attrape par la queue...*

Bizarre, cette comptine qui lui revenait tout à coup en mémoire et qui ne la quittait plus. Éric et elle avaient décidé de ne pas avoir d'enfant, et voilà qu'elle chantait ce refrain ridicule. Comme son père autrefois. Quelle était la fin, déjà ? Était-ce *Je la montre à ces messieurs* ou : *Je la vends à ces messieurs* ? Pourquoi ne s'en souvenait-elle pas ?

— *Une souris verte*, reprit-elle doucement en s'agenouillant pour tenter de détacher le drap qu'elles avaient noué autour du pied de la table.

Elle s'interrompit afin d'éviter tout risque de se casser un ongle et alla chercher des ciseaux.

— *Une souris verte...*

Une fois le drap coupé, elle but une gorgée de son thé, à présent tiède, puis, consciente que les deux autres devaient s'angoisser à son sujet, se dirigea vers le trou percé dans le mur et jeta la corde dans le vide. Son message ne pouvait prêter à confusion, car elle s'était débarrassée de son unique chance de survie. Un cri retentit, qu'elle attribua à Sara. La juge lui paraissait en effet avoir un peu plus de cœur que Carrie.

— *Une souris verte...* Mon Dieu, je n'arriverai pas à m'ôter cette chanson de la tête ! s'écria-t-elle en refermant la porte du cellier.

Frappée alors par le désordre de la cuisine, elle remplit l'évier d'eau chaude et savonneuse et s'attela à la vaisselle. Quand elle eut fini, elle remit en place la table et les chaises, posa devant chacune un set de table, puis souffla les bougies et gagna l'escalier.

Elle se sentait si fatiguée, si vieille, si hagarde. Un bon somme y remédierait. Mais il lui fallait d'abord recouvrer une apparence convenable. Anne ne comprenait pas que des femmes fortunées et élégantes comme Carrie et Sara puissent s'habiller en jogging. Rien que ce nom la rebutait. Une vraie dame ne courait pas. Seules les plus vulgaires s'autorisaient à transpirer, à roter, à arborer un piercing… ou laissaient des médecins les mutiler. N'était-ce pas ainsi que son cher Éric voyait la situation ? Il adorait son corps et ne tolérait pas ce que le chirurgien envisageait de lui infliger.

Comme grisée, Anne s'accrocha à la rampe pour gravir les marches. Après s'être douchée, elle boucla ses cheveux avec son fer à friser, puis les brossa et les fixa avec de la laque. Elle hésita ensuite longuement entre ses nouveaux tailleurs en laine griffés St. John. Le vert menthe avec ses adorables boucles argentées l'emporta pour son élégance. Ses talons aiguilles incrustés de perles et ses boucles d'oreilles favorites – des diamants cerclés de platine, cadeau d'Éric pour leur dernier anniversaire de mariage – complétèrent sa tenue.

Parvenue au bout du couloir, elle prit conscience d'un oubli. Elle fit aussitôt demi-tour, se vaporisa du parfum sur les poignets, poussa un soupir de contentement et se hâta de descendre au salon. Elle s'arrêta sur la dernière marche : le soleil levant avait transformé la pièce en temple d'or, et ce spectacle la stupéfia. Quel dommage qu'Éric ne soit pas là, regretta-t-elle.

Anne ne sut combien de temps elle demeura ainsi immobile. Dix minutes, vingt, peut-être même plus. Le deuxième antalgique faisait enfin effet, et elle traversa le salon en zigzag, amusée par son incapacité à marcher droit. Éprouvait-on le même vertige après avoir bu ? Était-elle soûle ? Tout en luttant pour garder les idées claires, elle s'affaissa sur le canapé. Quelques secondes plus tard, elle dormait.

À son grand étonnement, elle s'aperçut à son réveil qu'elle avait pleuré. Ses joues étaient baignées de larmes. Elle s'assit avec peine, les essuya et, devant le maquillage qui maculait ses doigts, songea un instant à retourner se repoudrer dans sa chambre. Le bruit d'une voiture dans l'allée la stoppa net dans son élan. Encore engourdie, elle se leva tant bien que mal et ajusta les revers de son col avant de s'avancer d'un pas mal assuré vers la fenêtre de la salle à manger.

Une Cadillac DeVille gris chromé déboula à vive allure devant la propriété. Qui pouvait bien venir si tôt le matin ? Anne consulta sa montre – une Bulgari, elle aussi offerte par Éric – et constata avec surprise qu'il était plus de neuf heures.

Elle recula dans l'ombre lorsque la voiture pila dans un crissement de roues. Une femme en sortit, avec sur le visage l'expression la plus horrible qui fût.

Anne lui trouva un air vaguement familier, sans toutefois réussir à se rappeler où elle l'avait déjà vue. Les traits déformés par la colère, l'inconnue marmonnait des paroles qu'Anne ne pouvait pas entendre de l'intérieur de la maison.

S'agissait-il de Jilly ? Elle correspondait à la description que Carrie avait faite de sa sœur : blonde, grande et bien proportionnée. Sauf qu'Anne ne la trouvait pas superbe. Jolie, tout au plus ; si encore elle avait souri au lieu d'afficher cette mine revêche.

Force lui était pourtant de reconnaître qu'elle avait un beau teint. De loin, il semblait presque parfait, à tel point qu'Anne résolut de se renseigner sur les soins qu'elle utilisait. À moins qu'il ne fût à mettre sur le compte de son maquillage ? Il faudrait qu'elle en ait le cœur net.

Elle lui envia également la couleur de ses cheveux, mais pas leur coupe, un peu trop courte et hérissée à son goût. Cette fille s'était à coup sûr fait faire des reflets. Anne chercherait aussi à connaître le nom de son coiffeur : elle aurait donné cher pour avoir la même coloration. Soudain mal à l'aise, elle tapota sa mise en plis, certaine que sa petite sieste avait dérangé son bel ordonnancement.

— Mon Dieu ! s'exclama-t-elle en avisant alors le

jerrycan d'essence et la hache dont s'était munie sa visiteuse. À quoi joue-t-elle ?

Tête baissée, l'autre n'avait pas encore remarqué sa présence. Anne l'identifia juste au moment où elle montait les marches du perron. C'était cette femme qui figurait en photo dans l'un des articles de journaux, et qui se disputait la propriété de cette résidence avec son ex-mari.

Anne se précipita dans l'entrée et se posta devant les panneaux vitrés qui encadraient la porte. Les paroles de la jeune femme résonnaient très clairement à présent. Anne fut horrifiée par tant de grossièreté. L'inconnue avait prononcé au moins dix fois le mot « put... », le plus souvent accolé au nom d'un juge coupable de l'avoir dépossédée de son bien.

Ah... elle comprenait maintenant. La demeure avait été attribuée à son mari. Anne ne compatit pas du tout au sort de cette mégère. Visiblement, elle n'avait pas été une bonne épouse. Les décisions importantes n'étaient-elles pas du ressort de l'homme, dans un couple ? Son mari avait payé la maison, à lui donc de la garder.

La femme grimpa les marches du perron quatre à quatre en hurlant.

— Ce connard espère me piquer cette baraque et me laisser sans un rond ? Je m'en fous, moi, du contrat de mariage. Il croit que je bluffe, hein ? Je lui ai pourtant juré qu'il ne vivrait jamais ici. Surprise, surprise ! Quand j'aurai fini de redécorer... (Elle s'interrompit brutalement à la vue d'Anne.) Qui êtes-vous ? Qu'est-ce que vous foutez chez moi ?

— Bonjour, la salua Anne. Qu'avez-vous l'intention de faire avec cette hache et ce bidon ?

— C'est pas vos oignons, putain !

— Cessez de proférer de telles obscénités devant moi, je vous prie. Je trouve ça choquant.

La femme posa son matériel par terre et sortit ses clés de sa poche.

— Ce fumier vous a embauchée comme gouvernante ? beugla-t-elle.

— Je puis vous assurer que non.

— Ouvrez cette putain de porte !

— Je ne pense pas que ce soit une idée très judicieuse.

La furie inséra sa clé dans la serrure et tenta de la tourner.

— Qu'il crève, ce salaud ! tempêta-t-elle en constatant qu'elle se bloquait. Comment a-t-il osé changer la serrure ? Comment a-t-il osé ? Il savait… Il a acheté le juge ! Eh bien je l'emmerde, moi !

Elle jeta la clé et fusilla Anne du regard.

— Si vous n'ouvrez pas tout de suite, je défoncerai cette foutue porte à la hache. Vous avez pas intérêt à me chercher, salope. Pas aujourd'hui.

— Vous me menacez ?

— Ouvrez-moi !

C'en fut trop pour Anne. Les larmes affluèrent à ses yeux tandis qu'elle s'exécutait.

— Entrez donc ! l'invita-t-elle en souriant.

Une seconde s'écoula, laissant à peine le temps à la femme de franchir le seuil.

L'explosion souffla tout un pan de la montagne.

24

Suivre Jilly n'était pas de tout repos, mais, si prenante fût-elle, cette occupation plongeait Monk dans un état d'intense excitation. Il ne s'était pas senti aussi vivant depuis des années. Lui était le plus professionnel des deux, évidemment, tandis qu'elle, avec l'enthousiasme des débutants, élaborait des plans ambitieux en commettant des imprudences, tel l'usage de cette carte de crédit qui avait éveillé l'attention du FBI.

Monk ne pouvait la blâmer. Il aurait dû détruire ses cartes. Il avait commis l'erreur de les conserver toutes dans son attaché-case, et Jilly n'avait fait qu'attraper les premières qui lui étaient tombées sous la main.

Les conséquences n'avaient cependant pas été si catastrophiques puisque John Paul Renard avait fait son apparition. Monk se réjouissait de la tournure prise par les événements. Il savait que l'ex-marine le pistait depuis plus d'un an – il avait intercepté plusieurs de ses demandes de renseignements adressées aux autorités de divers pays européens –, et ne comptait pas rater cette opportunité de faire d'une pierre deux coups : se débarrasser d'un pot de colle menaçant et contenter Jilly.

Avant qu'ils décident d'attirer leurs trois victimes à Aspen, sa belle fiancée s'était amusée des heures durant à imaginer divers pièges. Elle adorait comploter, flirter avec le danger, et lui montrait comment se faire plaisir. Chaque fois qu'il se pliait à ses caprices – par exemple en acceptant des changements de dernière minute dans ses projets –, elle le récompensait de mille et une faveurs sexuelles, toutes plus créatives les unes que les autres.

Il devenait romantique sous son influence, mais ne considérait pas ça comme une faiblesse dans la mesure où seule cette femme l'obsédait. Il avait la ferme conviction que, si leurs jeux érotiques ne le tuaient pas prématurément, tous deux vieilliraient ensemble.

Jilly l'obsédait à tel point qu'il ne vivait plus que pour elle, ne pensait qu'à la protéger. Tant qu'il resterait vigilant et qu'il pallierait ses impairs, ils n'auraient rien à craindre.

Il avait malgré tout dû s'opposer à elle lorsqu'elle avait caressé l'idée de kidnapper Avery et de l'éclairer sur la vraie personnalité de Carrie. Jilly était si innocente qu'elle ne doutait pas de lui dessiller les yeux. Il lui avait donc expliqué que jamais, après le lavage de cerveau qu'elle avait subi, sa fille ne pourrait la percevoir comme la mère aimante qu'elle était en réalité.

Jilly n'était pas parfaite, loin de là. Elle avait une conception dénaturée de la maternité selon laquelle Avery lui appartenait du simple fait qu'elle lui avait donné naissance. Elle parlait d'elle comme d'un objet plutôt que comme d'une personne, et reprochait à Carrie de lui avoir volé un bien précieux. Sa rancœur avait couvé pendant des années, mais Jilly était patiente en matière de vengeance. Peu importait le temps qu'il faudrait, elle aurait sa revanche.

Elle avait insisté pour déclencher elle-même l'explosion de la maison et lui avait promis de ne pas verser une larme sur sa sœur. Elle n'aurait que ce qu'elle méritait. Tous ses échecs n'avaient qu'une seule et même origine : Carrie. Jilly était par conséquent en droit d'assister à son agonie.

Sa franchise ne rebutait pas Monk. Comment aurait-il pu lui jeter la première pierre ? Elle l'avait accepté avec tous ses défauts, et le moins qu'il pût faire était de lui rendre la pareille.

Il s'efforçait à présent de réparer leurs erreurs près de la mine abandonnée. Jilly s'était persuadée que sa fille et son compagnon descendraient dans le puits en quête d'un nouvel indice qui les mènerait à Carrie. Monk n'aurait plus eu alors qu'à lancer quelques explosifs dans le trou, boucher celui-ci et la suivre jusqu'au refuge.

Monk avait misé sur une autre occasion d'abattre le couple, sûr que l'ex-marine ne tomberait pas dans le piège. Mais leur saut dans le torrent lui avait fait rater sa chance.

Il les traquait depuis avec méthode. Certes, retourner à son véhicule et traverser le cours d'eau l'avait retardé, mais il s'était ensuite rattrapé en roulant à vive allure jusqu'à l'endroit vers lequel il les soupçonnait de se diriger.

Comme il s'y attendait, Renard n'avait laissé aucune trace derrière lui. Monk s'était renseigné à son sujet et avait été impressionné par son parcours. En d'autres circonstances, il n'aurait pas exclu d'en faire un ami. Ils ne différaient guère l'un de l'autre, après tout. Tous deux étaient des tueurs professionnels. Lui, Monk, avait assassiné pour de l'argent, Renard, pour des questions d'honneur. Il ne jugeait pas son adversaire supérieur pour autant. Tout au plus un peu stupide.

Il aurait pourtant aimé s'asseoir avec lui devant une bière fraîche et évoquer leurs exploits passés. Sauf que Renard n'y consentirait jamais. Trop honnête pour ça. D'après son dossier confidentiel, auquel Monk avait pu accéder, l'homme souffrait de surmenage. Lui n'en croyait rien. Renard avait dû tout plaquer quand il s'était aperçu que presser la détente d'une arme lui procurait un sentiment de puissance de plus en plus agréable. Au diable l'honneur.

L'ex-marine était-il aussi curieux à son sujet ? Rêvait-il parfois de discuter avec lui du frisson de la chasse, du plaisir de la mise à mort ? Monk s'imagina le blessant, l'immobilisant, pour ensuite s'installer à son côté et lui parler comme à une vieille connaissance, jusqu'à ce qu'il soit vidé de son sang. Ne serait-ce pas fantastique d'avoir un égal pour interlocuteur ?

Il ricana. Qui se laissait aller à rêver à cet instant ? Il vérifia l'heure et secoua la tête. S'il ne retrouvait pas vite le couple, il devrait faire marche arrière et rejoindre Jilly, qui devait mourir d'impatience de filer au refuge voir la réaction de sa sœur. Les trois femmes devaient s'être entre-déchirées sous le coup de la terreur – du moins l'espérait-elle.

Arrête de musarder et concentre-toi sur ton travail, se sermonna-t-il. Saisissant ses jumelles, il scruta les alentours et finit par aviser une tour de guet à environ un kilomètre et demi au nord. Un garde forestier en descendait. Monk ne le quitta pas des yeux jusqu'à ce qu'il ait touché le sol.

— Parfait, murmura-t-il en le jaugeant. Pile poil ma taille.

Une heure plus tard, appuyé à la rambarde au sommet de la tour, il examinait de nouveau les environs. En bas, dans les buissons, il devinait le T-shirt blanc du garde qu'il avait tué d'une balle dans la tempe avant de le déshabiller.

Il s'apprêtait à abandonner ses recherches quand il repéra le couple. Les cheveux blonds d'Avery, si semblables à ceux de sa mère, brillaient comme de l'or sous le soleil. Monk n'en revenait pas de sa bonne fortune. C'était bien eux qui dévalaient la montagne, en chair et en os, dépenaillés et épuisés. Son rire résonna autour de lui. Quand il raconterait ça à Jilly ! Il savait ce qu'elle lui dirait : Tu es un veinard de première.

Il acquiescerait, bien sûr, même si à ses yeux la chance n'avait rien à voir là-dedans. Il avait juste étudié sa carte et compris que, pour survivre aux rapides, il leur fallait sortir de l'eau avant les énormes chutes situées en aval de Coward's Crossing.

Monk décida de les prendre de face. Il dévala l'échelle et s'avança vers le sentier au pied de la tour, tête baissée, le visage masqué par la visière de sa casquette.

Lorsqu'il eut atteint un large espace à découvert entre les arbres, il pivota légèrement sur lui-même et, faisant mine de les remarquer seulement alors, leur adressa un grand signe de la main.

— Écroulez-vous par terre, Avery, souffla John Paul. Vite !

Sans hésiter, elle prétendit trébucher et tomba sur un genou. John Paul se pencha pour lui passer un bras autour des épaules.

— Faites comme si vous vous étiez blessée, lui ordonna-t-il.

Elle roula aussitôt sur le côté et agrippa sa jambe avec une grimace de douleur exagérée. Elle aurait voulu pleurer de déception.

— Ce n'est pas un garde forestier ?

— Non.

— Comment le savez-vous ? fit-elle en se massant la cheville.

— J'ai vu son arme. Les gardes forestiers n'ont pas de fusil à lunette.

— Vous avez distingué sa lunette à cette distance ?

— Le soleil s'est reflété dessus au bon moment, expliqua-t-il. Je pense que c'est lui. Je n'en suis pas certain à cent pour cent, mais...

— Que vous le pensiez me suffit largement.

— Très bien. Je vais vous aider à vous redresser. Appuyez-vous sur moi. On descend encore un peu, mais en virant vers l'ouest. Dès qu'on sera sous les arbres, il faudra courir.

— Il nous poursuivra.

— Prête ? (Il la hissa debout sans même lui laisser le loisir de répondre.) Boitez, maintenant.

Ils se remirent en route en titubant, tels deux ivrognes.

John Paul s'efforçait de rester hors de portée du fusil de Monk. À présent, il aurait parié que cet homme n'était autre que le tueur parce qu'il n'avait pas bougé de son poste. Or les gardes avaient la réputation d'être serviables, non ?

— Il attend qu'on soit plus près de lui.

— Oh non...

— Vous avez peur ?

— Pas du tout ! crâna-t-elle.

— Bien, sourit-il. Attention, mon chou, on fonce !

Avery en tête, ils se ruèrent vers les arbres. John Paul risqua un coup d'œil en arrière et constata qu'ils disposaient d'une avance confortable sur Monk, déjà à leurs trousses. De son côté, la jeune femme priait pour qu'ils croisent des campeurs ou de vrais gardes forestiers susceptibles de leur prêter main-forte.

Ses oreilles bourdonnaient. Il lui sembla percevoir… quoi ? Le vent hurlant dans les arbres ? Des coups de feu ? Non, ni l'un ni l'autre.

Le bruit cessa aussi brutalement qu'il avait commencé. Puis il s'éleva de nouveau, plus fort et plus strident cette fois. On eût dit un sifflet.

— Vous… entendez… ? haleta-t-elle.

— Ouais.

Des notes de trompette retentirent alors. Devenait-elle folle ? Hors d'haleine, elle continua sa course, ses pieds martelant lourdement la terre meuble.

Les muscles de ses jambes la brûlaient. Elle perdit soudain l'équilibre et aurait plongé droit dans un fossé si John Paul ne l'avait soulevée et remise d'aplomb dans la foulée.

Il ralentit le temps de la lâcher, mais la talonna ensuite de près, au cas où. Tout à coup, ils émergèrent de la forêt, traversèrent une route… et déboulèrent au beau milieu d'un camp de boy-scouts. Emporté par son élan, John Paul renversa une petite tente et envoya au tapis le capitaine du groupe, qui en eut le souffle coupé. La trompette dont il jouait vola dans les airs.

— Votre téléphone ! cria Avery à l'homme étendu par terre. Vite !

— On ne capte rien ici, répliqua-t-il en se hissant sur les coudes, rouge de colère. Non mais, vous vous prenez pour…

John Paul examina avec angoisse la route devant eux, conscient que Monk n'éprouverait aucun scrupule à supprimer quelques gamins dès lors qu'il pouvait les abattre eux aussi. L'un des garçons hurla à la vue du revolver coincé dans la ceinture du jean de John Paul. Un simple regard noir fit taire le gamin sur-le-champ.

Avery s'agenouilla à côté du chef de camp.

— Écoutez-moi, on a besoin d'aide. Il y a un type armé qui arrive par ici. Où est votre véhicule ? Répondez-moi, s'il vous plaît.

— On a un camping-car ici, bafouilla-t-il, gagné par sa terreur. Et mon 4 × 4 est garé à moins d'un kilomètre au bord de la route. Les clés sont dans ma veste, sous la tente là-bas.

John Paul arracha Avery au sol et l'entraîna vers le coteau le plus proche en veillant à ne pas quitter le couvert des arbres.

— Montez dans votre camping-car et filez avec les gosses ! lança-t-il derrière lui.

— Et appelez des secours ! ajouta-t-elle.

Elle ne pensait pas avoir la force de courir encore longtemps. Les jambes en coton, le cœur au bord des lèvres, elle s'appliquait à poser un pied devant l'autre quand elle songea qu'ils n'avaient pas pris les clés du 4 × 4.

— Il faut qu'on fasse demi-tour… les clés…

— Inutile. Avancez, mon chou. Vous lambinez.

Elle envisagea un instant de se cacher quelque part et d'attendre qu'il revienne avec la voiture. Il devait bien exister un endroit où Monk ne la trouverait pas, tout de même ?

Du nerf. Accroche-toi. Tu peux le faire. Tu peux le faire. Avery se livra à cet exercice d'autopersuasion jusqu'à ce qu'une douleur insupportable lui cisaille le ventre. Allait-elle mourir debout ? Sans aucun doute, rumina-t-elle.

Des larmes lui vinrent aux yeux lorsqu'elle vit le vieux 4 × 4 garé sur le bord gravillonné de la route, près d'un virage. John Paul la distança, brisa la vitre arrière et tendit le bras à l'intérieur pour déverrouiller la portière avant.

Elle se précipita vers le côté passager pendant qu'il lui ouvrait la sienne. Moins de quarante-cinq secondes plus tard, il avait démarré le véhicule en manipulant les fils de contact.

— Vous avez été délinquant dans votre jeunesse ? s'enquit-elle, impressionnée, avant de s'adosser à son siège et de s'autoriser enfin à craquer.

Un sanglot se coinça dans sa gorge.

— Vous pleurez ?

— Non.

— On le jurerait, pourtant.

— C'est de joie, rétorqua-t-elle en se hâtant d'essuyer les larmes de soulagement qui roulaient sur ses joues.

John Paul sourit. Il partageait son sentiment, même si celui-ci fut de courte durée.

— Merde, marmonna-t-il.

— Quoi ?

— La route nous ramène en arrière… Monk n'est peut-être pas loin, ou bien déjà en position… oui, c'est évident… et il n'y a pas moyen de bifurquer dans les bois ici.

Il sortit son revolver et le laissa tomber sur ses genoux afin de descendre sa vitre.

Avery l'imita promptement.

— Qu'est-ce que vous fabriquez ?

— Je me prépare, comme vous.

— Non, baissez-vous et ne bougez pas. S'il se dirige par ici, il arrivera de votre côté.

Elle l'ignora.

— Dites-moi juste quand tirer. On l'obligera à rester tapi jusqu'à ce qu'on l'ait doublé.

Son plan semblait excellent en théorie, et elle l'avait annoncé avec aplomb, mais seulement parce qu'elle ne croyait pas que Monk ait pu les rejoindre si vite.

Elle se trompait. Ce fut même elle qui l'aperçut la première.

— Planquez-vous ! cria John Paul.

Avery réagit en ôtant le cran de sûreté de son revolver,

puis en s'appuyant contre sa portière afin de caler le canon contre le rétroviseur. Le dos courbé, elle attendit.

— Maintenant ! jeta John Paul lorsque Monk épaula son fusil.

Tous deux firent feu en même temps. Le tueur s'aplatit, roula sur lui-même et essaya de se remettre en position. Il en fut empêché par les tirs persistants d'Avery lorsque le 4 × 4 le dépassa en trombe.

La route s'incurva soudain et commença à s'élever dans la montagne. Un sentier s'en écartait, qui les aurait conduits plus bas et vers le sud, mais John Paul savait qu'ils roulaient trop vite pour négocier un virage aussi serré.

— Je n'ai plus de munitions, la prévint-il.

Avery se tourna vers lui à ces mots. Il plaqua aussitôt une main sur sa nuque pour l'amener à se pencher en avant.

— À terre ! lui ordonna-t-il au moment où la vitre arrière volait en éclats.

Ils montaient encore et avaient atteint un nouveau virage en épingle à cheveux quand une balle creva leur pneu arrière gauche.

Le 4 × 4 effectua un tête-à-queue et quitta la route pour s'enfoncer dans les broussailles, manquant de peu s'encastrer dans un arbre. Il s'immobilisa enfin contre un rocher.

— Sortez !

Avery n'avait pas la moindre idée de l'endroit où ils étaient. Ils gravissaient encore une pente, c'était tout. Elle grimpa, grimpa, puis s'arrêta net.

— Non !

— Bon Dieu ! grommela John Paul à côté d'elle.

Elle eut envie de pleurer à la vue des rapides qu'ils surplombaient. Non. Ils n'allaient pas remettre ça, tout de même !

— Je ne recommencerai pas, déclara-t-elle. J'en suis incapable. Vous ne pouvez pas m'y forcer.

Il parut sincèrement désolé en l'attrapant.

— Oh que si !

25

Pittoresque... mon œil. Elle hurlerait si jamais elle avait le malheur de croiser encore un torrent. Pour l'heure, le moins que l'on pût dire était qu'elle ne se sentait pas très bien disposée à l'égard de la nature environnante. Elle détestait jusqu'aux pins eux-mêmes. Et John Paul non plus ne lui inspirait pas une affection débordante. Ne l'avait-il pas balancée du haut d'une falaise comme un vulgaire papier d'emballage ?

Sa mauvaise humeur empira quand elle s'entailla la jambe sur une arête rocheuse. S'ils s'étaient trouvés dans l'océan, le sang qui s'échappait de sa blessure aurait sonné l'heure du repas pour les requins du coin. Elle devait donc s'estimer heureuse qu'il n'y en ait pas dans les parages. John Paul parvint enfin à la hisser sur la rive et la porta à moitié jusque sous les arbres. Avery atterrit comme une masse sur les fesses lorsqu'il la lâcha.

— Ce n'était pas si terrible, hein ? fit-il en s'affalant à côté d'elle.

Épuisée, elle fut incapable de répondre à cette question absurde. Elle eut seulement la force de rejeter ses cheveux en arrière, et le fixa d'un air mauvais.

— Ce n'était pas grand-chose par rapport à la dernière fois, ajouta-t-il. On n'a pas dû sauter de plus de six mètres de haut.

— Vous m'avez précipitée dans le vide du haut d'une falaise !

En réalité, pas exactement. Pour autant qu'il s'en souvînt, John Paul l'avait poussée le plus loin possible afin qu'elle ne se fracasse pas le crâne contre les rochers qui pointaient en contrebas. Il jugea toutefois préférable de ne pas mentionner ce détail tout de suite.

— Parce que j'avais le choix, selon vous ?

Avery n'était pas prête à reconnaître que non. Leurs armes ne leur auraient servi à rien contre un fusil longue-portée, et Monk était à leurs trousses.

— Je n'ai pas envie d'en discuter.

— Qui parlait de verre à moitié vide, mon chou ? la railla-t-il. Qu'avez-vous fait de votre optimisme ?

— Il a coulé au fond du torrent.

John Paul se leva.

— Allez, ne traînons pas là.

Elle douta d'avoir assez d'énergie pour tenir sur ses jambes tant elle était épuisée et transie. Du nerf, se répéta-t-elle une énième fois.

— D'accord.

Elle accepta la main qu'il lui tendait, mais il la redressa avec tant de force qu'elle s'écrasa contre lui. John Paul l'entoura de son bras, le temps pour lui de décider vers où aller.

— Vous n'êtes pas fatigué ?

— Si.

— Il renoncera peut-être.

— Non, n'y comptez pas. C'est un professionnel. Il s'est engagé à remplir un contrat et il n'aura pas de répit tant…

— Qu'il n'aura pas réussi ?

— Ou tant que je ne l'aurai pas liquidé.

— Je vote pour la seconde solution.

Des rires d'enfants percèrent soudain le silence, et elle s'écarta de lui.

— J'espère qu'ils ont un téléphone.

— On ne captera rien ici.

Sa remarque égaya Avery malgré elle.

— Revoilà ce pessimisme que j'aime tant. Vous m'avez

inquiétée, John Paul. Pendant une minute, vous m'avez paru…

— Quoi ?

— Joyeux.

— Certainement pas ! s'indigna-t-il comme si elle l'avait insulté.

En proie à une hilarité que seules l'euphorie ou l'hystérie pouvaient expliquer, elle s'élança vers l'endroit d'où provenait le bruit et découvrit cinq membres d'une même famille occupés à planter leurs tentes près d'un petit ruisseau.

Après un bref conciliabule, tous s'engouffrèrent dans le minivan du père, lequel prit la direction d'une ville qu'il se rappelait avoir traversée en chemin.

Une demi-heure plus tard, ils atteignirent Emerson, petite bourgade endormie dont le centre se résumait à quatre rues. L'homme déposa Avery et John Paul devant un bâtiment de pierre et s'éloigna à vive allure sitôt qu'ils eurent refermé la portière coulissante du véhicule.

— Je crois que vous lui avez fait peur, s'amusa la jeune femme.

— Plus il mettra de distance entre sa famille et nous, plus ils se sentiront en sécurité.

Emerson possédait son propre poste de police, ce qui était surprenant, vu la taille de la ville. Le bâtiment, qui abritait également la brigade des sapeurs-pompiers et un fast-food, comportait trois entrées surmontées chacune d'un panneau. Celle du milieu ouvrait sur un large vestibule flanqué de chaque côté de portes battantes, dont l'une donnait accès au restaurant et l'autre à la brigade. Le poste de police, quant à lui, se trouvait juste en face d'eux.

Loin d'aiguiser l'appétit d'Avery, l'odeur des hamburgers, des oignons et des frites qui flottait dans l'air lui donna la nausée. Le manque de nourriture, leur course folle, le froid et la terreur avaient eu raison d'elle. Elle était exténuée. Marcher jusqu'au bout du hall s'apparenta tout à coup à un défi plus difficile à relever que celui de survivre au torrent. Ses pieds lui semblaient peser une tonne, et il lui fallut faire appel à toute sa volonté pour avancer.

John Paul comprit à sa mine qu'elle n'en pouvait plus. Elle se décomposait littéralement.

— Ça va ? lui demanda-t-il en la soutenant.

— J'ai l'impression de me rigidifier. Je ne suis pas morte, n'est-ce pas ?

— Non, vous respirez encore, sourit-il.

Par la vitre du poste de police, il vit le responsable local assis à son bureau devant une pile de documents. D'âge moyen, vêtu d'un pantalon marine et d'une chemise blanche sur laquelle avait été brodé son nom, Tyler, l'homme levait les yeux toutes les deux ou trois secondes vers un téléviseur accroché au mur, en hauteur. Puis il fronça les sourcils en s'emparant d'un papier parmi ceux qu'il avait à traiter.

Une femme aux cheveux blancs, qui devait approcher les soixante-dix ans, se tenait à l'accueil, le dos tourné à la porte. Elle paraissait captivée par le programme à l'antenne.

— Je t'avais pas dit que ça finirait mal ? l'entendit déclarer John Paul lorsqu'il poussa la porte. Je te l'avais pas dit, Bud ?

— Si, Verna. Si.

— Et je t'avais pas dit qu'il l'aurait bien cherché ? Arracher tous ces arbres et défigurer la montagne juste pour se construire un palais. À croire que mère Nature a voulu se venger, hein ?

— Oui, fit distraitement l'officier en continuant à étudier la feuille dans sa main.

— À mon avis, c'est rien qu'un salaud. J'ai de la peine pour sa femme.

— Son ex-femme, plutôt.

— Oui. Il l'a quittée pour la remplacer par une jolie minette plus jeune qu'elle. C'est honteux ! La pauvre. Il l'a habituée à mener la grande vie et maintenant il la prive de tout.

Son propos exaspéra Tyler, qui lâcha son papier.

— « La pauvre » ? Non mais tu as déjà oublié l'interview qu'elle a donnée le mois dernier ? Ils ont dû couvrir un mot sur deux avec un bip. Moi, j'estime que ce gars a été cinglé de se marier avec elle.

— Mais avec quoi elle vivra maintenant ?

— Elle n'a qu'à travailler, comme tout le monde. Personne ne l'a forcée à signer son contrat de mariage.

John Paul et Avery, qui avaient surpris cette conversation depuis le pas de la porte, entrèrent au moment où Verna exprimait son indignation. Tyler s'aperçut de leur présence et marqua un temps d'arrêt avant de se lever d'un bond.

— Que vous est-il arrivé ?

— C'est une longue histoire.

— Ma foi, j'ai tout mon temps.

Avery fit un pas vers l'accueil.

— Je m'appelle Avery Delaney.

— Vous êtes trempée ! s'exclama Verna en ouvrant de grands yeux. D'où sortez-vous comme ça ? Vous êtes bonne à essorer !

Avery ne savait par où commencer. Voyant John Paul échanger une poignée de main avec le policier et s'asseoir sur une chaise à son invitation, elle décida de le laisser tout expliquer.

— Je peux me servir de votre téléphone ? s'enquit-elle auprès de Verna. Il faut que je contacte le FBI.

Les yeux de la vieille dame semblèrent cette fois jaillir de leurs orbites.

— Bud ? La demoiselle veut téléphoner au FBI !

— OK, répliqua l'officier.

Accoudé à son bureau, il écoutait avec attention ce que lui racontait John Paul.

Verna tendit à Avery un vieil appareil noir.

— Il y a des douches au premier, au-dessus de la brigade des pompiers, et des lits de camp tout propres. Je vais vous chercher une paire de couvertures pendant que vous passez votre coup de fil. Vous claquez des dents.

Vous allez souffrir d'hypothermie si on ne vous réchauffe pas vite.

— Merci, c'est très gentil.

Avery décrocha le combiné, puis le reposa. Épuisée, elle ne se souvenait plus du numéro du bagne. Elle ferma les yeux. Était-ce 3-9-1 ou 9-3-1 ?

Peut-être pouvait-elle joindre Carter. Quelle était sa ligne directe ? C'est alors qu'elle entendit John Paul demander à Tyler s'il connaissait une propriété surnommée la Terre entre les Lacs.

— Tout le Colorado la connaît !

— C'est loin d'ici ?

— Assez. Et avec tous les curieux qui traînent dans les parages, vous n'arriverez pas à vous en approcher. Sans compter que la police a dû boucler le périmètre à cette heure-ci. Le meilleur moyen de la voir est encore la télévision.

Perplexe, John Paul jeta un œil à l'écran.

9-3-1. C'était ça. Avery décrocha de nouveau le téléphone. Juste au moment où elle portait le combiné à son oreille, son regard fut attiré par le poste. Elle se figea sur-le-champ.

Le présentateur d'un journal local annonçait que la chaîne avait reçu quelques images du désastre, filmé par un randonneur avec son Camescope à la sortie d'Aspen. « La décision du juge selon laquelle la propriété de la maison était accordée à Dennis Parnell a été rendue publique à huit heures et quart ce matin. Pour ceux d'entre vous qui viennent juste de nous rejoindre, sachez que, plus tard dans la matinée, la propriété de M. Parnell baptisée la Terre entre les Lacs a été détruite par une explosion. »

Le téléphone glissa des mains d'Avery, qui s'écroula par terre.

26

Le choc la pétrifia. Carrie était morte. Carrie, qui lui avait toujours voué un amour inconditionnel, quelle que fût l'exaspération qu'engendrât en elle ses choix de carrière.

Elle l'avait laissée tomber. Carrie serait restée en vie si Avery s'était montrée plus rapide ou plus futée. Elle avait perdu tellement de temps à courir d'un point à un autre… et tout ça à cause d'une folle qui, par ses mensonges, lui avait fait croire qu'elle pouvait sauver sa tante. Elle aurait dû trouver un moyen de la délivrer, elle et les deux autres femmes. Mais il était trop tard à présent.

John Paul la serra dans ses bras pendant qu'elle lui répétait que tout était sa faute.

Verna lui fit chauffer de la soupe et la força à en avaler un peu avant de la conduire à l'étage. Elle l'attendit devant la porte de la salle de bains, le temps qu'Avery prenne sa douche. « La pauvre petite », murmura-t-elle plusieurs fois au bruit de ses sanglots.

Elle lui donna ensuite l'un des T-shirts gris de Tyler, rassembla ses habits pour les laver puis, en vraie mère poule, l'installa sur l'un des lits de camp et s'agenouilla avec sa trousse de premiers secours. Elle nettoya l'entaille de sa jambe et lui fit un pansement.

Après quoi, elle la borda. Avery s'endormit sur-le-champ.

John Paul l'attendait au pied de l'escalier.

— Comment va-t-elle ?

— Elle dort, et c'est ce qu'elle a de mieux à faire pour le moment. Elle est vidée.

Il l'approuva d'un signe de tête et retourna dans le bureau de Tyler. Celui-ci vérifiait son identité par téléphone. Sitôt assuré de celle-ci, son attitude devint plus amicale.

— La cavalerie est en route, l'informa-t-il. Je me doute que vous êtes affamé, alors j'ai appelé le restaurant. L'un des employés va vous apporter de quoi manger.

— Merci.

— Je me suis renseigné sur vous, ajouta Tyler. Vous êtes un ancien marine.

— Oui.

— Moi, j'ai servi dans l'armée de terre. J'ai été formé à West Point, et à la sortie on m'a envoyé quelque temps en Allemagne. Mon meilleur ami était un marine. Il est mort l'année dernière et, croyez-moi, il me manque. C'était quelqu'un de bien.

John Paul l'écoutait en s'interrogeant sur la raison de ces confidences.

— Il paraît que vous maniez bien le pistolet, enchaîna le policier. Il risque d'y avoir du grabuge ici à votre avis ? Nous serons seuls jusqu'à la venue du FBI.

— Si Monk sait où nous sommes, il essaiera peut-être d'en finir avec nous. Mais je pense plutôt qu'il a perdu notre trace et qu'il est allé se terrer quelque part pour revoir ses plans. C'est ce que je ferais à sa place.

— On ne peut pas prendre de risques, objecta Tyler en se dirigeant vers un meuble de rangement, à l'autre bout de la pièce, dont il déverrouilla le cadenas.

John Paul sourit à la vue de l'arsenal dissimulé à l'intérieur.

— Vous êtes paré contre toutes les éventualités, à ce que je vois.

— J'ai parfois des ours grincheux à chasser.

— Et vous les chassez avec un M1911 ?

— Non, ça, c'est un souvenir de mon passage dans

l'armée. Faites votre choix. (Puis il s'adressa à son assistante.) Verna, rentre chez toi retrouver ta fille et reste là-bas jusqu'à ce qu'on ait réglé ce problème.

— Je n'ai pas envie de laisser cette pauvre petite toute seule là-haut. Elle a besoin de réconfort. J'ai peur qu'elle accuse le choc.

— Elle est plus forte qu'elle n'en a l'air, la rassura John Paul. Je me charge de la réconf... de veiller sur elle.

Ouf, il s'était repris à temps. Il ignorait comment consoler Avery, mais ce qui était sûr, c'est qu'il ne voulait pas qu'elle pleure dans les bras d'un autre que lui. Il n'y comprenait rien. Elle le troublait, semait la pagaille dans son esprit, faisait naître en lui toutes sortes d'idées insensées. Comment et pourquoi était-elle devenue si importante à ses yeux ? Il savait juste que quelque chose le poussait à la défendre à tout prix.

Protéger et servir son prochain. S'il continuait à ce rythme-là, il rentrerait bientôt dans le droit chemin. Cette éventualité lui donna la chair de poule.

Tyler interrompit le fil de ses méditations :

— Les portes sont solides et équipées de deux verrous. Celle du fond comporte un panneau vitré, mais j'ai installé une alarme à cet endroit à cause de ma collection d'armes. La ville entière l'entendra si quelqu'un essaie de s'introduire ici.

John Paul vérifia toutes les issues. Un quart d'heure plus tard, satisfait, il dîna, prit une douche et enfila les vêtements prêtés par l'officier. Verna guetta sa sortie de la salle de bains pour récupérer ses affaires mouillées dans un sac en plastique.

— Mon beau-fils vous les rapportera avec les habits d'Avery dès qu'ils auront été lavés et repassés, lui dit-elle. Prenez soin d'elle, d'accord ?

— C'est promis.

La vieille femme partit quelques minutes plus tard.

Tyler lui ayant certifié qu'il pouvait monter la garde seul pendant que lui se reposait, John Paul ne discuta pas et gagna le dortoir à pas de loup. Quatre lits de camp avec des draps propres s'alignaient contre un mur. Tyler lui avait expliqué que, lors de la construction du bâtiment, la ville avait espéré avoir une brigade de professionnels présents à temps plein. Emerson ne s'était cependant pas développée selon les prévisions des urbanistes, et comme le budget municipal ne permettait pas de salarier des pompiers, le système du volontariat avait prévalu.

John Paul s'assit sur un lit à côté d'Avery. Elle dormait sur le dos. Avec son visage fraîchement débarbouillé et ses cheveux encore humides, elle ressemblait à un ange – un ange au caractère bien trempé si l'on en jugeait par sa manie de vouloir le commander. Mais il aimait sa façon de s'opposer à lui et de faire valoir ses opinions. Il aimait aussi sa philosophie de la vie. Elle portait sur le monde le même regard que lui à l'époque où il était naïf.

La fatigue le faisait divaguer. Il plierait bagage à l'arrivée du FBI, un point c'est tout. Avery ne jurait que par le travail d'équipe, alors autant laisser ses collègues s'occuper d'elle.

— Merde, marmonna-t-il en se couchant.

Tyler vint le réveiller deux heures plus tard. John Paul, qui avait entendu son pas dans l'escalier, avait déjà dégainé son revolver lorsqu'il ouvrit la porte.

L'officier attendit qu'il abaisse son arme avant d'entrer.

— On a de la compagnie, lui murmura-t-il. Le FBI est là et leur responsable veut vous voir.

Avery dormait encore, une jambe pendant sur le côté du lit. Il remarqua un bandage taché de sang autour de sa cheville. Quand s'était-elle blessée ? se demanda-t-il en glissant doucement son pied sous le drap. Et pourquoi ne lui avait-elle rien dit ?

Il connaissait la réponse à cette question. Jamais elle ne se serait abaissée à se plaindre.

Réprimant une envie de l'embrasser, il se réfugia dans la salle de bains afin de s'asperger d'eau froide.

La perspective d'un entretien avec les fédéraux le rendit

soudain furieux. Si leur chef ne différait pas de tant d'autres dont il avait gardé le souvenir, il aurait pour interlocuteur un crétin arrogant, têtu et décidé à n'en faire qu'à sa tête.

Le temps de se sécher le visage et les mains, il était prêt à livrer bataille. Il espérait même avoir effectivement affaire à un imbécile tant il se sentait d'humeur à étriller quelqu'un.

Malheureusement, l'agent Knolte n'avait rien d'un crétin arrogant. Intelligent, enthousiaste et sincère, il semblait maîtriser son sujet dès lors qu'on parlait stratégie. De plus, il avait bien étudié le dossier Monk et en savait presque aussi long sur lui que John Paul.

Deux problèmes se posaient, cependant. Tout d'abord, l'homme avait l'air d'un gamin de douze ans. Avec un épi dans les cheveux et un appareil dentaire, pas moins. À quoi jouaient les responsables du Bureau ? À recruter des collégiens ? Le second problème était monumental. L'agent Knolte n'officiait que dans le respect des lois.

— Monsieur Renard, c'est un honneur de vous rencontrer, déclara-t-il en lui tendant la main, pendant que quatre autres agents se pressaient autour d'eux. Nous avons tous eu des échos de la libération des otages en Amérique du Sud, et je tenais à vous assurer que je considère comme un privilège de collaborer avec vous.

John Paul le fixa droit dans les yeux.

— Je ne suis jamais allé en Amérique du Sud.

— Mais j'ai discuté avec…

— Je n'y suis jamais allé.

— Bien, monsieur, se hâta d'acquiescer Knolte. Si vous le dites.

Un autre agent intervint :

— Il paraît que l'Agence se réjouit de vous voir reprendre le travail après un si long congé.

— Je ne suis pas en congé, rectifia John Paul sans daigner le regarder. J'ai quitté l'Agence et je n'ai pas l'intention d'y revenir. Quel âge avez-vous, Knolte ?

— Je suis plus vieux qu'il n'y paraît, répliqua celui-ci sans se laisser désarçonner. Mais permettez que je vous présente mon équipe.

John Paul se retrouva soudain entouré d'agents impatients de lui serrer la main – et, de ce fait, au centre d'une pénible attention. Tyler observait la scène depuis le couloir. Lorsque leurs yeux se croisèrent, l'officier secoua la tête et bougonna quelque chose au sujet d'un fichu fan-club.

— Nous devrons interroger Mlle Delaney, l'avertit l'agent dénommé Brock.

— Pas avant qu'elle se soit reposée. Commencez par moi.

L'entretien dura une heure, et fut interrompu par les incessantes informations de dernière minute transmises à Knolte au sujet de l'explosion. John Paul apprit que des équipes cynophiles s'employaient à rechercher les corps. Pour l'instant, on en avait extrait deux des décombres, et les restes d'un véhicule garé près du site avaient permis d'identifier l'une des victimes : l'ancienne épouse du propriétaire, Dennis Parnell.

L'attente de nouvelles concernant les deux autres femmes se prolongea, lugubre et pesante. Puis Knolte reçut un nouvel appel.

— Voilà qui va vous intéresser, fit-il en passant le combiné à John Paul.

Une minute plus tard, celui-ci montait les marches quatre à quatre. Knolte aurait juré que, le temps d'un éclair, cet homme si grincheux avait souri.

La porte claqua contre le mur lorsque John Paul s'engouffra dans le dortoir, mais le bruit ne suffit pas à troubler le sommeil d'Avery.

Il la secoua.

— Ouvrez les yeux, mon chou. Allez ! Réveillez-vous !

Elle fut lente à réagir. Désorientée, comme droguée, elle finit par lui obéir et s'assit tant bien que mal.

— Il faut qu'on parte ?

— Carrie est vivante.

Elle cligna plusieurs fois des yeux, incrédule, en tentant de donner un sens à ses paroles.

— Vivante ? Comment pourrait-elle l'être ? La maison...

— Elle s'en est échappée avant l'explosion. J'ignore comment elle s'est débrouillée, mais elle va bien.

Avery éclata en sanglots. John Paul s'assit à côté d'elle, l'attira sur ses genoux et la berça jusqu'à ce qu'elle eût pleuré toutes les larmes de son corps.

— Les trois s'en sont sorties ? s'enquit-elle une fois calmée. Où est Carrie ? Ils ont prévenu Tony ? Le pauvre doit être dans tous ses états. D'abord on lui annonce qu'elle est morte, et ensuite qu'elle est en vie. J'espère qu'il a le cœur solide...

— Carrie a été transportée dans un hôpital à Aspen, l'interrompit John Paul.

— À l'hôpital ? bondit-elle. Pourquoi ? Vous m'avez dit qu'elle allait bien.

— C'est vrai. Mais l'autre femme, la juge, est blessée. Elle s'est ouvert le genou quand elles ont chuté dans un ravin. Carrie, elle, s'est tordu la cheville et cassé le bras. Mais malgré cela, elles ont réussi à se dissimuler sous des branches mortes. C'est l'un des chiens de la police qui les a retrouvées. Elles ont été emmenées à l'hôpital et la juge est en salle d'opération en ce moment.

— Mais... et l'autre ? La troisième ? Elles étaient bien trois, non ?

— Anne Trapp. Elle est restée dans la maison.

— Pourquoi ?

— Aucune idée. Vous devrez le demander à Carrie, à moins que le FBI ne connaisse déjà la raison.

Elle se leva et buta contre ses sacs de voyage.

— Comment sont-ils arrivés ici ?

— Tyler a contacté un de ses amis, qui m'a ramené ma voiture.

Avery était si soulagée, si débordante de joie, qu'elle en avait le vertige. Elle aurait voulu rire et pleurer à la fois, et aussi embrasser John Paul. De ça elle mourait d'envie, et de plus encore. Qu'est-ce qui ne tournait pas rond chez elle ? Peut-être ses endorphines. Oui, sûrement.

Elle se ressaisit. Priorité à Carrie, désormais, songea-t-elle. Et à Tony.

— Mon oncle est au courant ?

— Oui. C'est un homme heureux à cette heure-ci, mais effrayé, aussi. Il a l'intention de sauter dans le premier avion pour Aspen.

Elle approuva cette décision et se pencha sur son sac marin.

— Qui est en bas ?

— Des agents du FBI. Ils sont cinq, tous pendus à leur téléphone. Tyler n'apprécie guère de les voir investir son poste de police. C'est un type bien, lui, ajouta-t-il. Il ne porte pas le Bureau dans son cœur.

— Vos préjugés sont puérils, John Paul, s'exaspéra-t-elle en extirpant un pantalon de treillis de son sac. Je ferais mieux de les rejoindre pour savoir ce qu'ils ont découvert. Des nouvelles de Monk ?

— Aucune, répliqua-t-il en fixant ses jambes, dont il remarqua pour la première fois la longueur et le galbe.

— Vous ne comptez pas descendre dans cette tenue, tout de même ?

— Quel est le problème ? Je vais m'habiller, évidemment. Et depuis quand vous vous souciez de quoi j'ai l'air ?

— Je m'en fiche, grogna-t-il. Mais votre T-shirt est si élimé qu'on voit à travers.

Avery baissa les yeux et, mortifiée, poussa un cri d'exclamation. Elle attrapa le drap afin de s'en envelopper.

— Vous ne pouviez pas le dire plus tôt ? lui reprocha-t-elle, rougissante.

— Pourquoi aurais-je fait une chose pareille ? rétorqua-t-il avec un sourire lubrique.

Elle préféra détourner la conversation.

— Il faut que j'aille retrouver Carrie. Elle doit être hystérique après ce qu'elle a vécu.

— Mauvaise idée, affirma John Paul, avec sérieux cette fois. Asseyez-vous, Avery. J'ai à vous parler.

Elle comprit à sa voix qu'il ne plaisantait pas.

— Une mauvaise idée ?

— Oui. Téléphonez-lui si vous avez besoin d'une preuve qu'elle va bien, mais ne la rejoignez pas.

— Pourquoi ?

— Parce que c'est justement ce que veut le FBI. L'agent qui dirige les opérations à Aspen a ordonné à Knolte...

— Qui est Knolte ?

— Le gosse à la tête de la bande de clowns, en bas. Il m'a expliqué leur plan : vous placer ensemble sous protection rapprochée, Carrie, la juge et vous, jusqu'à ce qu'ils aient arrêté Monk. Grossière erreur, à mon avis.

— John Paul, ce sont des professionnels.

— Ah oui ? Eh bien Monk aussi, figurez-vous. Vous réunir sous le même toit reviendrait à lui faciliter la tâche.

Avery ne souffla mot. Elle était d'accord avec lui, mais, en l'admettant, elle trahirait le FBI.

Elle se levait quand John Paul posa les mains sur ses épaules.

— Qu'y a-t-il ?

— Je vous soutiens pour que vous ne vous blessiez pas à la tête si jamais vous vous évanouissez.

— Écoutez... Quand je me suis écroulée... c'était la première fois que ça m'arrivait. Je ne suis pas une petite nature. Je manquais de sommeil, j'étais stressée... très stressée, même. Mais je ne tomberai plus dans les pommes. Lâchez-moi, maintenant. J'aimerais échanger deux mots avec l'agent Knolte.

— Dans une minute, lui promit-il, avant de resserrer son étreinte. Il y a autre chose...

— Oui ?

John Paul chercha ses mots.

— La nouvelle va être dure à encaisser...

— Je tiendrai bon. De quoi s'agit-il ? (Elle se décrispa, puis s'excusa :) Désolée, je ne voulais pas être si sèche.

— Carrie connaît la femme qui est avec Monk.

— Vraiment ?

— Oui. (Il prit une inspiration.) Et vous aussi.

— Ça suffit, John Paul. Arrêtez de tourner autour du pot.

— Jilly. Carrie a dit qu'elle s'appelait Jilly.

La réaction d'Avery stupéfia John Paul. Elle ne s'évanouit pas ; elle ne pleura pas ; elle ne mit pas sa parole en doute et ne se retrancha pas non plus dans un déni de la réalité.

Elle rugit.

27

— Un revolver, John Paul ! Je veux un revolver ! Et un gros ! tonna-t-elle en arpentant la pièce avec la mine d'un ange exterminateur.

Elle se planta devant lui et lui martela la poitrine de son doigt tendu en même temps qu'elle réitérait sa demande.

À l'entrée du dortoir, l'officier Tyler se dandinait en attendant que l'un d'eux s'aperçoive de sa présence.

— Elle sera morte pour de bon quand j'en aurai terminé avec elle, gronda Avery. Je veux un revolver !

Le policier ne put s'empêcher de la raisonner.

— Mademoiselle Delaney, voyons, mesurez mieux vos propos ! Et si quelqu'un tuait votre mère ? Avec les menaces que vous venez de proférer, vous imaginez bien que la police vous suspectera tout de suite. Je comprends que vous soyez à bout, mais...

Elle fit volte-face.

— Jilly n'est pas ma mère ! C'est la femme qui m'a donné naissance, mais elle n'a jamais été et ne sera jamais ma mère. J'ai été claire ?

Tyler se hâta d'opiner du chef. Avery était déchaînée, et le changement opéré en elle le déstabilisait. La douce jeune femme emplie de gratitude s'était transformée en furie.

Il quêta un appui auprès de John Paul.

— Ce ne peut pas être la personne que j'ai rencontrée tout à l'heure. Elle n'aurait pas une jumelle par hasard ?

— Non. Elle a du caractère, c'est tout.

Quel euphémisme ! se retint de commenter Tyler.
— Vous ne voulez pas essayer de la calmer ? On ne peut pas la laisser partir d'ici avec l'intention d'éliminer sa mè... (Il se corrigea à temps et s'adressa à Avery.) Si elle n'est pas votre mère...
— Elle ne l'est pas.
— Alors comment dois-je l'appeler ?
— Une folle, jeta-t-elle sans hésiter. Une sociopathe, une psychopathe. À vous de choisir. Mais surtout pas ma mère.
— Bien, mademoiselle.
Radoucie, Avery serra le drap contre son cou, attrapa son sac marin et se dirigea vers la salle de bains, la tête haute.
— John Paul ?
— Oui ?
— Trouvez-moi un revolver.
Et elle claqua la porte avant qu'il ait pu répondre.
— Qu'allez-vous faire ? l'interrogea Tyler en se grattant la joue.
— Ma foi... lui trouver un revolver, répliqua John Paul.
Le policier s'avança dans la pièce.
— Vous laisserez ces agents l'emmener à Aspen ? Vous les avez entendus, en bas. Ils prévoient de la garder dans un endroit sûr avec sa tante et la juge jusqu'à ce qu'ils aient coincé le type chargé de les éliminer.
— Oui, c'est ce que j'ai compris.
— À mon sens, ils mettent tous leurs œufs dans le même panier. Question de budget, sûrement. Les réunir monopolise moins d'hommes. Mais ce tueur à gages... quel est son nom, déjà ?
— Monk.
— S'il est doué, il les débusquera. Il lui suffira de surveiller l'hôpital et de suivre la juge à sa sortie. C'est ce que je ferais en tout cas.
— Moi aussi.
— Et vous ne savez pas tout ! Vous avez raté la fin parce que vous avez filé prévenir Avery que sa tante était

vivante, mais il y a aussi un procès important qui se prépare.

— Vraiment ?

Tyler baissa la voix et se rapprocha de John Paul, bien que leur conversation fût couverte par le bruit du sèche-cheveux dont se servait Avery dans la salle de bains.

— Un certain Skarrett est sur le point d'être rejugé. Vous connaissez ce type ?

— Oui, fit John Paul, soudain nerveux. Il a obtenu un nouveau procès ? Quand aura-t-il lieu ?

— Dans trois semaines. Knolte a discuté au téléphone avec son chef. Quand il a raccroché et qu'il a vu que j'étais là, il n'a plus dit un mot. J'ai prétendu aller prendre des nouvelles d'Avery. (Il sourit.) Bien sûr, je ne suis pas monté tout de suite. J'ai fait un peu de bruit sur les premières marches, et puis je suis redescendu en douce pour écouter ce qu'il racontait aux autres. (Tyler jeta un œil vers la salle de bains avant de continuer.) S'il n'ont pas pincé Monk avant le procès, ils n'autoriseront pas Avery et sa tante à témoigner. D'après ce que j'ai saisi, ça ne déplairait pas au chef de Knolte que Skarrett soit libéré.

— Vous êtes sérieux ?

— Oh oui !

— Pourquoi voudrait-il… ?

— Ils espèrent que Skarrett les mènera à un gros magot qu'il a planqué. Il semble que le gars ait dévalisé une bijouterie et emporté pour plusieurs millions de dollars en pierres non taillées. Ils aimeraient bien les récupérer.

— Ils projettent donc de faciliter sa sortie de prison ?

— Avery est un témoin clé, lui fit remarquer Tyler. Et si elle n'est pas présente au procès…

Il n'acheva pas sa phrase. John Paul fut atterré par les conséquences possibles – et même inévitables – d'un tel plan.

— Ils foncent droit dans le mur, ironisa-t-il.

— Je suis bien d'accord. Vous allez avertir Avery ? Une

fois qu'ils l'auront enfermée à l'abri, elle ne pourra plus mettre un pied dehors.

— Je laisse ce soin à Knolte. Avery bosse pour le FBI et croit dur comme fer au travail d'équipe.

— Une idéaliste, en somme ?

— J'en ai peur.

— Quel dommage. Et vous ? Que comptez-vous faire ?

— Lever le camp. Je n'ai aucune raison de m'attarder dans le coin.

— Vous pensez que Monk a battu en retraite ?

— Oui, mais pas pour longtemps. Il s'est engagé à supprimer la juge et Carrie, et quand il apprendra qu'elles sont toujours en vie, il frappera encore. Il n'a pas le choix, sa réputation est en jeu. Et il ne baissera pas non plus les bras en ce qui concerne Avery.

— Vous ne craignez pas de la confier aux fédéraux ? lui demanda Tyler, comme s'il avait lu dans ses pensées. Elle s'en tirera, selon vous ?

— Avery est une fille forte et intelligente. Elle sait se défendre.

Le policier parut déçu par son attitude.

— Si vous estimez que c'est la bonne décision, libre à vous, mais au cas où il vous viendrait l'envie d'agir de votre côté, je possède une jolie petite cabane dans les montagnes. Les placards de la cuisine sont pleins. Il ne manque que des produits frais comme du lait et des œufs pour que vous y soyez à votre aise. Le détour n'est pas bien grand quand on va vers Denver. Ce serait l'endroit idéal pour vous dissimuler, Avery et vous, en attendant de déterminer ce que vous voulez faire… au sujet du procès et du reste…

John Paul tenta de l'interrompre, mais Tyler enchaîna vivement.

— Il y a aussi une grange qui me sert de garage. Je vais vous indiquer les directions à prendre et vous expliquer où je cache la clé… si jamais vous changez d'avis. Réfléchissez-y et tenez-moi au courant avant de partir. Je descends vous noter tout ça.

Sur ce, il sortit du dortoir. John Paul ne bougea pas. Durant plusieurs minutes, indécis, il envisagea la situation sous tous les angles, puis ramassa ses affaires en jurant et les porta dans sa voiture. L'assistante de Tyler avait déposé leurs habits propres sur la dernière marche. Il fourra les siens dans son sac, remonta vivement placer ceux d'Avery sur l'un des lits et quitta le poste de police.

L'ami de Tyler avait garé son 4 × 4 dans l'allée à l'arrière du bâtiment, juste sous les fenêtres du dortoir. Il jeta ses sacs à l'intérieur, puis songea qu'il devait dire au revoir à Avery. Il ne pouvait pas s'esquiver comme ça, non ? Il convenait au moins de la saluer et de lui souhaiter bonne chance.

Si elle me demande de rester, j'accepte, résolut-il. Dans le cas contraire, bye-bye la compagnie. Elle n'a pas besoin de moi, mais…

Il entra dans le dortoir et s'arrêta net à la vue d'Avery qui patientait près de la fenêtre, les bras croisés.

— Pourquoi vous me regardez avec cet air-là ? grogna-t-il.

— Je vous ai vu mettre vos affaires dans la voiture. Vous partez ? (Elle fit un pas vers lui, mais s'immobilisa lorsqu'il se raidit.) J'aimerais une réponse.

— Vous voulez que je reste ?

— Vous voulez rester ?

— Venez-en au fait. Je ne suis pas d'humeur à plaisanter, Avery. (Avant qu'elle ait pu répliquer, il fixa son visage avec perplexité.) Qu'est-ce que vous avez fait ?

— Quoi, qu'y a-t-il ?

— Rien. C'est juste que vous semblez… différente.

— Je me suis lavée et un peu maquillée, c'est tout.

— Maquillée ? Pourquoi ? Vous vous pomponnez pour vos petits camarades du FBI ?

Il est vraiment de mauvais poil, constata-t-elle.

— Quel est votre problème ?

Il garda le silence, faute de pouvoir exprimer ce qui se passait dans son esprit et ce qu'il ressentait. Faute aussi d'avoir une raison qui justifiât cette envie de se battre qui le démangeait. Il se savait juste furieux contre elle et contre lui-même parce que jamais aucune femme n'avait jusque-là réussi l'exploit de lui nouer l'estomac. Et le pire était qu'il n'avait même pas lutté.

Et maintenant, que visait-elle ? Son cœur ? Et puis quoi encore ?

— Vous avez vu l'agent Knolte ?

— Non. Je vous attendais. Vous alliez vous éclipser sans me dire au revoir ?

Le goujat. Non, elle ne pleurerait pas. Inspirant à fond pour ne pas flancher ni trahir sa colère, elle s'avança vers lui et lui tendit la main.

— Merci pour tout.

— Avery... si..., commença-t-il en ignorant son geste.

— Tyler vous cherchait tout à l'heure, le coupa-t-elle. Ç'avait l'air important.

— Je lui ai parlé il n'y a pas cinq minutes.

— Il avait peut-être oublié quelque chose. Vous le trouverez au restaurant.

— OK, j'y vais.

— Bon retour chez vous, conclut-elle en revenant se poster près de la fenêtre. Au revoir, John Paul.

Sidéré d'être ainsi congédié, il la contempla un instant, puis tourna les talons. Son adieu glacial avait été celui d'une étrangère, et il était trop en rogne pour tenter de saisir les raisons d'un tel revirement dans son attitude.

Heureusement, les fédéraux ne s'agglutinèrent pas autour de lui lorsqu'il traversa le poste de police. Knolte et deux jeunes as du FBI étudiaient des cartes tout en conversant au téléphone. Un agent essaya bien d'engager la conversation avec lui, mais il ne daigna pas lui répondre et, poussant la porte battante, sortit dans le hall afin de rejoindre le restaurant. Celui-ci était désert, en dehors d'une personne qu'il entendit siffloter dans la cuisine. Il se faufila derrière le bar en Formica rouge et découvrit Tyler devant le gril. Une alléchante odeur de viande flottait dans l'air.

— Prêt à partir ? s'enquit l'officier.

— Presque.

— Si je vous préparais un hamburger pour la route ?

— Non, merci. Il n'y a pas un chat ici !

— Oh, j'ai renvoyé les employés chez eux. Si Knolte et ses amis ont faim, ils se débrouilleront tout seuls.

— Vous vouliez me voir ?

— Je vous ai déjà dit ce que j'avais à vous dire. Au cas où vous décideriez d'accepter mon offre, j'ai mis dans votre voiture un papier avec l'itinéraire à suivre jusqu'à mon refuge de montagne. Pensez-y, insista-t-il. Je n'irai pas là-bas avant le mois prochain. Ma femme m'a appris hier soir que nous avions deux mariages et une réunion de famille d'ici là.

— D'accord. En attendant, merci pour votre aide, et aussi pour la nourriture et le lit.

— Tout le plaisir était pour moi, fit Tyler en ouvrant la porte de service et en l'accompagnant. Soyez prudent.

— Promis.

John Paul s'installa au volant de son 4 × 4 et vit le papier que l'officier avait placé sur le siège à côté de lui. Il s'en saisit avec l'intention de le lui rendre.

— Vous êtes sûr que la p'tite ne risque rien ?

C'était la troisième fois qu'il lui posait cette question, et la réponse de John Paul ne varia pas :

— Oui, elle s'en tirera.

Il n'en croyait pas un mot. Quant à Tyler, son expression trahissait son scepticisme.

— À bientôt ! lui lança le policier en levant sa spatule en signe d'adieu.

John Paul mit le contact, lâcha la feuille et resta immobile à ruminer. Sa conscience le tourmentait. Avery avait fait son choix, se rappela-t-il. Mouais. Elle lui avait même clairement laissé entendre qu'elle n'avait ni besoin ni envie de lui à ses côtés.

Sauf qu'il y avait un hic. Lui avait besoin et envie d'elle.

Il avait imaginé en avoir fini avec ce type de sentiments des années plus tôt, quand, désillusionné, il s'était muré dans une farouche misogynie. En réalité, il s'était leurré. Il était aussi humain et imparfait que n'importe qui. Il ne fallait jurer de rien…

Aimait-il seulement Avery ? Oui, pas de doute là-dessus. Cette fille était une sacrée fine mouche. Comment ne pas l'apprécier ?

Il secoua la tête, démarra, engagea la première vitesse, mais il ne put se résoudre à s'éloigner. Avery le rendait dingue. Elle voulait qu'il s'en aille, pourtant. Elle était si certaine de ne rien risquer avec son équipe de superpros pour la défendre… Dieu lui vienne en aide.

C'était une bagarreuse, capable d'affronter toutes sortes de situations. Mais saurait-elle contrôler les réactions des agents chargés de sa protection ? Arriverait-elle à les empêcher de tout foirer ? Et pendant qu'elle les aurait à l'œil, qui veillerait sur elle ?

Il revint au point mort et arrêta le moteur. Que faire, nom d'un chien ?

S'en remettre au FBI. Voilà la solution. Il redémarra, mais ne passa même pas la première vitesse cette fois. Pétrifié, indécis, il tenta désespérément de se convaincre que le sort d'Avery lui était indifférent.

Elle l'amusait. Elle l'amenait à désirer des choses qu'il pensait inaccessibles.

Bon Dieu, elle l'humanisait.

John Paul lutta de toutes ses forces mais, au final, il courba la tête et s'inclina devant l'évidence.

Admets-le, mon vieux. Tu n'iras nulle part sans elle.

Il tendait la main vers la portière quand une voix le stoppa net.

— C'est pour aujourd'hui ou pour demain ? Bougez-vous, Renard. J'étouffe à l'arrière et votre sac de couchage sent le moisi.

Il se retourna vivement.

— Qu'est-ce que vous fabriquez là ?

— Ne commencez pas, John Paul. Roulez et ne m'obligez pas à me répéter.

Un sourire se dessina lentement sur ses lèvres, tandis que la tension entre ses épaules se relâchait et que sa douleur au ventre disparaissait. Le monde redevenait normal à présent qu'Avery le houspillait avec insolence.

Il lui obéit, mais n'accéléra pas.

— Si vous venez, mon chou, c'est moi qui mènerai la danse et vous ferez ce que je vous dirai. Vous en prenez votre parti ?

Elle n'hésita pas un seul instant.

— Quand j'ai sauté de l'échelle de secours, j'ai atterri sur le toit de votre voiture et je l'ai cabossée. Vous en prenez votre parti ?

Il souriait de toutes ses dents lorsqu'il longea l'allée. Comment aurait-il pu ne pas être fou d'elle ?

28

Jilly attendait avec anxiété l'annonce du nombre de victimes en arpentant son bungalow. Le téléviseur, branché sur une chaîne locale, bourdonnait avec monotonie, mais elle se précipitait sur le bord de son lit chaque fois que passaient les merveilleuses images de l'explosion. Elle en dévorait des yeux chaque seconde avec enthousiasme.

Quel heureux hasard qu'un randonneur ait filmé le paysage au moment précis où la maison s'était désintégrée ! Son zoom lui avait permis de capturer tout l'arrière de la demeure. Jilly aurait été furieuse de rater ça. En fait, elle l'était tout de même un peu, parce qu'elle aurait préféré pouvoir actionner le détonateur, mais ce reportage diffusé en boucle la ravissait au point d'endormir sa déception.

Le téléphone sonna juste à la fin du document. Elle coupa le son avant de décrocher.

— Hello, chérie. (Une pause s'ensuivit.) Tu as regardé la télé ?

Il semblait si soucieux de lui plaire, et en même temps si nerveux.

— Oui, bien sûr. N'était-ce pas magnifique ?

— Oui… oui. Ils ont déjà dégagé deux corps.

— Plus qu'un maintenant. Tu as l'air agité, chéri. Qu'est-ce qui ne va pas ?

— J'avais peur que tu aies des remords après coup, mais je suis content de voir que non.

— Des remords au sujet de Carrie ? Elle a gâché ma vie et m'a volé ma fille. Je suis folle de joie !

— Tu me manques, avoua-t-il. Je veux…

— Je sais ce que tu veux, l'interrompit-elle d'un murmure sensuel. Tu es en voiture ?

— Oui.

— Gare-toi quelque part, alors.

Puis elle lui décrivit en détail les faveurs dont elle le gratifierait à son retour. Monk l'égaya avec sa respiration d'animal en rut. Son pouvoir sur les hommes l'enivrait.

— Encore ? souffla-t-elle, pantelante, afin de lui faire croire qu'elle non plus ne se maîtrisait plus.

Et elle continua jusqu'à ce qu'il gémisse de plaisir. Un silence soudain succéda à un grognement sourd. Elle devina ce qui se passait et sourit de satisfaction. Elle aurait pu faire carrière grâce au téléphone rose. À cette différence près qu'elle n'aurait pas amassé la fortune dont elle rêvait. Enfin, il était toujours agréable de pouvoir compter sur des solutions de repli.

— Tu te sens moins seul, mon chéri ?

— Oui, soupira-t-il. Je serai bientôt là. Je t'aime, Jilly.

— Moi aussi.

Elle raccrocha et fit de nouveau les cent pas dans la pièce. La police parviendrait-elle à démêler les restes des trois femmes ? Elle avait entendu dire que les crânes et les dents permettaient d'identifier les victimes, mais si eux aussi avaient été réduits en poussière ?

Hum. Comment procéderaient les experts ?

Le reportage revint à l'antenne. Jilly se précipita vers le lit et s'assit pour le visionner. C'était absolument charmant…

Après le bulletin d'informations, elle sortit de son sac de voyage la précieuse cassette vidéo dont elle ne se séparait jamais. Elle l'inséra dans le magnétoscope et s'agenouilla devant le poste. Combien de fois l'avait-elle vue ? Une centaine, un millier de fois ? Et pourtant, elle ne s'en lassait pas… pas plus que des sentiments qu'elle lui inspirait.

— Comprends-tu maintenant pourquoi tu dois mourir ? murmura-t-elle.

Constatant que l'un de ses ongles était cassé, elle courut dans la salle de bains rectifier sa manucure. Un coup d'œil à sa montre lui fit ensuite prendre conscience que Monk ne tarderait pas. Il fallait qu'elle se prépare à l'accueillir dignement. Et à le récompenser, bien sûr. Tel un chien qui a réussi un tour difficile, il devait frétiller d'impatience à l'idée de recevoir une gâterie.

Jilly opta pour un négligé d'un blanc virginal. Il aimerait ça. De toute façon, n'aimait-il pas tout ce qu'elle faisait pour lui ?

Elle ne devait pas non plus oublier de se mettre du rouge à lèvres. Les hommes en raffolaient.

Ils adoraient son corps parfait. Ils adoraient son visage angélique.

Ils l'adoraient tous.

29

Les aides soignants expliquèrent à Carrie qu'elle était en état de choc. Bien qu'elle ne fût pas d'accord avec eux, leur diagnostic ne l'étonna pas. Certes, elle se comportait de façon un peu étrange. Elle avait sangloté éperdument lorsqu'ils l'avaient tirée du ravin et n'était pas parvenue à énoncer clairement ce qu'elle avait à raconter. Il n'en restait pas moins que cette conclusion ne tenait pas la route. Ils n'étaient pas médecins et n'y connaissaient rien. Elle avait encore tous ses esprits, Dieu merci.

Des flashs crépitèrent tandis qu'on la transportait sur une civière et qu'on l'installait à côté de Sara dans l'ambulance. Elle lutta pour se redresser jusqu'à ce qu'elle s'aperçoive que ces rustres avaient osé l'attacher. L'un de ses bras pendait librement, cependant, si bien qu'elle put saisir la main de la juge.

Celle-ci souffrait terriblement. Deux aides soignants s'occupaient de sa jambe.

— Elle s'en sortira ? Elle s'en sortira ?

Carrie n'avait de cesse de poser cette question. Même après qu'ils lui eurent assuré que oui, elle s'en sortirait, elle ne put s'empêcher de reprendre sa litanie.

L'un d'eux fit une piqûre à Sara, qui ferma les yeux quelques secondes plus tard. Sa main devint molle. Les deux hommes terminèrent d'immobiliser sa jambe, puis l'un vérifia sa tension pendant que l'autre se penchait sur Carrie.

— Il va tuer Avery. Il faut que la police l'arrête, vous m'entendez ? Il va… il va…

Terrassée par les effets conjugués de la terreur et du manque de sommeil, elle perdit connaissance.

Elle se réveilla dans un lit d'hôpital, le cerveau embrumé et les muscles endoloris, comme si on s'était acharné sur elle à coups de bâton.

Sa première pensée fut pour Avery. Il fallait la retrouver avant qu'il soit trop tard. Elle tendit la main vers le bouton d'appel accroché au drap, sur sa gauche, mais une douleur se répercuta jusqu'à son coude, si vive qu'elle poussa un cri. Elle découvrit alors l'attelle qu'on lui avait fixée et laissa échapper un juron.

Comment s'était-elle blessée ?

Ah oui, le ravin. Elle avait tenté de se protéger avec son bras quand elle était tombée la tête la première dans ce trou. Il lui avait alors semblé s'être juste foulé le poignet. Elle n'avait pas le souvenir d'une si grande douleur. Peut-être cette partie de son corps était-elle devenue insensible, comme tout le reste de sa personne à ce stade. En revanche, elle se revoyait atterrissant sur Sara. Son amie avait gémi, mais elle l'avait bâillonnée d'une main pour étouffer ses cris, tant elle redoutait que Monk soit tapi dans le noir, aux aguets.

Où était Sara, à ce propos ? Des voix masculines résonnaient dans le couloir. Elle s'apprêtait à les héler quand la porte s'ouvrit sur un jeune médecin en tenue bleue et blouse blanche.

Le Dr Bridgeport paraissait ne pas avoir dormi depuis une semaine. Cela n'augurait rien de bon…

— Vous êtes mon médecin ?

— Je suis neurologue. J'ai étudié vos radios et votre scanner, commença-t-il.

— On m'a fait subir ces examens ?

— Oui. Vous souffrez d'une légère commotion cérébrale. Je vous garde jusqu'à demain matin en observation, même si je ne décèle rien d'alarmant sur votre scanner.

— Et mon bras ?

— Vous vous l'êtes fracturé.

— Je m'en serais doutée…

— Un médecin passera bientôt vous voir, l'informa-t-il en griffonnant sur une fiche, sans même lever les yeux sur elle. En attendant, des représentants de la loi souhaitent vous parler. Je vais en autoriser deux à entrer… si toutefois vous vous en sentez le courage.

— J'ai mal à la tête. Puis-je avoir de l'aspirine ?

— Tout à l'heure, lui promit-il.

Carrie ne fut pas dupe. Quand Avery était petite et qu'elle lui réclamait quelque chose, elle aussi avait recours à cette tactique – sans plus de succès à l'époque que n'en avait à présent le Dr Bridgeport.

— Je veux de l'aspirine.

— Vous souffrez d'une commotion cérébrale, madame Salvetti, lui rappela-t-il. Je préfère…

— Oh, oubliez ça, le coupa-t-elle. Docteur, il y avait une de mes amies dans l'ambulance. Sa jambe était dans un sale état. Où est-elle ? Vous le savez ?

— La juge Collins est en salle d'opération.

Au même instant, quelqu'un toqua à la porte. Le neurologue replia sa feuille, lui sourit et fit demi-tour.

— Reposez-vous, lui recommanda-t-il en s'effaçant devant deux hommes en costume noir. Dix minutes, pas plus, lança-t-il à ces derniers. Ensuite, il faut qu'elle dorme.

Les nouveaux venus, habillés à l'identique, à l'exception de leur cravate, s'avancèrent vers Carrie.

L'agent Hillman prit la situation en main. Son regard perçant réconforta Carrie, qui supposa que rien ou presque ne devait lui échapper.

Son coéquipier, plus jeune, redressa la tête du lit et lui servit un verre d'eau avant de se poster à côté d'elle. Hillman lui fit alors retracer les événements depuis le début, n'intervenant que lors des rares occasions où elle se taisait pour remettre ses idées en ordre. Impatiente de l'interroger, Carrie aurait aimé tout raconter en même temps, mais il l'obligea à s'en tenir à son récit.

Elle se tourna vers son collègue et lui demanda sa veste.

— Les lettres sont dans la poche.

Hillman sortit la veste du placard de sa chambre, puis enfila une paire de gants et glissa les enveloppes dans un sachet en plastique que lui tendit son coéquipier.

— L'une d'elles m'a été confiée par Anne, précisa Carrie. Je veux la lire.

— Quand le labo aura effectué une recherche d'empreintes, répliqua le deuxième agent.

Elle l'avait jugé le plus malléable des deux et alors s'aperçut qu'il était en réalité tout aussi obstiné.

— Je veux savoir ce que son salaud de mari lui a écrit, insista-t-elle. Il a engagé Monk pour la tuer. Vous devez le coffrer.

Ignorant ses propos, Hillman continua à la questionner. Carrie en eut vite assez.

— Non, à mon tour maintenant. Où est ma nièce ?

— Nous sommes à sa recherche…

— Trouvez-la.

Devant son agressivité, l'autre agent lui proposa un verre d'eau, qu'elle refusa.

— Dites-moi…, reprit Hillman.

— J'exige d'être renseignée sur l'état de santé de la juge Collins. Maintenant.

— Elle est en soins intensifs, répondit-il après avoir échangé un regard avec son coéquipier.

— Jusqu'ici, tout va bien, ajouta celui-ci.

— Quel est votre nom ? s'enquit froidement Carrie.

— Bean, madame. Peter Bean.

Mister Bean. Pas étonnant qu'il ne se soit pas présenté plus tôt. Elle non plus ne se serait pas vantée d'un tel patronyme.

Hillman poursuivit son interrogatoire. Durant une heure, il ne cessa de la cuisiner, revenant toujours sur les mêmes faits, jusqu'à ce qu'elle ait le sentiment d'être une criminelle à qui la police tentait d'extorquer des aveux.

Son mal de tête empirait.

— Stop ! décida-t-elle. Je n'en peux plus.

Bien que déçu, Hillman accepta de la laisser. Carrie leur ordonna d'un ton peu amène de ne pas reparaître devant elle avant d'avoir localisé Avery. Afin de l'apaiser, ils lui permirent de téléphoner à son mari, et Bean lui composa même le numéro. Elle éclata en sanglots sitôt qu'elle eut Tony au bout du fil.

— J'ai besoin de toi, Tony. Il faut que tu viennes à Aspen.

— Ma douce, ils me l'ont interdit, fit-il d'une voix tremblante d'émotion. Dès que l'hôpital vous autorisera à sortir, la juge et toi, ils vous emmèneront dans un endroit sûr. Carrie, comment te sens-tu ? Je donnerais n'importe quoi pour être avec toi. J'aimerais... Ça me rend malade que tu aies à subir cette épreuve toute seule.

— Tu as des nouvelles d'Avery ?

— Non. J'ignorais qu'elle devait te rejoindre à Utopia. Les agents qui sont passés me voir m'ont appris qu'elle avait raté son vol.

— Je ne sais pas où elle est, se lamenta-t-elle.

— On la retrouvera, ne t'inquiète pas. Je veille à ce que la ligne soit libre en permanence ici. Elle finira par appeler.

— Tony, je ne m'étais pas rendu compte... Je suis si désolée. Prends Star Catcher. Tu peux diriger la société à ta guise. Je me fiche de tout ça maintenant. J'aurais dû te faire confiance. Quelle idiote j'ai été !

Elle pleura de plus belle, furieuse que les agents soient témoins de cette conversation.

— Je t'aime, murmura-t-elle. Je t'aime, Tony. S'il te plaît... dis-moi qu'il n'est pas trop tard.

— Non, non, pas du tout. Je peux... je t'aime moi aussi, martela-t-il. Je saute dans le premier avion pour Aspen. On sauvera notre mariage. Rien n'est impossible dès lors que tu m'aimes. Rien.

30

Tout espoir de garder secrète l'identité des survivantes s'envola quand une équipe de journalistes filma Carrie et la juge au moment de leur transport dans l'ambulance, près du site de l'explosion.

Avery prit connaissance des derniers détails de l'affaire à la radio. À peine avaient-ils quitté la ville qu'elle s'était glissée sur le siège avant.

Ils écoutèrent le bulletin d'informations jusqu'à ce que le signal de la station s'affaiblisse.

— Les gens se promènent tous avec une caméra maintenant ! s'exclama John Paul avec dégoût. Ils adorent vraiment s'immiscer dans la vie privée des autres !

— Les reporters des chaînes de télévision travaillent en général avec des caméras, lui fit-elle remarquer.

— Pas de sarcasme avec moi, mon chou.

— Ce n'en était pas un. Je voulais juste attirer votre attention sur ce point. Carrie a dû être horripilée. J'imagine que si le FBI n'a pas confisqué la pellicule, c'est que les enquêteurs n'ont pas pu arriver à temps sur les lieux.

— J'aurais dû, j'aurais pu…, ironisa-t-il. C'est la devise du Bureau.

— Vous ne réussirez pas à m'énerver.

— Je n'essayais même pas ! s'amusa-t-il.

Elle baissa sa vitre et respira l'air frais.

— Si, affirma-t-elle. Je vous ai percé à jour.

— Vous croyez ?

— Quand je vous ai rencontré, j'ai supposé que vous éprouviez de la rancune à l'égard du FBI, mais depuis j'ai constaté qu'il n'en était rien. Votre phobie ne se limite pas au Bureau.

— Oh ?

— Vous avez toutes les organisations gouvernementales en horreur.

— Faux.

— Quand vous m'avez dit que votre beau-frère était employé par le ministère de la Justice, vous avez ricané.

— Ce ministère a trop de pouvoirs.

— Et la CIA ? Vous en avez fait partie, non ?

Il ne le nia pas.

— Leurs priorités varient du jour au lendemain et ils n'hésitent pas à abandonner des agents et des civils à leur sort.

— Le fisc ?

— Tout le monde déteste le fisc.

Force lui fut d'admettre qu'il avait raison. Elle continua de lui citer des organisations, et il lui expliqua ce qu'il reprochait à chacune d'entre elles.

— Je vous ai exposé mes arguments, conclut-elle. Vous savez quel est votre plus gros problème ?

— Non, mais je compte sur vous pour m'éclairer.

— Vous ne supportez aucune personne en position d'autorité.

Son analyse ne le vexa pas.

— Vous connaissez le dicton : « Le pouvoir absolu corrompt absolument » ?

— Le FBI ne détient pas le pouvoir absolu.

— Ils sont persuadés du contraire.

— Vous voulez mon avis ?

— Dites toujours.

— Vous avez besoin d'une thérapie pour évacuer votre hostilité. (Et avant qu'il ait pu lui assener qu'il abominait aussi les thérapies, elle changea de sujet.) Il me faut un téléphone pour joindre Carrie.

— Pourquoi ne l'avez-vous pas fait depuis le poste de police ?

— Parce que vous seriez parti sans moi. Je n'en reviens pas. Vous alliez m'abandonner ! J'enrage rien que d'y penser.

Devait-il lui avouer la vérité ? John Paul serra les dents. Elle semblait si déçue par son comportement. Blessée, même.

— Écoutez...

— Oui ?

— J'allais peut-être rester.

— « Peut-être » ? Qu'entendez-vous par là ?

— Que j'allais rester. Maintenant, à mon tour de vous mettre à la torture. Qu'est-ce qui vous a incitée à quitter votre équipe de superpros ?

— Ne vous moquez pas d'eux ! Je suis certaine que l'agent Knolte et ses coéquipiers sont capables de remplir leur mission.

— Ah oui ? Alors je répète ma question : pourquoi avoir décidé de m'accompagner ?

— J'ai réfléchi et je suis d'accord avec vous. Ce n'est pas très malin de nous réunir toutes sous le même toit.

— Et ?

— Et quoi ? Vous espérez un compliment ? (Il voulut lui jurer que non, mais elle le devança.) Très bien. J'estime avoir plus de chances de m'en sortir vivante avec vous.

— Comment en êtes-vous arrivée à basculer du côté obscur ? plaisanta-t-il. Knolte aurait-il dit ou fait quelque chose susceptible de dévoyer l'agent Delaney ?

— Je ne suis pas agent, mais analyste, et Knolte n'a en rien influencé mon choix. Le Bureau a toujours toute ma confiance. Il n'y a pas plus loyal que moi.

— Oui, oui. Pourquoi avoir déserté, dans ce cas ?

Elle dut s'accorder un temps de réflexion.

— Je prends une initiative. On nous y encourage.

— Ben voyons ! répliqua-t-il, avant de lui désigner un panneau annonçant un restaurant à huit kilomètres de là.

On va s'arrêter. J'ai un coup de fil à passer pour demander de l'aide.

Monsieur l'ours des bois envisageait d'appeler quelqu'un à la rescousse ? Avery fut sidérée.

— Et ensuite ?

— Vous pourrez téléphoner à Carrie, à condition de ne pas lui révéler où nous allons.

— J'aurais bien du mal ! Je l'ignore complètement.

— Tyler possède une cabane à deux ou trois heures de route d'ici, lui expliqua-t-il en saisissant la feuille contenant les instructions du policier. Il y a une grange à côté où cacher la voiture. On dormira là-bas, ce soir.

Avery jeta un œil par la lunette arrière afin de s'assurer qu'on ne les suivait pas. Ils n'avaient pas croisé de véhicule depuis un long moment, mais elle préférait rester sur ses gardes, au risque de paraître paranoïaque. Tan pis. On n'était jamais trop prudent.

— Vous avez une idée de l'endroit où se trouve Monk ?

— Probablement quelque part dans le Colorado. Il a déjà dû apprendre que la juge et votre tante n'étaient pas mortes.

— Le FBI nous recherchera nous aussi.

— Pas nous, mon chou. *Vous.* C'est vous qu'ils rechercheront.

— J'ai ouvert le robinet de la douche et fermé la porte du dortoir au cas où l'un des agents s'y aventurerait, mais Knolte découvrira tôt ou tard que je me suis enfuie, et il sonnera l'alarme.

Et là, ce serait le début de la fin. Carter exigerait sa tête sur un plateau. Avery avait déjà préparé sa défense : elle soutiendrait qu'il ne s'agissait pas d'un acte d'insubordination. Carter avait beau ne pas être un tendre, il avait le sens de la mesure. Il ne manquerait pas d'approuver cette… nouvelle prise d'initiative.

— Est-ce que Tyler signalera à Knolte qu'il a offert de vous héberger dans sa cabane ?

— Certainement pas. Il est au courant que vous vous êtes échappée par la fenêtre ?

— Non.

John Paul quitta la route pour s'engager sur le parking goudronné du restaurant, dont l'enseigne au néon clignotait.

— Allez-vous enfin me parler de Jilly ?

Il avait jusqu'alors évité le sujet parce qu'il ne se rappelait que trop bien comment Avery avait réagi face à Tyler.

— Il faudra pourtant que vous me disiez à quel genre d'adversaire j'ai affaire, insista-t-il devant son silence.

— À quel genre d'adversaire *nous* avons affaire, le corrigea-t-elle. Oui, je vous raconterai ce que je sais sur elle, mais pas tant que j'aurai le ventre vide. Demain, lui promit-elle.

— D'accord.

Il la prit par la main en entrant dans la salle du restaurant aux murs violet et orange fluo.

Après avoir choisi une place qui lui permettrait de surveiller le parking, John Paul attendit qu'Avery se glisse sur le siège en vinyle orange avant de s'asseoir en face d'elle.

La serveuse, bien qu'encore adolescente, traînait les pieds comme une grand-mère.

— Qu'est-ce que j'vous sers ? articula-t-elle avec peine en raison de sa langue piercée.

Ils commandèrent des sandwichs et du thé glacé. Sitôt que la fille eut tourné les talons, Avery puisa de la monnaie dans son portefeuille et se dirigea vers le téléphone qu'elle avait repéré à l'autre bout de la salle, à côté des toilettes.

Sa conversation avec Carrie fut pour l'essentiel à sens unique. Sa tante était dans tous ses états.

— Où es-tu ? Pourquoi tu n'es pas à Aspen ? Tu vas bien ? Tu as entendu la nouvelle ? Jilly est vivante. Ce démon a simulé sa propre mort ! Je ne la pensais pas si rusée... Est-ce que tu te rends compte que si tu étais arrivée à Utopia à l'heure prévue, tu te serais retrouvée dans cette maison avec nous ?

— Calme-toi, l'exhorta Avery lorsqu'elle s'arrêta pour reprendre son souffle.

Carrie lui narra alors une partie de ce qui s'était passé depuis le moment où elle était montée dans la voiture de Monk avec les deux autres femmes. Avery écouta sans l'interrompre le résumé de son éprouvante mésaventure.

— Tu auras droit aux détails plus tard, ajouta Carrie. Comment vas-tu ?

— Bien.

— J'étais malade d'inquiétude à ton sujet !

— C'est fini, maintenant, la tranquillisa Avery, les yeux rivés sur John Paul. Carrie, qui est l'agent chargé de ta protection ?

Mais sa tante enchaîna en même temps qu'elle :

— On m'a annoncé que, pour notre sécurité, nous allions être assignées quelque part à résidence et placées sous la garde du FBI. J'en déduis que ce sera en Floride.

— Pourquoi en Floride ?

— À cause du procès.

— Quel procès ?

— Oh, Avery, tu n'es pas au courant ? Ce salaud de Skarrett a obtenu ce qu'il voulait. Personne ne t'a avertie ? Moi, en tout cas, ils se sont bien gardés de m'appeler !

Avery fut abasourdie. Certes, elle avait été consciente de l'éventualité d'un nouveau procès, mais elle n'aurait jamais cru que celui-ci se tiendrait dans de si brefs délais.

— Non, on ne m'a rien dit.

— Pour couronner le tout, il paraît que le tueur engagé par Jilly n'aura de cesse de nous avoir tuées ! s'insurgea Carrie.

— À moins qu'on ne le neutralise avant. Et c'est ce qu'on fera, Carrie. Maintenant, contrôle-toi, s'il te plaît. Tu as pu joindre Tony ?

— Il se ronge les sangs, murmura sa tante d'un ton radouci en reniflant. Il espère t'avoir le plus vite possible au téléphone. En ce qui me concerne, j'aimerais rentrer à la maison avec toi. Seulement, le FBI refuse de transiger. Je ne sais même pas si Tony pourra rester à mes côtés. J'essaie de coopérer...

— Comment se porte la juge ? la coupa Avery.

— Qui ? Oh, Sara ! Elle est hospitalisée ici. Elle s'est blessée au genou et a dû être opérée, mais son état s'est amélioré. Ils vont la garder en soins intensifs encore quelques heures à cause de son âge – simple mesure de précaution. Les médecins m'ont déjà laissée lui parler. Oh, mon Dieu, j'allais oublier ! Sara Collins est la juge qui a condamné Skarrett.

— Erreur. C'était le juge Hamilton, j'en suis certaine.

— Hamilton a en effet présidé le procès et déclaré Skarrett coupable, mais tu te souviens que nous sommes retournées à Bel Air une fois le verdict tombé ?

— Oui.

— Skarrett n'avait pas encore été fixé sur sa peine, alors. Entre-temps, Hamilton est mort et c'est Sara qui a prononcé la sentence.

— Voilà donc le lien entre vous deux ! Et qu'en est-il de l'autre femme ?

— Anne Trapp a décidé de ne pas nous suivre. C'est une longue histoire, je t'expliquerai ça quand tu seras là. Le FBI te conduira à l'hôpital ou on se retrouve à l'aéroport ? Je ne partirai pas en Floride sans toi, en tout cas. Une fois là-bas, on aura trois semaines complètes pour faire le point avant de savoir si on nous permet de témoigner ou pas lors du procès. Pour peu que Monk coure toujours dans la nature...

— Trois semaines ? Le procès démarre dans tout juste trois semaines ?

— Oui. Je suis sûre qu'ils nous installeront dans une maison près du tribunal. Ce sera plus simple si jamais on doit s'y présenter.

Avery avait du mal à enregistrer toutes ces informations.

— Et tu dis qu'on ne sera peut-être pas autorisées à témoigner ?

— Ma puce, qu'est-ce qui ne va pas ? Tu ne m'écoutes donc pas ? Oui, c'est à craindre. Assises dans une salle d'audience, on constituerait des cibles parfaites pour Monk.

Avery serra le combiné.

— Personne ne m'empêchera de témoigner.

— Sois raisonnable.

— Tu as envie que Skarrett soit libéré ? cracha-t-elle avec rage.

— Ta sécurité m'importe davantage.

— Je ne le laisserai pas sortir de prison.

— Nous en rediscuterons, trancha Carrie. Tu n'es pas plus curieuse que ça en ce qui concerne Jilly ?

— Elle ne m'intéresse pas.

— Eh bien moi, j'espère avoir l'occasion de passer cinq minutes seule avec elle quand on l'arrêtera.

— Elle ne fera qu'une bouchée de toi.

— De moi, peut-être, soupira Carrie. Mais toi, avec tous les cours de tai-chi et de karaté que tu as pris, tu n'as pas à avoir peur d'elle.

Avery se retint de rire. Étant donné le portrait que sa tante lui avait brossé de Jilly au fil des ans, il aurait fallu qu'elle soit aussi folle que sa mère pour ne pas la redouter.

— Tu l'as vue ? Elle était dans la maison ?

— Oui. Je te raconterai ça plus tard.

— Je veux que tu obéisses au doigt et à l'œil aux agents du FBI. D'accord, Carrie ? Jure-le-moi.

— Oui, je te le promets.

— Ne leur complique pas la tâche. Tu ne te maîtrises pas toujours quand tu es bouleversée ou effrayée.

— Je ne suis pas effrayée, mais en colère. Très, très en colère, même. Pourquoi Jilly n'est-elle pas restée dans sa tombe ?

— Elle n'était pas morte.

— Ils ont intérêt à ne pas nous héberger dans un taudis

infesté de vermine, en tout cas. Quitte à résider en Floride, j'exige une maison au bord de la mer.

— Carrie, la décision ne dépend pas de toi.

— Il y a peut-être un moyen de faire jouer tes relations, non ? Enfin bref, j'ai hâte de te revoir.

Avery prit son courage à deux mains. Sa tante avait tendance à s'emporter au quart de tour à la moindre contrariété, et elle lui en réservait une de taille.

— Je ne te rejoins pas, lui annonça-t-elle. Je n'irai pas dans...

Elle ne put achever sa phrase. Carrie poussa un cri qui la fit grimacer et l'obligea à éloigner le téléphone de son oreille.

De sa place, John Paul l'entendit aussi. Il se leva en constatant qu'Avery devenait livide et s'approcha d'elle.

— Dites-lui au revoir, mon chou.

— Elle est toute retournée.

— Mais oui.

— Je t'aime, Carrie. À très bientôt, lâcha-t-elle à sa tante. Je dois te laisser, maintenant.

— Avery Elizabeth ! Si jamais tu oses...

John Paul s'empara du combiné et raccrocha.

— Elle a l'air sympa, réussit-il à déclarer sans se départir de son sérieux.

La serveuse ne les quitta pas des yeux lorsqu'elle leur apporta leurs assiettes. Avery se dirigea vers les toilettes. Le temps pour elle de se laver les mains, John Paul avait déjà englouti son sandwich et bu presque tout son verre.

— Ça m'ennuierait que vous ayez une fausse image de ma tante, lui lança-t-elle. Elle a un fort tempérament, c'est vrai, mais je suis sûre que vous l'apprécierez autant que moi une fois que vous la connaîtrez mieux.

— J'en doute, sourit-il.

Elle mordit dans son sandwich, qu'elle s'empressa de faire passer avec une gorgée de thé.

— Vous en voulez ? lui demanda-t-elle.

— Non. Mangez, vous en avez besoin.

Elle remarqua alors qu'il surveillait la route derrière le parking.

— L'endroit n'est guère fréquenté, hein ?

— Le restaurant ferme dans un quart d'heure. C'est peut-être pour ça qu'on est les seuls clients, supposa-t-il, avant d'embrayer sur un autre sujet. Avery, quand vous avez postulé pour une place au FBI, votre ambition était bien de devenir agent ?

— Oui.

— Pourquoi y avoir renoncé, alors ?

Elle allait lui fournir sa réponse habituelle quand elle se ravisa. Mieux valait se montrer honnête avec lui. De toute façon, il ne manquerait pas de voir clair en elle et de comprendre qu'elle lui cachait la vérité.

— Je pensais avoir la vocation. Je dois la vie à un agent du FBI, et c'est à cause de lui que je me suis résolue à exercer ce métier. Je voulais venir en aide aux gens.

— Sauver la veuve et l'orphelin, en somme. Quel âge aviez-vous à ce moment-là ?

— Tout juste douze ans.

— C'est incroyable.

— Quoi ?

— Que vous n'ayez jamais remis ce choix en cause. Que vous ayez toujours conservé le même but au lycée et à l'université.

— Vous vous souvenez de ce que vous rêviez de faire étant petit ?

— Je ne me rappelle pas quel âge j'avais quand je me suis dit que ce serait chouette d'être astronaute. Peut-être dix ou onze ans.

— Et ce beau projet ne s'est pas réalisé ? le taquina-t-elle.

— La vie en a décidé autrement. J'ai entamé des études d'ingénieur à Tulane, décroché mon diplôme et me suis engagé dans les marines.

— Pourquoi les marines ?

— J'étais soûl.

— Non, la vraie raison, insista-t-elle.

— Je pensais moi aussi pouvoir changer le monde. J'aimais la discipline et j'avais envie de connaître autre chose que Bowen et la Louisiane.

— Mais vous vivez toujours là-bas, n'est-ce pas ?

— Oui. Il m'a fallu partir pour prendre conscience de ce que je désirais réellement dans la vie. J'habite en fait en dehors de la ville, dans les marais.

— Vous avez fui la société ?

— J'apprécie la solitude.

— Vous devez être servi ! Il n'y a pas foule dans les marais.

— Ça me convient. Et vous, quelle université avez-vous fréquentée ?

— Celle de Santa Clara. Et ensuite Stanford.

Avery mordit de nouveau dans son sandwich mais ne parvint qu'avec peine à avaler sa bouchée. Le pain était mouillé, la laitue flétrie et la dinde toute sèche.

— Au bout du compte, aucun de nous ne s'est vraiment éloigné de chez lui, constata-t-elle. Carrie voulait que je fasse mes études à Los Angeles tout en travaillant à temps partiel pour son agence.

— À quel poste ?

Elle rougit, ce qui le rendit d'autant plus curieux.

— J'ai été contrainte de tourner une publicité un jour pour la dépanner et elle souhaitait que je continue.

— En quoi avait consisté votre rôle ?

— Brandir un savon, battre des cils et interpréter un jingle stupide.

— Chantez-le-moi, la pria-t-il, très amusé.

— Oh non ! J'ai été nulle et j'ai détesté ça. Je suis sûrement trop réservée, ajouta-t-elle en haussant les épaules. Puisque je n'aspirais qu'à devenir agent, Carrie a cédé et cessé de me harceler. Ou, plus exactement, nous avons cédé l'une et l'autre.

— Comment ça ? s'étonna-t-il.

— J'ai dirigé des travaux pratiques dans une école

primaire de San Jose dans le cadre d'un cours et le contact avec les enfants m'a beaucoup plu, à tel point que j'ai envisagé de me réorienter vers le professorat. J'obtenais de bons résultats avec ces gamins, insista-t-elle, l'air presque étonné. J'ai même suivi quelques-uns des cours qui m'auraient été nécessaires pour passer un certificat d'aptitude à l'enseignement. Je me voyais bien prof d'histoire. Mais je ne l'ai pas avoué à Carrie.

— Pourquoi ? Qu'est-ce qu'elle a contre les professeurs ?

— Rien. Elle ne voulait pas que je m'engage dans cette voie, point final.

John Paul s'adossa à sa chaise et la contempla.

— Avery, vous me cachez quelque chose.

Elle l'ignora et appela la serveuse pour lui demander l'addition.

— Allez, répondez-moi. Quelles étaient ses objections ?

— Le salaire dérisoire.

— Mais encore ?

— L'absence de respect pour ce métier. La maxime est célèbre : « Ceux qui savent faire quelque chose le font et les autres l'enseignent. » Carrie estimait que le statut de professeur manquait... d'éclat. Ma tante n'est pas une harpie, se hâta-t-elle de préciser. Vous devez la croire odieuse après ce que je vous ai raconté sur elle, mais c'est faux. Je vous assure.

— Et c'est tout ? Vous avez renoncé à cause du peu de prestige de la profession ?

— Carrie préférait aussi que j'évite de m'entourer d'enfants.

— Pourquoi ? s'obstina-t-il.

— Parce que je l'aurais mal vécu, selon elle.

— Ah.

— Quoi, « ah » ?

— Vous ne pouvez pas en avoir, n'est-ce pas ?

Elle éprouva un besoin irrépressible de se confier à lui – de vider son sac, pour reprendre la formule de son oncle

Tony. C'était une première pour elle, mais il est vrai que John Paul ne ressemblait à aucun autre homme de sa connaissance. Il se moquait de détails aussi futiles que le prestige, ne jouait pas double jeu. Pas de mauvaises surprises à craindre, donc. Peut-être était-ce pour ça qu'elle éprouvait tant d'attirance pour lui, et se sentait en confiance.

— Je ne vois pas comment vous en êtes arrivé à cette conclusion.

— Vous m'avez affirmé que vous n'aviez pas l'intention de vous marier, ce que j'ai trouvé un peu bizarre.

— Pourquoi ? réagit-elle avec brusquerie. Parce que toutes les femmes ne devraient penser qu'à se marier ? Vous plaisantez ! Beaucoup sont très heureuses de vivre seules.

— Hou là ! s'exclama-t-il en levant les mains. Je ne prétends pas le contraire, mais quand vous m'avez dit ça, on aurait juré que je venais de vous attaquer. Voilà ce qui m'a paru bizarre. Maintenant je comprends mieux. Vous ne pouvez pas avoir d'enfants et c'est la raison pour laquelle Carrie refuse que vous les côtoyiez. Je me trompe ?

— Non.

Avery était prête à bondir. Elle l'avait laissé entrevoir sa vulnérabilité et se savait capable de perdre son sang-froid si jamais il lui témoignait une once de compassion. Elle l'assommerait, s'arracherait les cheveux, se mettrait à pleurer. Et tant pis si sa réaction n'obéissait qu'à un mécanisme de défense.

Elle attendit en le fixant bien en face pour le défier de la réconforter.

— Alors ? s'enquit-elle devant son silence.

— C'est débile.

— Pardon ?

— Vous m'avez bien entendu, mon chou. Si vous adorez travailler avec des enfants, ne vous en privez pas. Suivre les conseils de votre tante juste histoire de lui faire plaisir est stupide.

— Mais je suis une bonne analyste.

— Et puis ? Vous possédez plus d'un talent, non ? Vous êtes sûrement compétente dans plein de domaines différents.

Sur ce, il alla régler l'addition et passa ensuite son coup de téléphone sans cesser de surveiller le parking. La serveuse, appuyée sur le comptoir, le lorgnait avec intérêt, tout en soufflant des bulles de chewing-gum.

Cinq minutes plus tard, il raccrocha.

— On s'en va, fit-il.

Avery lui emboîta le pas jusqu'à la voiture.

— Et vous, vous êtes doué pour quoi ? l'interrogea-t-elle alors qu'il lui ouvrait sa portière.

— Tout un tas de trucs.

— Vous avez rempli des missions pour la CIA. Quel était votre point fort ?

— Le tir, répondit-il en toute franchise. J'étais bon tireur. Non, erreur. Je n'étais pas bon, mais excellent. J'ai des yeux de lynx.

— Et à part le tir ?

— Oh, chuchota-t-il en l'enlaçant. Il y a deux ou trois choses que je réussis très bien aussi.

— Par exemple ?

Il la serra plus fort et effleura des lèvres son oreille.

— Si tout se déroule selon mes plans, vous le constaterez vous-même.

Elle en eut le souffle coupé. Sentait-il les frissons qui l'agitaient ? Probablement, songea-t-elle avec un soupir.

Lorsqu'elle leva la tête, il sourit et l'embrassa en prenant tout son temps pour l'amener à lui retourner son baiser. Résister à cette fille lui était de plus en plus difficile, et son air grisé l'emplit de satisfaction et d'arrogance quand il se détacha d'elle.

— Filons avant que je me laisse aller à vous faire tout de suite une démonstration.

Sitôt qu'il fut installé au volant, ils repartirent en direction de Denver.

— On a intérêt à s'éloigner rapidement, déclara-t-il. La serveuse se souviendra de vous.

— Vous croyez ?

— Oui. Vous avez un physique qu'on n'oublie pas.

— J'ai un scoop pour vous, mon chou, ironisa-t-elle en s'efforçant d'imiter son accent du Sud. C'est vous que Miss Bubble Gum dévisageait.

John Paul n'en avait cure.

— On n'arrivera pas à destination avant au moins une heure, estima-t-il. On s'arrêtera en chemin dans un magasin si on en trouve un.

— Je doute qu'il y ait quoi que ce soit d'ouvert aussi tard.

— Où est le problème ?

— Honte à vous ! Vous comptez entrer par effraction ?

— Personne ne remarquera rien.

Elle ne tenta pas de l'en dissuader, trop occupée à méditer ses précédentes paroles. Que se passerait-il si tout se déroulait selon ses plans ?

Cinquante kilomètres plus loin, ils aperçurent une épicerie au bord de la route. Tout était noir à l'intérieur.

John Paul vint à bout de la porte du fond sans pratiquer la moindre éraflure, apaisa le doberman noir qui montait la garde et se servit allègrement dans les rayons. Avery l'aida à transporter un pack de lait et quatre sacs remplis à craquer dans le 4 × 4.

Il calcula ensuite le montant de leurs provisions et coinça quatre billets de vingt dollars sous la caisse.

— On restera longtemps chez Tyler ? s'enquit-elle après qu'ils eurent redémarré. On a de quoi tenir un siège avec tout ça.

— Au moins une nuit, peut-être deux. Tyler m'a dit qu'il y avait une petite ville à vingt kilomètres de sa cabane. J'ai demandé à Theo d'effectuer quelques recherches et j'aviserai en fonction de ce qu'il découvrira.

— Du moment que je ne rate pas le procès…

— Bien sûr. Vous me permettez une question ?

— Allez-y.

— C'est à cause de Skarrett que vous ne pouvez pas avoir d'enfants ?

— Oui. J'ai été touchée par une balle, mais vous savez quoi ? Je n'en aurais jamais eu, de toute façon. Je redoute trop que la tare de Jilly soit génétique. Ça n'a donc guère d'importance, au final.

— Si, la contredit-il. C'est important parce que Skarrett vous a ôté ce choix.

La colère avait percé dans sa voix, mais elle ne s'en émut pas. Il avait raison.

Elle changea de sujet pour détendre l'atmosphère et lui raconta des anecdotes amusantes de son enfance. Il enchaîna avec des histoires sur sa vie et sa famille, et la fit rire à plusieurs reprises en lui parlant de son père.

— Les gens l'appellent vraiment Big Daddy ?

— Oui. Vous l'aimerez, vous verrez.

Il supposait par là qu'elle le rencontrerait un jour, ce dont elle se réjouit. Elle avait envie de se familiariser avec ses proches, sa maison, son travail. Elle voulait tout savoir sur lui. Elle s'apprêtait à lui répondre lorsque les phares de deux véhicules se profilèrent sur la voie opposée.

John Paul bifurqua aussitôt sur une petite route latérale et éteignit les siens.

En silence, ils attendirent d'avoir été dépassés.

— Quand vous avez téléphoné à votre beau-frère, vous n'avez pas eu peur qu'il avertisse le FBI de notre destination ?

— Parce qu'il travaille pour le ministère de la Justice ?

— Oui.

— Priorité à la famille, mon chou.

— Mais quand même…

— Il ne dira rien. Je lui ai expliqué ce qu'il devait faire et il a accepté.

— Tant mieux. Je suis contente qu'on puisse se fier à lui.

Ils patientèrent dans le noir encore quelques instants jusqu'à ce que John Paul juge nul le danger de repartir.

Les pensées d'Avery vagabondèrent, puis tournèrent avec insistance autour des mots qu'il lui avait murmurés à l'oreille. Peut-être parviendrait-elle à se concentrer sur autre chose en cessant de le fixer. Sa dernière relation avec un homme remontait à si loin qu'elle se croyait passée maître dans l'art de contenir ses désirs.

Du moins jusqu'à ce que John Paul fasse son apparition… Les digues avaient cédé à présent, et elle ne rêvait que de caresser cet homme. Partout.

Durant la demi-heure suivante, elle lutta pour chasser toute idée sexuelle de son esprit. Elle fit mentalement ses comptes, évalua combien de temps elle pourrait payer son loyer en cas de licenciement. Trois, quatre mois ?

Elle tapa du pied sur le plancher du 4 × 4. Inutile de se leurrer, elle serait renvoyée. Certes, l'insubordination ne constituait pas un crime, mais Carter l'accuserait d'avoir entravé l'enquête.

John Paul posa la main sur son genou.

— Pourquoi êtes-vous si tendue ? (Mais avant qu'elle ait pu inventer un prétexte, il quitta la route pour s'engager sur un sentier.) Nous y voilà.

La vision nocturne de John Paul était meilleure que la sienne. Elle n'avait même pas fait attention à l'embranchement.

— Vous en êtes certain ?

Il avait toujours la main sur son genou. Elle ne se sentit pas encline à le repousser et fit mine de fixer la route alors même qu'elle ne songeait qu'à lui arracher ses vêtements.

Ces pulsions lui semblèrent d'abord déplacées. Mais elle finit par admettre qu'elles étaient normales ; elle peinait juste à les maîtriser parce que cela ne lui était pas arrivé depuis des lustres.

— À quoi pensez-vous ? l'interrogea-t-il.

Au sexe. Je pense au sexe.

— À rien, répliqua-t-elle.

— Ah oui ?

Même sa voix était séduisante. Avery glissa les doigts dans ses cheveux, consciente de sa nervosité – et surtout de son manque d'assurance.

Ils contournèrent une rangée d'arbres, puis la route s'aplanit en traversant ce qui ressemblait vaguement à un champ dans l'obscurité. Avery recommença à taper du pied. La perspective de se retrouver seule avec John Paul dans cette cabane isolée la rendait de plus en plus fébrile.

Il s'arrêta devant le perron et coupa le contact. Ils furent plongés dans le noir le plus total. Avery ne distinguait même plus sa main.

— Attendez ici que j'aie récupéré la clé sous la marche à l'entrée.

De toute façon, elle ne pouvait pas bouger tant elle avait les jambes en coton. Elle se demanda même si elle n'allait pas faire une crise d'hyperventilation. Heureusement, elle réussit à dompter ses pensées les plus folles pendant qu'il déverrouillait la porte, et sortit pour l'aider à porter leurs affaires.

La cabane, charmante, embaumait le pin et le produit nettoyant. Juste en face d'eux se dressait un âtre de pierre flanqué de deux fauteuils en osier recouverts de coussins à carreaux rouges et jaunes. Le reste du mobilier se composait d'une table ronde en pin, de quatre chaises et d'un canapé vert élimé mais à première vue confortable.

Au fond avait été aménagée une étroite cuisine ouvrant sur l'arrière. Avery se déchargea d'un sac de provisions sur le plan de travail, puis continua la visite du refuge. Ses pas la conduisirent à la salle de bains et enfin à une chambre, dans laquelle trônait un grand lit recouvert d'un édredon chamarré.

Les battements de son cœur s'accélérèrent à mesure que son attention se focalisait dessus. Elle entendit John Paul ranger leurs courses et se dit qu'elle aurait dû lui donner un coup de main, mais elle était comme clouée sur place.

— Ce n'est qu'un lit, bon sang. Pas de quoi s'affoler.

Écœurée par sa réaction, elle alla se doucher.

N'ayant dans ses affaires ni chemise de nuit ni peignoir, elle n'eut d'autre choix que d'enfiler un vieux T-shirt de l'université de Santa Clara. Trop grand d'au moins trois tailles, il lui descendait jusqu'au-dessus des genoux.

Elle procéda alors à un examen critique devant le miroir et en conclut qu'elle présentait de graves lacunes en matière de séduction féminine. Pour la première fois de sa vie, elle avait envie d'être jolie. Voilà qui n'aurait pas manqué d'amuser Carrie… Sa tante lui reprochait toujours ses choix vestimentaires et, en l'occurrence, Avery ne pouvait que l'approuver.

Il était cependant trop tard pour remédier à son apparence. Résignée, elle retourna dans le salon. John Paul était en train de fermer la porte d'entrée à clé. Il se figea à sa vue.

— Que s'est-il passé ? On dirait que vous vous êtes roulé dans la poussière. Il y a un problème ? insista-t-elle devant son silence.

Assailli par un flot d'images brûlantes, John Paul n'arrivait pas à détacher les yeux de ses jambes.

— J'ai garé la voiture dans la grange, et j'ai pensé… l'huile… les pneus…

— Oui ?

— Quoi ?

Il s'obligea à la regarder en face, tout en ayant conscience de sa mine ahurie. Il avait manqué trébucher lorsqu'il l'avait aperçue. Elle était tout simplement renversante. Avait-elle la moindre idée de son pouvoir sur lui ?

— Vous parliez de l'huile et des pneus.

— Euh… oui.

John Paul bafouillait comme un idiot, et continua de marmonner des paroles incohérentes jusqu'à la salle de bains.

Pendant ce temps, Avery regagna la chambre. Elle s'exhorta à garder son calme, replia l'édredon, puis, après avoir trouvé des draps propres et une fine couverture dans une commode, s'assit en tailleur au milieu du lit. Le dos droit, elle s'efforça de faire le vide dans son esprit et de se concentrer sur sa respiration. Juste au moment où, libre de tout souci, elle allait prendre place sur sa balancelle imaginaire, John Paul l'interrompit :

— Encore au paradis ?

Il l'observait depuis le seuil de la pièce, vêtu uniquement d'un short qu'il n'avait même pas boutonné. Avery nota qu'il s'était rasé et lavé les cheveux. De grosses gouttes luisaient sur la peau bronzée de son cou et de ses épaules.

Sa position la désavantageait trop. S'ils devaient discuter de la situation en adultes, elle préférait être sur un pied d'égalité avec lui.

— J'essayais de me relaxer, répondit-elle en descendant du lit.

Il bâilla sans retenue.

— Avery ?

— Quoi ?

Il s'appuya nonchalamment contre le mur, un pied par-dessus l'autre et les bras croisés. Elle lutta pour ne pas se laisser hypnotiser par la toison brune autour de son nombril.

— Est-ce que je dors sur le canapé ou dans le lit ?

Aurait-elle le courage d'être honnête et de lui dire ce qu'elle désirait vraiment ? C'est maintenant ou jamais, s'angoissa-t-elle en s'éclaircissant la gorge.

— Au lit… avec moi… si tu veux, lâcha-t-elle d'une petite voix fragile, presque effrayée, sans oser soutenir son regard.

— Oui.

Il s'avança vers elle, mais elle le stoppa en levant une main.

— Pas si vite, Renard !

— Quoi ?

— Il y a d'abord quelques règles à établir.

Bon sang, elle parlait sérieusement. John Paul aurait éclaté de rire si elle n'avait paru si anxieuse.

— Des règles ? Comme « pas de coups en dessous de la ceinture » ? C'est à ça que tu penses ? Allons-nous entamer un match de boxe ou bien… ?

— Je n'enlèverai pas mon T-shirt, d'accord ?

— D'accord, mais si tu changes d'avis je n'y verrai pas d'inconvénient.

— Si j'en ai envie, je le ferai. Seulement, c'est hors de question pour le moment.

À ce stade, John Paul ne savait plus trop ce qu'elle négociait.

— Oui, accepta-t-il en faisant un nouveau pas vers elle.

— Je n'ai pas fini.

— Le contraire m'aurait étonné, sourit-il. Très bien, qu'y a-t-il d'autre ?

— Tu prendras tes précautions.

— J'ai prévu ce qu'il faut.

— Tu as prévu ?

— Oui, lui confirma-t-il en sortant un préservatif de sa poche et en le jetant sur le lit. Autre chose ?

— C'était plutôt présomptueux de ta part.

— Avery, si je ne te touche pas là, tout de suite, je vais disjoncter, alors dépêche-toi.

— Au cas où tu serais déçu…

— Je ne le serai pas.

— Peut-être, mais au cas où, garde ça pour toi. Ne viens pas te plaindre.

— Chérie, tu es toujours aussi crispée avant de coucher avec quelqu'un ?

— J'ai été claire ?

— Oui, capitula-t-il. Je ne me plaindrai pas.

— Ce n'est pas drôle, John Paul.

Il avait attendu aussi longtemps qu'il en était capable.

— À mon tour, déclara-t-il en attrapant un coin de son T-shirt et en l'attirant vers lui. Tu te caches quelque part là-dessous, n'est-ce pas ?

Sa main s'insinua sous le tissu, remonta le long de son dos. Cette fois, Avery ne chercha pas à se dégager lorsque ses doigts effleurèrent ses cicatrices. Il se baissa alors pour embrasser son cou juste sous son oreille.

Des frissons lui parcoururent l'échine. Le contact de la langue de John Paul sur sa peau et son souffle chaud la firent frémir davantage encore. Comment pouvait-on être si fort et si doux à la fois ? Vaincue, elle s'appuya contre son épaule.

— Un peu d'attention, mon chou. Moi aussi j'exige le respect de quelques règles.

Elle redressa la tête et le fixa droit dans les yeux. Pourquoi n'avait-elle pas remarqué combien ils étaient beaux ? Ils s'illuminaient littéralement quand il souriait.

— Lesquelles ?

— Tu me fais confiance ?

Lui faire confiance ? Elle était en train de se liquéfier d'amour pour lui. Bien sûr qu'elle lui faisait confiance. Même si l'avouer la terrifiait.

— Ce n'est pas une règle, ça.

Il refusa qu'elle se défile et lui résista quand elle tenta de le distraire en se pressant contre lui.

— J'ai beau connaître la réponse, je veux... non, j'ai besoin de te l'entendre dire.

— Tu es l'homme le plus têtu et le plus exaspérant que j'aie jamais rencontré, mais j'ai eu l'impression d'un lien étrange entre nous dès les premiers instants. Comme si j'avais espéré toute ma vie me sentir un jour aussi en sécurité... et aussi libre. Je ne peux pas l'expliquer, murmura-t-elle.

— Alors fie-toi à moi, la pria-t-il en déposant un baiser sur ses lèvres. Voilà ma règle.

Avery comprit. Il avait raison : l'amour et la confiance allaient de pair.

Le moment était donc venu. Avery pria très fort pour qu'il ne soit pas rebuté. Elle recula dans la lumière de la lampe de chevet, attendit qu'il la lâche puis, avant que son courage l'abandonne, ôta son T-shirt et pivota afin de lui montrer son dos.

Ses blessures avaient surtout laissé des traces au bas de sa colonne, où de méchantes cicatrices plissaient sa peau. Avery était trop pétrifiée pour se retourner.

— Mon chou ? lança-t-il d'un ton amusé.

Déroutée, elle se raidit et garda les bras collés le long du corps, face au mur.

— Oui ?

— Le devant m'intéresse un peu plus.

— Quoi ?

Il l'obligea à faire demi-tour et l'enlaça. La douce poitrine d'Avery s'écrasa contre la sienne.

— Ce que j'ai pu rêver de cet instant, chuchota-t-il les yeux fermés. Et la réalité dépasse tout ce que j'avais imaginé.

— Mais mon dos… tu as vu…

— On y viendra plus tard, lui promit-il en essuyant d'un baiser une larme sur sa joue. J'ai beaucoup de territoire à explorer et, dans mon état actuel, je dois définir des priorités.

Il étouffa ses protestations en s'emparant de sa bouche avec avidité. Sa langue s'insinua en elle et joua avec la sienne jusqu'à ce qu'Avery tremblât de désir.

Ses mains se promenèrent sur son corps en même temps qu'il prolongeait son baiser. Petit à petit, elle répondit avec ardeur à son étreinte. Ses doigts coururent et un grognement sourd échappa à John Paul lorsqu'elle pinça l'un de ses mamelons. Elle recommença.

Tous deux haletaient lorsqu'il releva la tête. Il fit un pas en arrière afin de se débarrasser de son short, sans cesser de la contempler et de se repaître de la passion qu'il lisait sur son visage.

Avery plongea son regard dans le sien. Elle voulut l'imiter mais constata alors que son slip gisait déjà par terre. Sa surprise arracha un sourire à John Paul.

— Tu es doué, reconnut-elle.

Il la suivit sur le lit et s'allongea sur elle, les bras appuyés de chaque côté de sa tête.

— Tu n'as encore rien vu, la prévint-il.

— Toi non plus...

Enhardie par l'intensité du désir qu'il lui témoignait, elle se frotta contre lui et descendit lentement les mains le long de son corps brûlant.

John Paul adorait la manière dont elle le touchait. En fait, il aimait tout en elle. Avery le rendait fou. Elle l'attira plus près pour un nouveau baiser, et il accepta que ce soit elle qui prenne l'initiative cette fois. Leurs langues se mêlèrent cependant que chacun partait à la découverte de l'autre.

Il crut ne plus pouvoir se contenir lorsqu'elle frôla son érection, mais elle refusa de s'arrêter en si bon chemin. Le souffle court, il glissa alors une main entre ses cuisses et la caressa tant et si bien qu'elle cambra le dos de plaisir.

Il se réfréna le plus longtemps possible, jusqu'à ce que, submergé par l'envie de se fondre en elle, il lui écarte les genoux tout en l'embrassant. Il agrippa ensuite ses fesses et se redressa afin de pouvoir la contempler au moment où il la pénétrait.

Avery s'arc-bouta contre lui avec un cri de joie, puis l'emprisonna entre ses jambes tandis que John Paul saisissait son visage et fondait sur sa bouche. Il prit son temps, s'obligeant à un lent va-et-vient qui exigea de lui un énorme effort de volonté. La sueur perla à son front, mais à mesure qu'il lui faisait l'amour, il s'aperçut qu'il n'avait jamais rien expérimenté de tel.

En proie à d'intenses sensations, Avery ne voulut plus qu'il ralentisse le rythme. Elle abandonna toute retenue et lui écorcha les épaules avec ses ongles en réagissant avec fièvre à chacun de ses coups de rein.

Soucieux de ne pas penser qu'à lui, il tenta de se freiner – en vain, car elle s'y opposa. Leurs ébats devinrent sauvages, primitifs.

Avery eut conscience de perdre le contrôle de la situation, mais ne s'en alarma pas tant elle savourait ce sentiment incroyable d'être affranchie de toute peur, de tout souci. Elle n'avait rien à craindre dans ses bras. Le corps agité de frissons, elle se souleva contre lui, submergée par des vagues successives de plaisir.

Son orgasme entraîna celui de John Paul, puis ils demeurèrent immobiles de longs instants, soudés l'un à l'autre, leurs cœurs cognant à l'unisson. Tous deux peinaient à retrouver leur souffle.

John Paul enfouit la tête dans ses cheveux et respira son parfum.

— Eh bien ! grommela-t-il.

Elle l'avait vidé de toutes ses forces. Il tenta de se déplacer pour ne pas l'écraser mais elle l'en empêcha.

— Pas tout de suite, murmura-t-elle.

Avait-il été trop brusque ? Cette éventualité le tourmenta soudain. Certes, il aurait pu faire preuve de plus de douceur, mais elle s'était donnée à lui avec tant de fougue qu'il ne s'était pas maîtrisé.

— Avery ? Ça va ?

Elle s'amusa de le voir s'inquiéter.

— Que d'émotions ! commenta-t-elle en éclatant de rire.

John Paul sourit, puis s'arracha à elle afin d'aller dans la salle de bains.

Elle remonta le drap, tapota son oreiller et s'y adossa, encore un peu déboussolée par ce qui venait de se passer. L'amour – du moins l'amour avec John Paul – risquait de la rendre vite dépendante.

Les ressorts du lit grincèrent lorsqu'il la rejoignit. Elle ouvrit les yeux et le découvrit qui l'observait, la tête appuyée sur une main, l'air très content de lui.

Bien qu'elle ne doutât pas de l'avoir comblé, elle attendit qu'il le lui confirmât. C'était idiot, vraiment, d'avoir une impression de toute-puissance à un certain moment et de sentir les vieux doutes refaire surface juste après. Non, elle ne l'avait pas déçu. Alors pourquoi ne disait-il rien ?

John Paul vit son regard s'assombrir. Il sentit que quelque chose la préoccupait.

— À quoi penses-tu ? lui demanda-t-elle, confirmant ainsi son pressentiment.

Il tira sur le drap jusqu'à le faire descendre à la limite de ses seins, mais elle le ramena sur elle.

— Je te parie que je peux l'enlever en un tour de main, se vanta-t-il.

— Oh, tu es vraiment fier de toi, n'est-ce pas ?

— Et comment ! s'exclama-t-il avant de l'embrasser.

Elle était dingue de cet homme. Il s'avérait si parfait pour elle. Elle tendit le bras et écarta une mèche de cheveux de son front – un prétexte pour le toucher encore. Elle ne s'en lassait pas.

— « Crénom » ? se moqua-t-il. C'est ce que tu as crié tout à l'heure. Tu l'as même hurlé, pour être plus exact.

— Ce n'est pas vrai, rit-elle.

— Oh que si !

— Moi, par contre, je ne répéterai pas ce que tu as crié.

— Eh ! dit-il alors avec un sourire lubrique.

Elle effleura son cou, puis son épaule.

— Quoi ? demanda-t-elle paresseusement.

— Vise un peu le tour de main.

Perplexe, elle baissa les yeux et découvrit le drap au niveau de ses chevilles.

— Tu es vraiment doué, le complimenta-t-elle.

Il déposa un baiser sur chacun de ses seins, puis dessina des cercles du bout des doigts autour de son nombril. Une cicatrice irrégulière et surélevée en son milieu – signe qu'une balle en était à l'origine – apparaissait sur la partie inférieure de son abdomen. Probablement un 38, estima-t-il. Voire un 45. C'était un miracle qu'elle ait survécu.

Il se pencha et déversa une pluie de baisers sur son ventre, ravi d'entendre sa respiration devenir aussitôt plus saccadée. Il roula ensuite sur le côté afin de pouvoir contempler son visage pendant que sa main s'aventurait vers les douces boucles de son entrejambe.

Le cœur d'Avery s'emballa.

— Tu as envie…

— Oh oui !

En gémissant, elle s'agita contre lui.

— Détends-toi, l'apaisa-t-il. Laisse-moi…

Il n'alla pas plus loin. Avec une force et une audace étonnantes, elle le repoussa sur le dos.

— Me détendre ? Pas question, John Paul. Il s'agit bien d'un sport d'équipe, non ?

Il ne put répondre. Elle avait capturé son sexe entre ses mains et s'employait à embraser tous ses sens.

— Et…, murmura-t-elle en le chevauchant.

— Et quoi ? fit-il d'une voix rauque.

Les yeux d'Avery pétillèrent.

— Je suis une indécrottable joueuse d'équipe.

31

John Paul était insatiable. Il n'accorda guère de repos à Avery de toute la nuit.

Lorsqu'elle se réveilla, à midi, elle était allongée sur le ventre. Les doigts de John Paul couraient sur la peau de son dos avec tant de légèreté qu'elle ne put déterminer s'il essayait de l'exciter ou s'il se montrait juste attentionné en raison de ses cicatrices.

Ces cicatrices qui faisaient même grimacer Carrie, qui l'aimait pourtant comme une mère.

— Avery ? Tu dors ?

— Qu'est-ce que ça t'inspire ? bafouilla-t-elle sans lui dire bonjour.

— Quoi ?

— Mon dos.

— Tu es prête à affronter la vérité ?

— Oui. Vas-y.

— J'admirais tes jolies petites fesses.

Elle se tourna vers lui.

— C'est la première chose que j'ai remarquée quand tu es entrée en te pavanant dans le hall de la station thermale, ajouta-t-il.

— Je ne me pavanais pas.

— Si.

— Tu n'es qu'un pervers.

— Et toi une gauchiste. On est à égalité, comme ça. Quant à tes cicatrices…

— Oui ? s'enquit-elle, encore souriante.

— Ce ne sont que des cicatrices. Elles ne te définissent pas. Debout maintenant ! Le petit déjeuner sera prêt dans dix minutes.

Il sauta du lit dans le plus simple appareil, sans paraître en éprouver la moindre gêne – au contraire. Elle le trouva superbe.

— Tu pourrais au moins t'habiller !

— Pourquoi ?

— Tu te promènes toujours nu dans les marais ?

— Je ne demanderais pas mieux, mais avec les alligators et les serpents, c'est risqué.

Sur ce, il attrapa son jean et se dirigea vers le salon pendant qu'Avery filait prendre une douche.

Lorsqu'elle le rejoignit dans la cuisine, John Paul avait préparé des œufs brouillés qu'il lui servit avec une bouteille de sauce Tabasco. Dès la première bouchée, elle se jeta sur son jus d'orange.

— Tu aimes le poivre ! s'exclama-t-elle.

— En Louisiane, manger épicé relève d'un art de vivre.

— C'était comment, de grandir à Bowen avec un père que tout le monde surnomme Big Daddy Jake ?

— Intéressant. Mon père est un sacré personnage : toujours en train de mijoter quelque chose, un peu arnaqueur sur les bords, mais avec le cœur sur la main.

Il l'amusa en lui racontant les tours pendables que son frère Remy et lui avaient joués au cours de leur enfance. Elle remarqua que chaque fois qu'il mentionnait son frère et sa sœur, sa voix s'adoucissait.

— Mike mène tout le monde à la baguette, comme toi, précisa-t-il d'un ton approbateur. Elle est chirurgien. Son vrai nom, c'est Michelle, mais tout le monde l'appelle Mike. Sauf son mari. Ils attendent leur premier bébé pour le mois de septembre.

— C'est lui, Theo ? Celui qui travaille comme procureur pour le ministère de la Justice ?

— Oui.

Il enchaîna sur une autre histoire pendant qu'elle finissait son petit déjeuner, puis ils s'attelèrent à la vaisselle ensemble.

— Il a plu fort ce matin, fit remarquer John Paul. Le tonnerre a même fait trembler les chevrons du toit.

— Je n'ai rien entendu.

— Parce que je t'ai épuisée, fanfaronna-t-il.

Malgré son arrogance, elle décida de lui rendre justice.

— En effet, concéda-t-elle en pliant son torchon. Si on en venait à la suite des événements, maintenant ?

— Plus tard.

Il lui emboîta le pas dans le salon, où elle se nicha sur le canapé tandis que lui s'asseyait dans un fauteuil.

— On va d'abord reprendre des forces et bavarder, reprit-il. On réfléchira à un plan d'action demain.

— De quoi parlerons-nous ?

— De qui, pas de quoi. Il faut qu'on discute de Jilly.

Avery, qui avait repoussé cet instant le plus longtemps possible, hocha la tête, cette fois.

— Carrie tenait un journal intime. Elle était très jeune – onze ans environ – quand elle a commencé. Contrairement à d'autres, elle n'y consignait pas ses espoirs, ses rêves ou ses désillusions. Non, tout tournait autour de Jilly. Chaque page rapportait un nouvel incident horrible la mettant en cause. Carrie m'a expliqué qu'elle voulait garder une sorte de témoignage… ou de preuve, peut-être, au cas où Jilly aurait un jour été prise sur le fait et envoyée en prison. Elle pensait que si des médecins avaient accès à ce compte-rendu, ils comprendraient le danger que représentait sa sœur et veilleraient à ce qu'elle reste derrière les barreaux jusqu'à la fin de sa vie. Il n'y avait pourtant pas que ça, à mon avis. Au fond de moi, je suis persuadée qu'elle s'attendait à ce que Jilly la tue tôt ou tard.

— Bonjour l'enfance…

— Elle a cessé d'écrire son journal quand Jilly est partie, mais elle l'a conservé dans l'hypothèse de son retour, tout en m'interdisant d'y toucher. Seulement, je savais où elle le rangeait…

— Tu l'as donc lu en cachette ?

— Oui, et je m'en suis mordu les doigts. Je me croyais assez grande pour encaisser n'importe quoi, mais ce qu'elle racontait était si effrayant...

— Tu avais quel âge ?

— Quatorze ans. Carrie avait noté une foule de détails qui m'ont révélé tout ce qu'il y avait de tordu chez Jilly. J'en ai fait des cauchemars pendant des mois.

Avery serrait un gros coussin contre sa poitrine comme s'il s'agissait d'une bouée de sauvetage. Une profonde tristesse émanait d'elle.

— Je déteste évoquer cette femme, murmura-t-elle.

— Normal.

— Il y a des monstres, des prédateurs en liberté dans la nature, et Jilly compte parmi eux. Devine ce qui m'a le plus terrifiée après.

— Quoi ?

— L'idée qu'un matin je découvre que je suis son portrait craché. Une sorte de Dr Jekyll / Mr Hyde. D'un point de vue génétique, je suis liée à elle pour toujours.

— Impossible, Avery.

— Comment peux-tu en être sûr ?

— Tu as une conscience, et elle ne s'envolera pas. Tu ne lui ressembles pas du tout.

— C'est drôle, c'est exactement ce que m'a affirmé le Dr Hahn.

— Qui est-ce ?

— Un psychiatre. Je me réveillais toutes les nuits en hurlant, alors, en désespoir de cause, Carrie m'a emmenée le voir. Elle m'avait fait jurer de ne jamais le dire à personne. Elle ne tenait pas à ce que les gens me prennent pour une malade.

— Parce qu'elle se souciait de leur opinion ? s'exclama-t-il en essayant de ne pas paraître trop critique.

— Le Dr Hahn était quelqu'un de merveilleux. Il m'a appris... à gérer la situation, pourrait-on dire. Carrie ignorait que j'avais mis le nez dans son journal et ce doit être lors de la troisième ou quatrième séance que le docteur l'a priée d'entrer et que je le lui ai avoué. Elle a piqué une crise, bien sûr, mais il l'a calmée et lui a ensuite demandé la permission de le lire lui aussi. Elle a accepté. Elle aurait fait n'importe quoi pour m'aider à surmonter ce qu'elle appelait mes terreurs nocturnes. (Avery sourit à John Paul en se rasseyant correctement.) J'ai toujours su que Jilly était folle parce que j'avais déjà entendu des anecdotes à son sujet, mais ce n'était rien à côté de tout ce que Carrie avait décrit au jour le jour dans son journal.

— Comment a réagi le Dr Hahn ?

— Avec enthousiasme.

— Enthousiasme ?

— Il était certain d'avoir affaire à une sociopathe et il a déploré de ne pas avoir eu l'occasion de l'examiner. Selon lui, elle souffrait d'une déficience morale et émotionnelle – raison pour laquelle il la pensait incapable d'éprouver des remords ou un quelconque sentiment de culpabilité. La douleur d'autrui ne l'émouvait pas. Au contraire, elle s'en réjouissait. Elle aimait blesser les gens, juste comme ça, pour rien. Sa spécialité consistait à faire porter le chapeau aux autres et à réécrire l'histoire. Elle jouait si bien la comédie. Elle possédait un don étonnant pour la manipulation. Si cruelle fût-elle, tout le monde l'adorait. Elle était très rusée.

— Donne-moi un exemple.

— Elle a commencé très tôt à s'en prendre aux animaux, en particulier au chat de Carrie, qu'elle a torturé et tué en le brûlant à l'essence. Elle s'en est vantée auprès de Carrie, mais devant leur mère elle a pleuré en gémissant qu'elle aimait tant cette petite bête. L'une de leurs voisines l'a même emmenée s'acheter une glace pour la consoler. Le temps d'arriver en terminale, elle avait progressé dans l'horreur. Elle était la fille la plus populaire de l'établissement, celle que chacun admirait. Pourtant, c'est une certaine Heather Mitchell qui a été élue reine du lycée cette année-là. Jilly a dû se contenter de sa place de première dauphine. D'après Carrie, elle a fait bonne contenance en public, mais à son retour chez elles, elle est entrée dans une rage folle qui a duré des heures. Elle a saccagé la maison, en s'acharnant notamment sur la chambre de Carrie – Jilly ne détruisait pas ses propres affaires. Puis elle s'est calmée et a prétendu se résigner. Sauf qu'elle avait une lueur mauvaise dans le regard. (Avery inspira et lâcha son coussin. Les muscles de ses bras étaient devenus douloureux à force de le serrer.) Le lendemain, un vase à bec d'acide sulfurique manquait à l'appel au laboratoire de chimie. Jilly s'est arrangée pour se retrouver seule avec Heather après les cours, et, sous les yeux de Carrie, elle l'a entraînée dans la rue en la tirant par le bras. Elle lui a dit qu'elle avait intérêt à ne pas se montrer lors de la fête du lycée qui devait avoir lieu le week-end suivant si elle ne voulait pas avoir à le regretter. Heather était une gentille fille qui traversait une période difficile. Sa mère était morte deux semaines plus tôt d'une rupture d'anévrisme et elle ne s'était pas encore remise de ce choc. Quand Jilly a eu fini de la harceler, elle s'est enfermée dans sa chambre, jusqu'à ce que son père réussisse à lui tirer les vers du nez. Il a déclaré que Jilly avait reconnu le vol de l'acide sulfurique et qu'elle avait menacé Heather de l'en asperger à la sortie des classes.

— Bon Dieu...

— Carrie ne transcrivait pas des ragots. Elle avait parlé avec Heather.

— Qu'a fait le père ?

— Il est allé trouver M. Bennett, le directeur du lycée, afin d'exiger le renvoi de Jilly. Et il a aussi porté plainte.

— Résultat ?

— Rien. Le chef de la police était un ami de ma grand-mère et il a préféré la ménager. Et puis, c'était la parole d'une lycéenne contre celle d'une autre. Jilly a nié l'incident. Ma grand-mère et elle ont été convoquées dans le bureau du proviseur le jour même, et Carrie les a accompagnées.

— Jilly a été exclue ?

— Évidemment non ! Ai-je oublié de mentionner que M. Bennett était malheureux en ménage ? Il vivait avec une femme froide et difficile de caractère – du moins selon Carrie.

— Qu'est-il arrivé ?

— Jilly l'a séduit. Elle a mimé une crise d'hystérie en pleurant à chaudes larmes – ce n'était qu'un manège, mais le proviseur s'est aussitôt assis à côté d'elle pour la réconforter. Dans tout ça, c'est le langage corporel de Jilly et la réaction de Bennett qui ont le plus fasciné ma tante. Une femme t'a-t-elle déjà évoqué un chat ? Carrie prétend que cette comparaison s'imposait dans le cas de sa sœur. Quand Bennett l'a entourée de son bras, elle s'est frottée contre lui d'une manière obscène.

— Ta grand-mère n'est pas intervenue ?

— Elle ne s'est aperçue de rien, comme d'habitude – elle était sortie chercher un verre d'eau pour Jilly. Et même si elle était restée, elle n'aurait rien vu parce qu'elle ne *voulait* rien voir. Carrie a raconté la scène en détail : alors qu'elle sanglotait contre l'épaule de Bennett, Jilly a levé les yeux vers elle à un moment et lui a adressé un sourire diabolique. Au bout du compte, Bennett a menacé d'exclure temporairement Heather pour avoir menti.

— Putain…

— Jilly menait les hommes par le bout du nez. Quelques-uns ont nourri une véritable obsession pour elle. Ils appelaient à toute heure du jour et de la nuit. De temps en temps, Carrie se faufilait dans la chambre de sa mère à l'étage pour écouter ses conversations grâce au deuxième téléphone de la maison. Son journal rapporte ainsi que certains suppliaient Jilly et que celle-ci éclatait de rire après avoir raccroché. Elle jouissait d'exercer un tel pouvoir sur eux. Pour elle, le sexe constituait un moyen de parvenir à ses fins et elle n'aimait rien tant que briser les hommes mariés. Tu devineras sans mal le nom de l'un d'entre eux.

— Bennett ?

— Oui.

— Et tout ça s'est passé alors qu'elle était au lycée ? Qu'est devenue Heather Mitchell ?

— Elle n'est pas allée à la fête de l'école, et c'est Jilly qui a été couronnée reine à sa place. Ça ne lui a pas suffi pourtant. Parce qu'elle l'avait contrariée, Heather méritait d'être punie. Jilly a donc continué d'en faire son souffre-douleur. Un mois s'est écoulé, et juste au moment où Heather commençait à se croire enfin tranquille, quelqu'un s'est introduit chez elle, dans sa chambre, et a versé de l'acide sur son vieil ours en peluche. Ce quelqu'un, bien sûr, n'était autre que Jilly.

John Paul se frotta la mâchoire et attendit qu'Avery poursuive.

— Carrie a eu des échos de cette histoire le lendemain. Elle est allée voir M. Mitchell, qui avait dû rester auprès de sa fille tant elle était bouleversée, et lui a expliqué que Jilly ne cesserait jamais de s'acharner sur elle. Il fallait qu'il éloigne Heather sans avertir quiconque de sa nouvelle adresse. La pauvre était au bord de la dépression, au point de consulter un psychothérapeute. Lui aussi a estimé préférable qu'elle quitte Sheldon Beach. Elle est donc partie durant les vacances de Noël et n'est jamais revenue.

— C'en a été fini ensuite ?

— Oh, non ! Le père de Heather a de nouveau porté plainte deux mois plus tard pour le vol de son courrier. Un samedi après-midi, il a surpris Jilly en train d'ouvrir sa boîte aux lettres. Elle y cherchait d'éventuelles nouvelles de Heather qui lui auraient indiqué où celle-ci s'était réfugiée.

— Elle n'est pas du genre à renoncer, n'est-ce pas ?

— Non. Comme elle n'avait jamais couché avec aucun des garçons de son école, ses camarades avaient tous d'elle l'image d'une fille sympa et équilibrée. Carrie a bien eu vent de deux ou trois rumeurs à son sujet, mais elles émanaient toujours de l'extérieur. Au final, Heather a été ostracisée. C'est dire si Jilly était douée pour faire le mal.

(À ces mots, Avery se leva et s'étira.) Tu veux boire quelque chose ?

Après ce qu'il venait d'entendre, John Paul songea qu'un verre d'alcool n'aurait pas été de refus. Il opta cependant pour un Coca light, et Avery, elle, pour de l'eau plate.

— Tes grands-parents n'ont pas essayé de la faire suivre ? l'interrogea-t-il après avoir bu une gorgée. Ils n'avaient pas conscience d'un problème chez elle ?

— Mon grand-père a plié bagage alors que Carrie et Jilly étaient encore petites, et ma grand-mère, Lola, vivait dans une sorte de monde merveilleux. Elle trouvait toujours une excuse à Jilly.

— Quand est-elle tombée enceinte de toi ?

— En terminale. Carrie pense d'ailleurs que c'est ce qui a sauvé Heather, parce que Jilly a eu tout à coup d'autres soucis en tête. Elle a tenté de se faire avorter, mais son médecin s'y est opposé à cause de l'état avancé de sa grossesse. Elle a donc accouché avant de fuir Sheldon Beach trois jours plus tard – cette date est la dernière consignée dans le journal de Carrie. C'en était trop pour ma grand-mère. Elle a vidé son placard et jeté aux ordures toutes ses affaires, au milieu desquelles figurait une boîte à chaussures remplie de courrier adressé aux Mitchell, ainsi que…

— L'acide ?

— Gagné ! Le flacon était à moitié vide, mais il en restait assez pour tuer Heather. Je suis sûre que Jilly n'a jamais oublié cette fille. Elle guettait juste le moment propice.

Un coup de tonnerre retentit. Avery tressaillit et s'approcha de la fenêtre. De gros nuages noirs s'amoncelaient à l'horizon. Un éclair zébra le ciel, tandis que la foudre éclatait de nouveau.

— Carrie ne jugeait pas sa sœur très intelligente, reprit-elle sans se retourner. Jilly se servait de son corps pour obtenir ce qu'elle désirait, un point c'est tout. Visiblement, elle est devenue plus retorse et plus futée avec le temps. Il n'existait pas un seul homme capable de lui résister, d'après ma tante.

— Tu le crois, toi ?

— Skarrett a succombé à ses charmes, et vois où ça l'a mené. Quand j'avais cinq ans, Jilly et lui sont venus à la maison pour annoncer à ma grand-mère qu'elle devrait dorénavant payer pour me garder. Heureusement, Carrie était là. Elle a répondu à Jilly qu'elle n'avait aucun droit sur moi et l'a flanquée dehors. Leur affrontement a été horrible, mais Skarrett ne s'en est pas mêlé… cette fois-là. Jilly n'arrêtait pas de crier : « Tu es morte, Carrie ! Tu es morte ! »

— Où étais-tu ?

— Je ne me souviens de rien, avoua Avery en se tournant vers lui. Carrie m'a dit qu'elle m'avait découverte cachée sous mon lit après leur départ. Elle m'a promis qu'ils ne reviendraient plus jamais.

Elle avala une gorgée d'eau, referma sa bouteille et contempla sa paume, sur laquelle apparaissait la marque de la capsule qu'elle avait serrée.

— Et ça n'a pas été le cas, je suppose ?

— En effet.

John Paul l'observa avec attention pendant que, les yeux clos, elle lui rapportait ce qui s'était passé le 14 février, bien des années plus tôt.

— Skarrett n'est qu'une marionnette entre ses mains, conclut-elle. Et Monk aussi, à mon avis. Elle en fait ce qu'elle veut. Maintenant, tu es au courant.

— Oui.

— Et… Qu'est-ce que tu en penses ?

— Que tu as raison. Jilly est folle.

— Non, ce n'est pas ce que je voulais dire, insista-t-elle en s'avançant vers lui.

— Quoi alors ?

Elle se figea à quelques centimètres de son fauteuil.

— Tu ne regrettes pas ?

John Paul eut l'impression de jouer aux devinettes.

— Regretter quoi ? s'agaça-t-il.

— De t'être lancé dans une aventure avec moi. Elle est temporaire, mais…

— Pas du tout !

— Tu dois être un peu rebuté, tout de même…, fit-elle en reculant.

— J'ai peur que non.

— Pourquoi ? Je ne suis pas issue d'une famille normale. Sur le plan génétique, je suis une catastrophe ambulante.

— Pas la peine d'être si mélodramatique, mon chou. Et ne crie pas. Je ne suis pas sourd.

— Comment peux-tu sourire après ce que je viens de te raconter ? Comment… ?

— Avery, c'est Jilly qui a commis ces atrocités. Pas toi.

Il estimait sa logique imparable, mais Avery n'avait pas la moindre envie d'écouter la voix de la raison.

— Tu comprends maintenant pourquoi je ne me marierai jamais.

Avant qu'elle ait pu s'écarter davantage, il l'attrapa par la taille.

— Non, jeta-t-il sans la lâcher malgré ses efforts pour se libérer. Il va falloir que tu m'expliques. Tu t'attends à te réveiller un beau matin dans la peau d'une sociopathe ?

— Non, bien sûr que non. Mais je ne peux pas avoir d'enfant, et même si je le pouvais…

— Je sais, la coupa-t-il doucement. Tu ne prendrais pas un tel risque.

— Les hommes aspirent à fonder une famille, décréta-t-elle en le fixant d'un air furieux.

— Certains oui, admit-il. D'autres non.

— Et toi ?

Il refusa de lui mentir.

— Je me suis toujours dit que je me caserais un jour et que j'aurais deux ou trois gosses. Je n'y renonce pas, précisa-t-il. Mais, Avery, il y a des tas d'enfants abandonnés qui ont besoin qu'on s'occupe d'eux.

— Tu t'imagines qu'on m'autorisera à en adopter après que les services sociaux se seront renseignés sur moi ?

— Oui.

— Je ne me marierai pas.

Elle avait beau tenter de masquer sa vulnérabilité derrière une attitude bravache, John Paul ne fut pas dupe. Il sentait combien elle souffrait.

— Est-ce que je t'ai demandé de m'épouser ?

— Non.

— Bon, alors je crois qu'on a abordé assez de sujets sérieux pour le moment. L'heure est venue de se détendre.

Avery fut surprise de constater que le récit des horreurs imputables à Jilly n'avait pas plus d'effet sur lui que ses cicatrices. Qu'est-ce qui ne tournait pas rond chez cet homme ?

— Relax, ajouta-t-il en remontant son chemisier au-dessus de son nombril et en l'embrassant.

— Rien ne vaut le yoga pour ça.

— Je connais un moyen plus efficace.

Elle agrippa son poignet lorsqu'il entreprit de déboutonner son short.

— À quoi tu joues ?

Son sourire lui fit battre le cœur. Elle laissa retomber sa main et le regarda descendre sa fermeture Éclair.

— C'est simple, mon chou, répondit-il une fois le short par terre. Je rejoins mon paradis à moi.

32

Il n'y a pas de meilleur endroit qu'une chambre pour échanger des secrets, et Avery et John Paul ne tardèrent pas à le vérifier.

— Je t'avais bien dit que je finirais par me pencher sur ton dos, déclara John Paul, après lui avoir fait l'amour jusqu'à épuisement.

Elle rit devant tant d'arrogance.

— Tu es insatiable ! murmura-t-elle.

— Seulement avec toi.

Ces mots la touchèrent. Ils sonnaient comme un compliment.

— Déplace-toi, lui ordonna-t-elle. Je vais m'écrouler par terre, sinon.

Le matelas n'offrait cependant guère d'espace à John Paul.

— On va devoir s'acheter un plus grand lit.

Sa remarque agit comme une douche froide sur Avery.

— Pourquoi ? s'enquit-elle avec nervosité.

— Parce qu'il est trop petit. Mes pieds pendent dans le vide. Où est le problème ?

— Tu sais aussi bien que moi que notre relation ne durera pas.

— Je t'ai demandé quelque chose ?

— Non, seulement tu as sous-entendu…

— Tu t'inquiètes trop, mon chou.

Avery en convint en son for intérieur : elle s'inquiétait

trop… Plus que tout, elle craignait de tout gâcher. S'avouer qu'elle aimait John Paul l'avait déjà plongée dans un état proche de la panique, alors qu'adviendrait-il quand ils se sépareraient ? Elle ne s'en remettrait sans doute jamais.

— Je ne crois pas au mariage. Regarde les conséquences sur certaines personnes.

— Quelles personnes ?

— Des gens comme les Parnell…

— Ils ne constituent pas franchement un échantillon représentatif.

— Que fais-tu du taux de divorce ?

— Que fais-tu de tous les couples restés unis ?

— Je détruirai le nôtre, balbutia-t-elle en dernier ressort.

Devant son silence, elle se hissa sur un coude et se pencha vers lui pour voir s'il s'était endormi.

— Tu as entendu ce que je viens de dire ?

Sa réaction se borna à un sourire adorable. Il émanait de lui une telle assurance… peut-être parce que l'opinion des autres lui était égale. Avery, elle, avait passé sa vie à essayer de contenter son entourage. À cet égard, John Paul et elle s'opposaient radicalement.

— Tu n'as guère confiance en toi, hein ? lâcha-t-il enfin. Ce n'est pas grave. J'en ai assez pour nous deux.

Elle posa une main sur son ventre et dessina des cercles autour de son nombril. Tout semblait si simple avec lui.

Elle ne pouvait s'empêcher de le caresser. Malgré la force que John Paul irradiait, il ne l'intimidait pas. Elle ne se sentait ni écrasée ni dominée dans ses bras, bien au contraire. Il lui procurait une telle impression de puissance qu'elle ne redoutait pas de lui déplaire. Quoi qu'elle fasse, elle avait son approbation, et cette liberté d'esprit était pour elle la plus incroyable des expériences. Elle prit soudain conscience du merveilleux cadeau qu'il lui avait offert.

— John Paul ?

— Mmmm ?

— Tu dors ?

— Un peu.

— J'aimerais…

— D'accord, trésor. Laisse-moi juste deux minutes, et je serai en mesure…

Le corps encore électrisé par leur dernière étreinte, elle éclata de rire.

— Non, j'aimerais que tu répondes à une question.

— Tu étais parfaite, Avery, répliqua-t-il en bâillant. Mais je ne devrais plus…

Elle le pinça.

— Je ne te demande pas une évaluation de mes performances. Je veux savoir pourquoi tu es parti. (Elle précisa aussitôt sa pensée afin qu'il ne se méprenne pas.) Je t'ai confié mes secrets, du moins la plupart d'entre eux. À toi maintenant. Pourquoi as-tu quitté ton boulot ?

— C'est de l'histoire ancienne.

Elle le pinça encore.

— Ça m'intéresse.

Il ouvrit les yeux et comprit à son air déterminé qu'il ne parviendrait pas à se défiler. De toute façon, il lui devait bien ça.

— Je ne me suis pas décidé à la suite d'une mission importante qui se serait mal terminée. C'est plutôt un ensemble de petits ratés qui m'ont poussé à… reconsidérer ce que je désirais dans la vie. J'avais un gros problème.

— Lequel ?

— Je m'étais mis à trop réfléchir. Il faut dire que j'avais le temps quand je me retrouvais coincé dans un trou perdu entre deux opérations, qui, soit dit en passant, consistaient le plus souvent à abattre des généraux, ajouta-t-il avec désinvolture. Des dictateurs prétentieux protégés par des malfrats. Les tuer ne me dérangeait pas – j'œuvrais pour le bien commun, ironisa-t-il. Et libérer des otages me plaisait aussi. Là, au moins, mes actes avaient un sens. Mais un soir que je me les gelais, j'ai remarqué un cal sur mon doigt. Celui qui pressait la détente. Ça m'a fichu la trouille.

— Et ?

— J'ai achevé mon contrat, puis j'ai informé mes supérieurs que je rendais mon tablier et je suis rentré chez moi.

— Et c'est tout ? Ils n'ont pas tenté de te faire changer d'avis ?

— Oui et non. Je n'ai pas eu de problème à ce moment-là parce que je bossais pour un type réglo. Il savait que j'en avais assez et il a court-circuité la bureaucratie afin de m'obtenir un congé prolongé.

— Et maintenant ils essaient de te convaincre de rempiler ?

— De temps en temps, oui. Mais je n'ai pas l'intention d'accepter. (Il marqua une pause.) Certaines périodes de mon passé ne sont pas très glorieuses, Avery.

— Je m'en doute. Et tu considères que tous tes efforts n'ont servi à rien, n'est-ce pas ?

Elle avait visé juste.

— Oui. Les dictateurs poussent comme du chiendent. Tu en élimines un et il y en a deux autres qui surgissent à la place.

John Paul ne la quitta pas des yeux pendant qu'il lui racontait l'une de ses missions les plus sanglantes. À la fin de son récit, il constata qu'elle ne s'était pas écartée de lui. Sa main caressait toujours son torse, douce et apaisante.

— Depuis, tu es devenu menuisier.

— Voilà.

— Tu es doué ?

— Oh oui ! Il s'agit toujours d'un travail manuel, mais je fabrique cette fois des objets qui durent. Je ne démolis plus personne. C'est bizarre, d'ailleurs.

— Quoi ?

— Cette envie de tuer. Je ne l'avais jamais ressentie avant, mais maintenant, si.

Elle fut sidérée par la nonchalance avec laquelle il s'était exprimé.

— Oh ? Et qui as-tu envie de tuer ?

— Skarrett.

— Non, s'insurgea-t-elle. Je ne veux pas qu'il meure.

— Tu rigoles ?

— Pas du tout. Je préfère qu'il termine ses jours en prison.

— Oui, eh bien si l'occasion se présente…

— Non !

— D'accord, céda-t-il en la voyant s'alarmer.

— Je suis sérieuse.

— J'ai dit d'accord.

— Je me moque que tu descendes Monk, en revanche – même si j'espère qu'on l'arrêtera vivant. Tu imagines tout ce qu'il pourrait révéler ?

— Il restera muet comme une carpe. Il n'est pas du genre à se vanter. Tout au plus lâcherait-il quelques indices si on le traitait en professionnel lors de son interrogatoire – et encore, ça m'étonnerait. Ce type ne mérite que d'être écrasé comme une mouche.

— Et Jilly ?

— À toi de décider.

— Il faut qu'on l'interne à vie dans un hôpital psychiatrique.

— Tu ne souhaites pas sa mort ?

— Non. Elle ne peut rien contre sa nature. Simplement, j'aimerais être sûre qu'elle ne nuira plus à personne.

John Paul effleura ses lèvres avec son pouce.

— Tu as bon cœur.

— Toi aussi.

— Tu parles ! Par contre, je sais faire plein de choses de mes dix doigts, se vanta-t-il en l'attirant contre lui.

Elle tempéra ses ardeurs d'une petite tape.

— Tu ne m'apprends rien, mais c'est à mon tour de te donner un aperçu de mes talents, chuchota-t-elle en s'allongeant sur lui avec une lueur espiègle dans les yeux.

Avery avait de l'imagination, et les caresses qu'elle lui prodigua avec ses mains et sa bouche furent enchanteresses.

Ils dormirent enlacés cette nuit-là, conscients que cet

interlude prendrait fin au petit matin. Ils ne pouvaient retarder plus longtemps le moment d'affronter la réalité.

Réveillée avant John Paul, Avery se doucha rapidement et s'habilla dans la salle de bains afin de ne pas le déranger. Puis elle ferma sans bruit la porte de la chambre et gagna le salon, où elle consulta l'horloge suspendue au mur au-dessus de la table. Pourvu qu'elle indique l'heure juste, songea-t-elle. Il était 5 h 45 du matin dans le Colorado – par conséquent 7 h 45 en Virginie.

Le bruit de l'eau qui coulait dans la salle de bains lui parvint lorsqu'elle saisit le téléphone.

— Ne change rien à tes habitudes, Margo, pria-t-elle à voix basse. Ce n'est pas le moment de devenir imprévisible.

Elle appela les renseignements, obtint ce qu'elle désirait, puis raccrocha et attendit, les yeux rivés sur l'horloge.

À 7 h 50 exactement, elle composa le numéro qui lui avait été communiqué. Quelqu'un décrocha à la troisième sonnerie.

Avery s'inventa une fausse identité et annonça qu'il s'agissait d'une urgence. Il fallait à tout prix qu'elle parle à Margo. Elle décrivit son amie et ajouta :

— Elle passe chez vous tous les matins à cette heure-ci.

— Ah oui, une petite dame, c'est ça ?

— Oui.

— Elle vient de sortir.

— Rattrapez-la ! exigea Avery. Vite, dépêchez-vous !

Le combiné heurta le mur à plusieurs reprises lorsque l'employé le laissa tomber. Elle l'entendit crier le nom de Margo et, une minute plus tard, ce furent les protestations étouffées de cette dernière qui lui parvinrent.

— Personne ne sait que je suis là. Comment ça, une urgence ? Allô ?

— Margo, c'est moi, Avery.

— Oh, mon Dieu ! Avery ! Comment as-tu deviné... comment... ?

— Tu achètes toujours des beignets avant d'aller au bureau.

— Tu te rends compte du pétrin dans lequel tu t'es fourrée ?

— Je n'ai rien fait de mal.

— Pourquoi as-tu fui le poste de police ? Ces agents étaient là pour te protéger !

— J'ai déjà un garde du corps.

— Renard ?

— Oui, répondit-elle avec impatience. Dis-moi, il y a du nouveau ?

La porte de la chambre s'ouvrit, et John Paul se figea à l'entrée du salon, l'air incrédule. Elle leva une main en le voyant s'avancer vers elle.

— Deux secondes, Margo, fit-elle avant de couvrir le téléphone et de s'adresser à John Paul. Fais-moi confiance. (Puis elle reprit le fil de sa conversation.) C'est bon. Je t'écoute.

— Le procès débutera le 10 juillet. Mais une commission se réunira quand même pour décider de l'éventuelle remise en liberté conditionnelle de Skarrett. Il réussira peut-être à sortir cette fois.

— Moi vivante, jamais !

— Ne parle pas comme ça, je t'en prie.

— L'audience est toujours prévue le 16 ?

— Je crois.

— Tu en es sûre ou pas ?

— Oui, j'en suis sûre. Ne t'énerve pas, Avery. Le FBI est au courant pour Jilly. Ta tante les a prévenus. Ma pauvre, ç'a dû être un tel choc pour toi. Je suis désolée…

— Ils ont une idée de l'endroit où se cachent Jilly et Monk ? la coupa Avery, qui ne se souciait guère de recevoir de telles marques de compassion.

— Aucune.

— Et ma tante ? Elle est toujours à l'hôpital ?

— Oui. Ne t'inquiète pas pour elle. Un moustique n'arriverait pas à pénétrer dans cet établissement. Tu n'imagines même pas les mesures de sécurité qui ont été prises.

— Je ne m'inquiète pas. Monk ne peut pas être partout à la fois.

— Qu'est-ce que ça signifie ?

— Je vais l'occuper. Il aura fort à faire s'il veut m'empêcher de témoigner au procès de Skarrett.

— En quoi le sort de Skarrett le concerne-t-il ?

— En rien. Mais Monk travaille pour Jilly, maintenant, et elle souhaite que son ancien amant soit libéré. Je te parie que, si on épluchait le registre des visiteurs de la prison, on constaterait qu'une femme s'est présentée plus d'une fois au parloir pour s'entretenir avec Skarrett au cours de ces derniers mois. Ils ont dû conclure un marché.

— Avec à la clé pour elle les pierres qu'il a volées.

— À mon avis, il s'attend à les partager avec elle et à couler ensuite des jours heureux en sa compagnie jusqu'à la fin de sa vie. Sauf qu'elle chargera Monk de le supprimer dès qu'elle aura mis la main sur le magot.

— Tu cours un très gros danger, Avery.

— Peut-être, murmura-t-elle. Mais il est trop tard pour reculer maintenant. Quant au procès…

— Oui ?

— Trouve le nom du procureur et veille à ce que je figure parmi les témoins cités à comparaître.

— D'accord. Tu m'autorises à prévenir Carter de ton coup de fil ?

Tu te passeras de ma permission, de toute façon, pensa Avery. Margo avait beau être son amie, elle serait persuadée de lui rendre service en avertissant leur supérieur.

— Oui, vas-y.

— Où es-tu en ce moment ? Il me posera la question.

— Dans l'Alabama, mentit-elle. Il faut que j'y aille, Margo. Dis à Carter que je l'appellerai.

— Pas si vite ! Que comptes-tu faire ?

Avery avait un projet précis en tête, qu'elle ignorait juste comment réaliser.

— Je vais jouer les trouble-fête.

John Paul lui obéit et lui fit confiance – sinon il lui aurait arraché le téléphone des mains. Il patienta à côté d'elle sur le canapé et parut ensuite soulagé lorsqu'elle lui expliqua avoir joint Margo dans une boulangerie.

— Bravo, la félicita-t-il.

— Margo a ses manies, sourit Avery, qui lui rapporta ensuite les propos de son amie. J'ai promis de contacter Carter une fois qu'on sera en Floride.

— Mais pas avant.

— Tu es sûr de vouloir m'accompagner, John Paul ? La situation pourrait…

— … mal tourner ?

Elle hocha la tête.

— Je tente l'aventure, déclara-t-il. Jusqu'au bout.

Et, plaquant une main sur sa nuque, il l'attira vers lui pour l'embrasser.

— Tu m'as bien entendu ? répéta-t-il. Je tente l'aventure jusqu'au bout. Que ça te plaise ou non.

— C'est-à-dire aussi longtemps qu'il faudra pour coincer Monk et Jilly.

— Ce n'est pas ce que je sous-entendais, tu le sais très bien, répliqua-t-il en la lâchant.

Elle s'écarta et alla préparer le petit déjeuner dans la cuisine. Puis elle s'attela à la vaisselle pendant qu'il étudiait sur une carte la route à suivre pour rallier Sheldon Beach.

— On a de la visite, lâcha tout à coup John Paul.

Avery laissa tomber son torchon et courut dans le salon. Posté près de la fenêtre donnant sur l'avant du refuge, John Paul serrait son revolver contre sa jambe.

À la vue de la voiture qui surgissait d'entre les arbres, il se détendit.

— Fais ton sac, lui conseilla-t-il en fourrant son arme dans la ceinture de son jean. Voilà notre chauffeur.

— Tu attendais quelqu'un ?

Il acquiesça en silence. Le soleil qui se réverbérait sur le pare-brise du véhicule l'empêcha de distinguer le conducteur, mais la marque et le modèle correspondaient à ceux annoncés. Une Honda grise toute neuve.

— Qui est-ce ?

Il haussa les épaules.

— J'ai expliqué à Theo que j'avais besoin d'un moyen de transport. La police doit rechercher mon 4 × 4 et tu n'apprécierais certainement pas qu'elle nous retienne jusqu'à ce que le FBI t'emmène rejoindre ta tante.

— Le FBI ne pourrait pas m'y obliger.

Il ricana, ce qu'elle interpréta comme un signe de désaccord.

— Il ne bafouerait pas mes droits, insista-t-elle.

— Bien sûr que si. Et il prétendrait agir pour ton bien, en plus.

Elle refusa de s'engager dans une nouvelle dispute interminable sur le sujet. Et puis, au fond d'elle-même, elle admettait que ses affirmations avaient leur part de vérité. Mieux valait ne pas prendre de risque.

— Theo est venu en voiture depuis la Louisiane ?

— Non. Il voulait, mais je l'en ai dissuadé en lui rappelant qu'il allait être père et qu'il tirait comme un manche. S'il était tué, son enfant n'aurait plus que moi comme figure paternelle et j'ai menacé de l'élever à mon image…

— Il a eu peur ?

— Ouaip ! Et comme je te l'ai dit, il ne sait pas se servir d'une arme. Il serait capable de se flinguer en dégainant.

— Et tu n'as pas envie qu'il se blesse. Attention, John Paul, tu commences à t'attendrir.

Il plissa les yeux face au soleil pour tenter de discerner le nouvel arrivant.

— Theo a prétendu connaître quelqu'un de discret et d'efficace, qui n'hésiterait pas à violer quelques règles, si nécessaire. Ah, non ! grogna-t-il soudain. Pas lui. Le fils de…

— Qui ?

— Theo. Mon beau-frère a un sens de l'humour complètement tordu.

— John Paul, de quoi parles-tu ?

— Theo l'a envoyé, *lui* ! fulmina-t-il.

— Qui ?

— Clayborne. Noah Clayborne ! cracha-t-il.

Son attitude intrigua Avery.

— C'est pourtant lui que tu as appelé à Utopia. Je t'ai entendu au téléphone. Pourquoi te mets-tu en colère ?

— Oui, je l'ai appelé, mais je ne pensais pas être obligé de le voir. (Il se tourna vers elle et l'examina vivement de la tête aux pieds.) Habille-toi, nom d'un chien !

Avery baissa les yeux et eut confirmation de ce qu'elle pensait porter : baskets, short bleu marine et T-shirt blanc.

— Ma tenue ne te convient pas ?

— Trop dénudée. Ah, et puis tant pis. Tu pourrais être déguisée en nonne que ça n'y changerait rien. Ce fumier va te draguer, et moi je n'aurai pas d'autre choix que de lui faire la peau. (Il s'avança au pas de charge vers la porte, manqua l'arracher en l'ouvrant et sortit sur le perron.) Compte sur moi.

— Il nous amène une voiture, lui signala-t-elle. Arrête de te plaindre !

— OK, tu as raison. On lui dira de rester ici ou de repartir avec mon 4 × 4. Il n'a pas à nous accompagner, après tout.

Poussée par la curiosité, Avery recula près de la fenêtre afin d'observer l'ami de Theo. Cet homme ne pouvait être aussi odieux que le laissait supposer John Paul. C'était impossible.

La Honda pila devant la cabane, et leur visiteur émergea dans la lumière du soleil.

Avery retint un sifflement admiratif. Grand, blond, large d'épaules, Clayborne possédait un charme ravageur. Il était vêtu d'un simple jean et d'un T-shirt gris sur lequel il avait enfilé un vieux holster. John Paul le fusilla du regard, mais il se contenta de sourire, comme si c'était lui, Renard, qui faisait les frais d'une plaisanterie.

Sans être séduite – elle trouvait John Paul plus attirant, et ce à tous égards –, Avery dut reconnaître que, sur le plan physique du moins, Noah n'avait pas grand-chose à lui envier. Bien sûr, cette analyse était purement clinique. Elle n'avait jamais pris le temps de noter de tels détails chez un homme avant – ou alors elle ne se l'était pas avoué.

— Il faudra que j'entame une psychanalyse quand cette histoire sera finie, murmura-t-elle. Et une bonne...

Elle se ressaisit et alla à la rencontre de Noah, lequel se figea au bas des marches à sa vue.

John Paul avait grand besoin de réviser ses bonnes manières. Elle attendit quelques secondes qu'il fasse les présentations, puis comprit que cela ne servait à rien et fit un pas en avant. Il lui passa alors un bras autour des épaules pour la rapprocher de lui sans ménagement.

Le sourire de Noah s'élargit devant cette ridicule marque de possession. Il ôta ses lunettes de soleil et la fixa ouvertement de ses yeux bleus. Je parie que c'est un bourreau des cœurs, songea-t-elle tandis que John Paul resserrait son étreinte.

Était-il marié ? Elle espéra que non : elle avait au moins trois amies à qui le présenter – à condition bien sûr qu'il ne soit pas qu'un bellâtre sans cervelle. Margo s'en moquerait, mais pas Peyton, son amie d'enfance.

— Qu'est-ce que tu regardes, Clayborne ? aboya John Paul.

Décidée à mettre fin à cet affrontement, Avery se dégagea et marcha jusqu'au bord du perron.

— Merci d'être venu, dit-elle. Je m'appelle Avery Delaney.

Noah monta les marches et lui serra la main, qu'il garda ensuite dans la sienne.

— Il y a un truc qui me chiffonne, ajouta-t-il après l'avoir saluée.

— Lequel ?

— Comment une aussi jolie fille que vous a-t-elle pu finir avec un type pareil ? s'enquit-il en lorgnant du côté de John Paul.

— Elle a de la chance, répliqua celui-ci. Lâche-la, maintenant.

Noah continua à sourire en l'ignorant Il s'amusait a le provoquer, et semblait très doué pour ça – encore que, à bien y réfléchir, il suffisait de pas grand-chose.

— Nous apprécions beaucoup votre aide, n'est-ce pas, John Paul ? intervint Avery.

Elle dut toutefois lui donner un coup de coude pour lui arracher une réponse.

— Oui, oui, marmonna-t-il.

— Entrez, je vous en prie. Vous avez soif ? s'enquit-elle en précédant Noah à l'intérieur du refuge.

— Il peut se servir tout seul, Avery. Tu n'as pas à jouer les maîtresses de maison.

— Ça suffit ! s'écria-t-elle en faisant volte-face. Je me montrais simplement polie, ce qui n'a pas l'air d'être ta spécialité. Maintenant arrête de te comporter comme un coq dans une basse-cour et épargne-nous ta mauvaise humeur.

— D'accord, d'accord, céda-t-il aussitôt.

Noah s'efforça de ne pas rire.

— Elle a du caractère, lui avoua John Paul, un peu honteux.

— Ben voyons.

— Écoute, ce n'est pas ce que tu...

— Oh, si ! Je n'aurais jamais cru que tu déclarerais un jour forfait devant quelqu'un. Ni qu'une femme voudrait...

— La ferme, Noah.

— Eh ! Je suis juste là pour rendre service à Theo, alors ne passe pas tes nerfs sur moi !

Le fait est que Noah appréciait et respectait John Paul. Il l'admirait même un peu d'avoir eu le cran de quitter un boulot qui en avait brisé plus d'un.

Avery laissa les deux hommes discuter sur le perron et alla se préparer.

Quelques injures colorées lui parvinrent, suivies de rires. Ils sont cinglés, pensa-t-elle. Dans la chambre, le lit ressemblait à un champ de bataille. Elle en ôta les draps, les fourra dans le panier à linge sale et en remit des propres.

Faire son sac lui prit peu de temps. Elle troqua son short contre son pantalon de treillis et dénicha un corsage rose. Les habits que l'assistante de Tyler avait emportés chez elle pour les laver étaient rangés avec soin dans un coin de son sac marin.

Quelle gentillesse de sa part... Avery songea qu'elle aurait bien des personnes à remercier une fois tirée d'affaire. En particulier le chef de police. Leur offrir l'usage de son refuge excédait de loin ses devoirs d'officier.

Elle alla ensuite dans la salle de bains rassembler ses effets personnels. Elle se regarda dans le miroir : son visage accusait la fatigue, il fallait qu'elle s'arrange. Elle recouvrit ses cernes d'un peu de fond de teint, se maquilla légèrement et boucla ses affaires de toilette.

Elle était prête lorsque John Paul la rejoignit dans la chambre. Il ferma la porte et s'y adossa.

Avery se redressa en essuyant nerveusement ses mains sur son pantalon, comme si elle avait voulu en effacer le moindre pli.

— Ça ne va pas ?

— Je n'ai pas envie de partir, répondit-il, les yeux rivés sur le lit.

— Moi non plus.

— Viens là.

Elle n'hésita pas et se précipita dans ses bras pour l'embrasser.

Lorsqu'ils se détachèrent l'un de l'autre, elle était au bord des larmes. Jamais elle n'avait éprouvé un tel désespoir auparavant. Elle eut peur d'éclater en sanglots.

Comment avait-elle pu devenir si vulnérable ? L'amour n'était pourtant pas censé naître si vite ! Elle s'en voulut de ne pas s'être davantage protégée du coup de foudre. Alors que tant de chansons stupides le décrivaient comme un enchantement, elle ne ressentait que de la douleur et la peur qu'il arrive malheur à John Paul. Non, elle ne pouvait s'autoriser à l'aimer.

— Tu devrais rentrer chez toi, déclara-t-elle, avant de reculer d'un pas et de se répéter avec plus de fermeté. Je suis sérieuse. Je veux que tu rentres chez toi.

— Pourquoi ?

Sa question était prévisible, mais elle ne lui fournit qu'une réponse embrouillée.

— Tu devrais, c'est tout. Je suis capable de retourner seule en Floride. Je n'ai pas besoin que Noah ou toi me serviez de baby-sitter.

Sa voix s'affermit à mesure qu'elle s'expliquait, mais John Paul se contenta de ramasser son sac et d'y entasser ses vêtements.

Debout dans la cuisine, Noah buvait du lait à même la bouteille. Il s'était préparé un énorme sandwich qu'il finissait d'avaler lorsque Avery réapparut avec son sac à dos. John Paul la suivait avec le reste de leurs bagages.

— On y va ! lança-t-il à Noah.

— Je vous rejoins tout de suite.

Avery emboîta le pas à John Paul jusqu'à la voiture. Il ouvrit le coffre, jeta leurs affaires à l'intérieur, et le referma brutalement en la fixant d'un air courroucé.

— John Paul…

— Non, la coupa-t-il.

— Non quoi ?

— Ne m'insulte pas encore. Je t'ai dit au moins trois fois que je tenterai l'aventure jusqu'au bout avec toi. Tu n'écoutais donc pas ?

Elle coula un regard vers le refuge afin de s'assurer que Noah n'était pas là.

— Je ne veux pas qu'il t'arrive quelque chose, d'accord ? Je ne le supporterais pas…

— Je t'aime aussi, Avery.

— C'est trop tôt… tu n'es pas…
— Si.
— Comment peux-tu être amoureux de moi ?
— Tu veux que je t'énumère les raisons ? murmura-t-il.
Avery sentit des larmes lui picoter les yeux. Il ne comptait décidément pas se montrer raisonnable.
— Tu es têtu.
— Toi aussi.
— Ça ne marchera pas.
— Si. On se débrouillera.
— Je suis de gauche, lui rappela-t-elle en dernier ressort.
— Je ferai avec, rétorqua-t-il en l'embrassant. Par contre, je ne peux pas vivre sans toi. C'est aussi simple que ça, mon chou.
Sa bouche s'empara de la sienne. John Paul n'essayait pas de la dominer physiquement, ni de l'enchaîner à lui. Leur étreinte, interminable, fut d'une extrême douceur. Le claquement de la porte-moustiquaire derrière eux y mit fin brutalement.
Noah sortit sur le perron.
— Tu conduiras pendant que je récupérerai quelques heures de sommeil, fit-il à John Paul en lui lançant les clés.
Celui-ci les attrapa au vol sans quitter Avery des yeux.
— Tu vas m'épouser, décréta-t-il.
— Non, c'est impossible.
— Je t'ai demandé ton avis ?
— Tu viens de dire…
— Je t'ai demandé ton avis ? répéta-t-il patiemment.
Noah les dévisagea tour à tour et, amusé, s'installa sur la banquette arrière.
— Querelle d'amoureux ?
— Non, répliquèrent-ils en chœur.
Avery s'empara des clés.
— Je prends le volant.
John Paul ne discuta pas. Leurs rapports fascinaient Noah. Qui aurait imaginé que l'ours des cavernes succomberait un jour à l'amour ? À croire qu'il existait une âme

sœur pour tout un chacun en ce bas monde. Il avait hâte de raconter ça à Theo. Lui non plus n'en reviendrait pas.

Un rire lui échappa à cette idée.

— Qu'est-ce qu'il y a de si drôle ? râla John Paul.

— Toi. Tu me fais marrer. Hé, Avery, vous connaissez l'histoire du marine…

John Paul inclina son siège et ferma les yeux. Le voyage promettait d'être bien long…

33

Le FBI ne cessait de modifier ses plans. Or Carrie détestait le changement, quel qu'il fût – à moins bien sûr d'en être à l'origine. La première décision de Hillman, une fois affecté à sa protection, avait été de l'informer par l'intermédiaire de son adjoint qu'elle resterait finalement dans le Colorado.

Après s'être exécuté et avoir subi les foudres de Carrie, Bean menaça son supérieur de démissionner si jamais il lui confiait encore une telle mission.

— Je vais réclamer une prime de risques, annonça-t-il.

Tous deux entendaient Carrie pousser les hauts cris dans la salle d'attente.

— Elle ne se rend pas compte qu'on est dans un hôpital ? grommela Hillman, effaré par une telle attitude.

— Elle s'en fiche. Elle exige d'être emmenée à l'abri en Floride avec sa nièce.

— Vous ne lui avez donc pas appris qu'Avery Delaney était introuvable ?

— Non, monsieur. J'ai préféré vous laisser ce soin.

— Bon sang, vous êtes un agent du FBI, non ? Vous n'avez tout de même pas peur d'une hystérique !

— Avec tout le respect que je vous dois, monsieur, ce n'est pas qu'une hystérique. C'est une...

— Une quoi ?

Une furie, pensa Bean, sans oser le formuler à voix haute. Hillman ne le croirait pas. De toute façon, il découvrirait vite de quoi était capable Mme Salvetti lorsqu'on la contrariait.

— Monsieur, ce n'est pas ce qu'on pourrait appeler quelqu'un de normal. Les yeux de M. ou Mme Tout-le-Monde ne crachent pas le feu.

— Elle fera ce qu'on lui ordonnera, rétorqua Hillman, écœuré.

On parie ? songea Bean, dont les oreilles commençaient seulement à bourdonner un peu moins.

— Je suis sûr qu'elle vous écoutera, vous, réussit-il à déclarer sans sourire – ce dont il ne fut pas peu fier.

— On agit dans son intérêt. Vous le lui avez expliqué, n'est-ce pas ?

— Je n'en ai pas eu le loisir, monsieur.

— Quand elle se sera…

Un nouveau cri leur parvint au même moment. Bean grimaça.

— Qui est avec elle ? l'interrogea Hillman.

— Gorman. Il a dû lui dire qu'on n'avait pas encore localisé sa nièce.

La porte de la salle d'attente s'ouvrit et livra passage à l'agent en question. Le teint rouge, il se hâta de la refermer. Avisant les deux hommes à l'autre bout du couloir, il se redressa de toute sa hauteur – un mètre quatre-vingt-cinq – et se dirigea vers eux.

— Elle vous a donné du fil à retordre à vous aussi ? s'enquit Hillman.

Bean se retint de ricaner. Évidemment qu'elle lui avait donné du fil à retordre. Il suffisait de voir sa tête.

— Elle est pour le moins… difficile, articula Gorman en mesurant ses mots. Elle refuse de coopérer et prétend qu'elle ira en Floride avec ou sans vous.

— Vraiment ?

— Oui. Et elle réclame une maison en bord de mer.

— Une maison en bord de mer ? s'étrangla Hillman.

« Je vous avais prévenu », lui signifia Bean d'un coup

d'œil. Peut-être son chef allait-il enfin reconnaître qu'il n'avait pas exagéré.

— Et qu'avez-vous répondu ?

— Que ce n'était pas possible, et qu'elle resterait dans le Colorado puisque son témoignage n'était pas nécessaire. Je lui ai précisé que l'avocat de la défense avait déjà un compte-rendu du premier procès de Skarrett et qu'il ne souhaitait pas de nouvelle déposition de sa part – d'où l'absurdité d'un déplacement en Floride.

— Comment a-t-elle réagi ? voulut savoir Bean.

— Elle a essayé de m'arracher mon revolver.

— Elle jouait la comédie, j'en mettrais ma main au feu, jeta Hillman. Laissons-lui quelques minutes pour se calmer.

Mais Carrie avait besoin de bien plus que quelques minutes pour se calmer. Sa rage découlait de la peur qui la rongeait. Qu'allait faire Avery ? Espérait-elle pouvoir pénétrer dans le tribunal et témoigner contre Skarrett ? L'image de sa nièce abattue sur les marches du palais de justice ne cessait de la hanter.

Si jamais Monk ou Jilly s'emparaient d'elle… Carrie se rua sur le téléphone et appela Tony en priant pour qu'il ne soit pas déjà en route vers l'aéroport.

Par bonheur, il décrocha dès la première sonnerie.

Elle ne perdit pas de temps en paroles inutiles.

— Ils vont me garder dans le Colorado, lâcha-t-elle de but en blanc.

— Où ?

— Ils n'ont pas voulu me le dire, mais j'ai entendu un agent discuter avec quelqu'un sur son portable. Il ne se doutait pas que je l'écoutais et il a mentionné le nom de Wedgewood. Il doit s'agir d'une banlieue.

— Aspen est une ville trop petite pour avoir une banlieue.

— Je ne sais pas où c'est. Regarde sur Internet, sers-toi de ta tête ! Il ne peut pas y avoir des tonnes de Wedgewood dans cet État. (Elle se mit à pleurer.) Si jamais je me retrouve coincée des semaines durant dans un bunker, que deviendra Star Catcher ? Je ne peux pas m'absenter trop longtemps. Je ne peux pas…

— Chérie, je m'occuperai de tout. J'ai déjà dirigé une société !

— Mais j'ai besoin de toi à mes côtés, Tony. Il faut que tu viennes.

— D'accord. Je ne t'abandonnerai pas. Tu veux que je te rejoigne à l'hôpital ? Ils attendront que je sois là avant de t'emmener ailleurs ?

— Je les y obligerai. Sara a déjà été transférée dans l'aile de kinésithérapie. Les mesures de sécurité y posent moins de problèmes vu que cette partie de l'établissement n'est pas encore ouverte. Je dois rester avec elle jusqu'à nouvel ordre, mais dans tous les cas je ne bougerai pas d'ici sans toi.

— Très bien, fit-il, soulagé.

— Ils ne savent toujours pas où est Avery, par contre Quand je l'ai eue au téléphone, elle m'a dit qu'elle ne s'en remettrait pas à la protection du FBI. Tu lui as parlé ?

— Non, pas encore. Je n'arrête pas de faire les cent pas. Ça ne lui ressemble pas de me laisser m'alarmer à son sujet. Je ne comprends pas pourquoi elle ne m'a pas encore donné signe de vie.

— Elle se doute que tu lui passeras un savon pour m'avoir affolée. Elle n'aime pas nous décevoir.

— Peut-être, mais je m'inquiète.

— Moi aussi. Elle finira par te contacter, tu verras. Surtout, interdis-lui d'aller à Sheldon Beach. C'est trop dangereux pour elle.

— Promis. Je veillerai sur elle.

— Et si elle téléphone après ton départ pour l'aéroport ?

— Chérie, elle a mon numéro de portable.

Bien sûr. L'angoisse qui la tenaillait empêchait Carrie de réfléchir.

— À très vite, alors.

Elle raccrocha puis décida d'appeler le bureau de sa

nièce, au cas où ses collègues en auraient su un peu plus, mais elle en fut empêchée par l'intrusion de l'agent Hillman dans la pièce. La juge Collins souhaitait la voir.

— Nous allons vous installer dans la même aile qu'elle, ajouta-t-il.

— D'accord. Comme vous voudrez.

Hillman fut surpris et ravi de son changement d'attitude. Et assez content de lui, aussi. Il ne s'était pas trompé en affirmant à Bean et à Gorman que, une fois radoucie, Mme Salvetti accepterait de les aider.

Cette mission ne serait peut-être pas une telle corvée, après tout.

34

Jilly venait de goûter au plaisir d'un massage complet et, allongée sur le dos, enveloppée d'un luxueux drap de coton égyptien, se faisait poser un masque facial à l'avocat par l'esthéticienne du centre. Les yeux fermés, elle subissait en silence le bavardage de cette idiote en extase devant son teint parfait et son corps sublime.

Autant elle ne se lassait pas des compliments des hommes, autant ceux des femmes l'agaçaient. Juste au moment où elle s'apprêtait à lui ordonner de se taire, l'employée se recula.

— Voilà ! Il ne faut plus y toucher, maintenant.

Enfin seule, Jilly desserra le drap et savoura la caresse de l'air frais sur sa peau. C'était agréable de se détendre, surtout après avoir appris que Carrie et la juge avaient survécu à l'explosion. Par chance, Monk n'était pas là quand la nouvelle avait été annoncée à la télévision ; elle n'avait donc pas été contrainte de faire bonne figure. Après tout, il ne l'avait jamais vue s'emporter et elle ignorait comment il aurait réagi. Mieux valait donc ne pas l'effrayer – du moins pas tant qu'elle aurait besoin de lui. Il y avait encore trop à faire et elle tenait à ce que Monk lui reste aussi dévoué qu'un chien.

Carrie qualifiait ses colères de crises de fureur, mais Jilly avait appris à se maîtriser avec le temps. Enfin, plus ou moins. Il est vrai que si une femme de chambre avait eu le malheur de pénétrer dans son bungalow juste après la diffusion du flash info, elle se serait probablement jetée sur elle. Et aurait adoré ça.

Jilly n'avait jamais commis de meurtre. Elle préférait laisser aux hommes le soin d'œuvrer à sa place. N'étaient-ils pas là pour ça ? Elle s'était pourtant souvent demandé ce qu'elle ressentirait à tuer quelqu'un d'une balle, voire de ses propres mains. Après tout, il lui semblait normal d'assister à l'agonie d'une personne coupable de l'avoir contrariée. Pourquoi se priver d'une telle satisfaction ? Mais elle comprenait aussi que Monk avait eu raison de vouloir se débarrasser de chacune des trois femmes séparément et de maquiller leur mort en accident. Il n'y avait renoncé que lorsqu'elle l'avait supplié de procéder à sa manière. Comment un plan si brillant avait-il pu ne pas marcher ? Il était si parfait, si simple, si... génial.

Carrie. Carrie était la cause de cet échec. Cette garce avait tout gâché.

En apprenant qu'elle était vivante, Jilly avait roulé sur le ventre et tapé du poing sur ses oreillers, avant de se figer net. À l'écran, le présentateur de CNN commentait des images de la scène de l'explosion. Elle s'était redressée aussitôt et avait essuyé ses larmes avec impatience. Le reportage s'était attardé d'abord sur Sara Collins, mais si célèbre fût-elle, la juge n'intéressait pas Jilly. Elle avait attendu en gémissant jusqu'à ce que la caméra se tournât vers sa sœur, qu'on emportait dans l'ambulance sur une civière. Des hommes – quand bien même il ne s'agissait que d'aides soignants – se pressaient autour d'elle. Comment osaient-ils lui prêter attention ? Comment osaient-ils ? Jilly avait été plus exaspérée par leur sollicitude que par le fait que sa sœur était bel et bien en vie.

Le visage de Carrie était apparu ensuite en gros plan, éclairé, semblait-il, d'un sourire. C'en fut trop pour Jilly. En hurlant, elle avait attrapé une lampe avant de la fracasser contre le mur.

Carrie avait détruit tous ses rêves.

Il lui avait fallu une heure pour se calmer. Puis elle avait appelé la réception et exigé qu'on lui envoie un masseur. Ce dernier était parvenu à l'apaiser en partie, et elle avait élaboré un autre piège, moins compliqué cette fois.

Pourquoi n'avait-elle pas cédé à son impulsion et supprimé Carrie à coups de ciseaux ? Parce qu'elle ne se serait pas autant amusée, voilà pourquoi. Après tout ce qu'elle lui avait infligé, sa sœur méritait de mourir à petit feu. Ce n'était pas juste. Des hommes s'inquiétaient pour elle et l'entouraient de prévenances. Ne voyaient-ils donc pas combien elle était laide ?

L'énervement la gagna. Le masque sur son visage commençait à la tirailler, mais son téléphone sonna juste au moment où l'esthéticienne arrivait pour le lui enlever.

— Allez-vous-en, lui lança-t-elle. Je ferai ça moi-même. Fermez la porte derrière vous. (Puis elle s'empara du combiné.) Oui ?

— J'ai pensé que tu apprécierais une bonne nouvelle. Je sais où se terrent Carrie et la juge.

— C'est vrai ? Où, mon chéri ? J'avais deviné juste ? l'interrogea-t-elle avant qu'il ait pu répondre. Ils cacheront bien Carrie à Sheldon Beach jusqu'au procès ?

— Non. Ta sœur ne témoignera pas.

— Elle a peur, se réjouit Jilly.

— Exact.

— C'est une excellente nouvelle, en effet. Raconte-moi tout.

Elle l'écouta et, quand il eut fini, lui dit de ne pas se faire de souci. Elle imaginerait un plan encore meilleur que le précédent.

— Mais quelque chose de plus simple, lui promit-elle. (Et elle ajouta d'une voix ronronnante :) Tu me manques, chéri.

— On se voit bientôt ?

— Bien sûr.

— Je t'aime.

— Moi aussi.

Elle raccrocha et alla se doucher avant de demander au

service d'entretien de venir remettre sa chambre en ordre et de débiter le montant des dégâts sur sa carte.

Lorsque Monk arriva deux heures plus tard, elle était prête à l'accueillir. Vêtue d'une robe de mousseline noire – la préférée de Monk – et de talons aiguilles, sans aucun sous-vêtement, elle se tenait sur le seuil de la chambre de façon que la lumière derrière elle rende le tissu transparent – elle avait vérifié avant.

Malgré sa fatigue, Monk retrouva toute son énergie à la vue de l'amour de sa vie. Il avait conscience du mal qu'elle s'était donné rien que pour lui. D'instinct, elle avait senti qu'il aurait besoin de lui faire l'amour et préparé la chambre dans ce but. Des bougies brûlaient çà et là.

Le regard de Monk fut attiré par sa bouche, sur laquelle elle passa langoureusement le bout de sa langue. Elle savait qu'il aimait ça.

Ils se jetèrent dans les bras l'un de l'autre avec sauvagerie, tant et si bien que la robe ne tarda pas à tomber par terre, en lambeaux…

Un peu plus tard, son désir enfin assouvi, Monk se détacha de Jilly et ferma les yeux. Elle estima alors que c'était à son tour d'obtenir satisfaction.

— Je pense qu'on devrait patienter quelques jours, déclara-t-elle. Une fois reposé, tu t'occuperas de Carrie et de la juge. Elles s'estimeront en sécurité dans leur cachette à ce moment-là, non ? Tu n'auras donc aucun mal à t'introduire là-bas.

— Accorde-moi au moins deux semaines pour tout organiser.

— Est-ce que je ne viens pas de te combler, Monk ?

— Bien sûr que si.

— Alors fais-en autant pour moi. Je peux tenir une semaine, pas plus. Carrie souriait quand on l'a fait monter dans l'ambulance. Je n'ai pas aimé ça.

— Je comprends.

— Elle a averti la police que j'étais vivante. Ils vont se lancer à ma recherche, maintenant. Tu avais raison, murmura-t-elle. Je n'aurais pas dû insister pour écrire ces lettres, ni la laisser voir mon visage. Mais j'étais persuadée qu'elle mourrait dans l'explosion, et je voulais qu'elle…

— Ne pleure pas, Jilly, la consola-t-il. Ça va s'arranger.

— Oui, acquiesça-t-elle en se nichant contre lui. Tout ira bien dès qu'elle sera morte. J'ai tellement souffert à cause d'elle. Promets-moi que tu la tueras.

— Je te le jure. Je ferais n'importe quoi pour toi.

Elle sourit et le caressa.

— Ensuite on ira à Sheldon Beach.

Monk se laissait égarer par son désir de satisfaire Jilly, mais elle avait une telle confiance en lui qu'il se sentait en mesure d'accomplir n'importe quel exploit. Elle louait souvent son intelligence et lui répétait qu'il se sous-estimait. Elle disait vrai. Il réussirait à opérer sans être remarqué, quel que soit le nombre d'agents du FBI présents sur place.

Il deviendrait même invisible s'il le fallait.

35

Le trajet jusqu'en Floride dura trois jours. Ils auraient pu arriver plus tôt mais décidèrent de prendre leur temps et d'emprunter des routes secondaires plus pittoresques au moment de traverser la Géorgie.

Ils passèrent deux nuits dans des petits motels isolés. Le premier soir, Avery refusa de partager sa chambre avec John Paul. Elle tentait de prendre ses distances avec lui dans l'espoir de rendre leur séparation finale moins douloureuse – en vain, car rien ne parvenait à atténuer son amour pour lui. Incapable de trouver le sommeil, elle se tourna et se retourna dans son lit et se montra d'humeur exécrable le lendemain matin. Le deuxième soir, John Paul ne sollicita pas son avis et régla le prix de deux chambres au réceptionniste pendant que Noah discutait au téléphone avec l'un de ses supérieurs. Puis il suivit Avery. Elle ne protesta pas lorsqu'il laissa tomber son sac à côté des siens, mais le prévint d'emblée :

— On dort et c'est tout.

Avec un sourire, il se déshabilla et se dirigea vers la salle de bains.

— Je n'ai rien demandé, répliqua-t-il en lui fermant la porte au nez.

L'air conditionné faisait régner un froid glacial qui poussa Avery à se blottir dans les bras de John Paul. Ils se réveillèrent à deux heures du matin. Tout naturellement, ils firent l'amour, avec encore plus de plaisir que la fois précédente, chacun étant à présent plus à même de répondre aux attentes de l'autre.

La finesse de la cloison entre leur chambre et celle de Noah les incita à ne pas faire trop de bruit. Avery mordit l'épaule de John Paul afin de ne pas crier lorsque les premiers frissons d'extase la parcoururent.

Ces instants furent si merveilleux que, à son réveil à six heures du matin, elle revint se blottir contre lui et entraîna John Paul dans une nouvelle étreinte.

Peu après, tous trois reprirent la route. Avery, qui avait jusqu'alors comparé les deux hommes à deux adversaires engagés dans une sorte de compétition, s'aperçut vite qu'ils s'amusaient en réalité follement à s'abreuver d'injures.

Après la pause-déjeuner, elle s'installa sur la banquette arrière de leur voiture, rabattit sa casquette de base-ball sur ses yeux et décida de s'octroyer un somme.

Les deux hommes veillèrent à ne pas la réveiller et parlèrent à voix basse. Mis au courant de l'histoire d'Avery et de Jilly, Noah spécula avec John Paul sur la façon dont celle-ci avait contacté Monk et sur la nature de leurs rapports. Il s'était aussi renseigné sur Skarrett, et en avait déduit que c'était lui qui tirait toutes les ficelles du jeu – John Paul, en revanche, soutenait que Monk agissait toujours à sa guise une fois qu'il avait accepté un contrat.

La conversation ne tarda pas à dévier sur un autre sujet.

— Est-ce que tu risques de perdre ta place pour nous avoir aidés ? s'enquit John Paul. Le FBI recherche Avery.

— Je ne bosse pas pour eux. Je suis ce qu'on pourrait nommer un travailleur indépendant.

— Foutaises, s'énerva John Paul. À quoi rime ton badge, à ton avis ?

— Il me sert juste à me garer plus facilement.

— Sois sérieux.

— Ça ne te manque pas ?

— Quoi ?

— L'action.

— Pas du tout.

— Tu vis toujours dans les marais, hein ?
— J'habite à Bowen.
— Dans les marais.
— Si tu veux.
— Tu crois qu'elle se plaira là-bas ?
— Qui ? demanda John Paul en faisant mine de ne pas comprendre.
Il avait malheureusement oublié le redoutable franc-parler de Noah.
— La fille avec qui tu couches. Celle que tu ne quittes pas des yeux même quand tu conduis. Tu n'as pas arrêté de la regarder dans ton rétroviseur depuis que tu as pris le volant. On va finir par avoir un accident si tu ne fais pas plus attention à la route.
John Paul était déterminé à ne pas discuter d'Avery.
— On est à combien de kilomètres de la ville que tu nous as choisie pour dormir ce soir ? l'interrogea-t-il. Comment c'est déjà ? Walden Point ?
— Moi, je n'envisage pas de me caser un jour, enchaîna Noah. Il y a trop de poissons dans la mer.
— Et Walden Point, c'est à quoi ? Trente ou cinquante kilomètres de Sheldon Beach ?
— Je n'aurais jamais imaginé que tu trouverais une femme capable de te supporter. Il ne faut vraiment jurer de rien.
John Paul ne put faire la sourde oreille plus longtemps.
— Tu ne me connais pas, Noah.
— Oh si ! Je sais tout ce qu'il y a à savoir sur toi.
— Tu as lu mon dossier ? La mention « classé secret » ne signifie donc plus rien aujourd'hui ?
— Apparemment non.
Noah n'avait en réalité pas eu accès au dossier de John Paul – il avait juste discuté avec Theo –, mais il se garda bien de le détromper tant il jubilait de le mettre en rogne.
— Donc, tu penses qu'elle appréciera le charme de Bowen ?

Ils étaient revenus à la case départ. John Paul agrippa le volant en essayant de conserver son calme.

— On n'aura pas besoin de refaire le plein aujourd'hui, déclara-t-il.

— Eh bien ! Tu l'as dans la peau, sourit Noah. Tu es en train de virer au rouge, mon vieux.

— Tu as tout faux, gronda John Paul, qui rêvait de le boxer.

— Oh ! Vous ne vous êtes donc pas mis d'accord sur la suite des événements, alors ?

— Non.

— Vous n'avez pas de projets d'avenir ?

— Non ! (John Paul le fusilla du regard, puis se concentra sur la route.) On peut parler d'autre chose, maintenant ?

— Bien sûr. De quoi par exemple ?

— Arrête de draguer Avery.

Il regretta ces mots sitôt qu'il les eut prononcés. Noah éclata de rire.

— Pourquoi ? Tu viens de me dire…

— Je sais ce que j'ai dit.

— C'est une fille superbe.

John Paul calcula que, en se penchant assez vite, il réussirait peut-être à ouvrir la portière de Noah et à l'éjecter hors de la voiture. Voilà qui aurait au moins le mérite de le faire taire.

— Et qu'est-ce qu'elle est sexy ! renchérit Noah.

— Fiche-lui la paix, d'accord ? Et maintenant, on est à combien de Walden Point ?

— Aucune idée.

Noah inclina son siège, cala ses lunettes au bout de son nez et ferma les yeux.

— C'est toi le copilote. Jette un œil à la carte.

— Compte là-dessus.

Et il s'endormit en quelques instants.

La fin de l'après-midi fut délicieusement tranquille. Ils atteignirent Walden Point vers dix-huit heures. La ville se trouvait à exactement cinquante et un kilomètres du pont marquant l'entrée de Sheldon Beach.

Avery n'avait aucun souvenir d'être venue là, petite. Les rues étaient bordées de palmiers, les pelouses brunies par l'air marin et le soleil, et les maisons mal entretenues. L'endroit, lugubre, leur parut laissé à l'abandon, du moins jusqu'à ce qu'ils atteignent la partie ancienne de la ville, plus peuplée. Là s'étendaient des avenues le long desquelles se dressaient des demeures en meilleur état. L'herbe y poussait plus verte, plus drue, et les fleurs abondaient dans les pots en terre cuite disposés sur les galeries fraîchement repeintes. Le quartier faisait peau neuve.

La rue principale menant au front de mer comportait plusieurs bed-and-breakfast pimpants. Noah ne leur accorda cependant pas une seconde d'attention et ils continuèrent à rouler jusqu'à un motel, à quelques centaines de mètres de la plage.

C'est une blague ! songea Avery. Le Milt's Flamingo Motel offrait le spectacle de murs de béton peints en rose et d'une toiture en piteux état. Des flamants de différentes couleurs avaient été peints à la main sur chacune des portes vertes du bâtiment – le tout avec un mauvais goût criant.

Le parking était vide. Avery supposa que même le propriétaire avait dû fuir les lieux en abandonnant cette horreur derrière lui.

— Vous êtes sûr que c'est ouvert ?

— J'ai vu un type à l'accueil, répondit Noah. On fait ce qu'on veut ici, et une fois garée derrière, la voiture ne sera plus visible de la rue. Qu'est-ce que tu en dis ?

La question s'adressait à John Paul, Avery garda pour elle son opinion, mais le choix de ce motel, comparé aux charmants hôtels devant lesquels ils étaient passés, avec leur palissade blanche, leurs galeries et leurs rocking-chairs, lui sembla calamiteux. Elle attendit que John Paul proteste.

— Parfait, répondit-il, anéantissant tous ses espoirs. Ça me rappelle un peu le bar de mon père, avec son flamant rose sur le toit.

— Ah oui, je me souviens. Je croyais que c'était un pélican. Bon, je vais prévenir la réception de notre arrivée.

— Il y a un bed-and-breakfast au bas de la rue, les interrompit Avery. Il avait l'air sympa et j'ai remarqué un panneau « chambres libres » devant.

— Le motel ne te plaît pas ? s'étonna John Paul.

Si Noah n'avait pas été là, elle lui aurait rétorqué que non, il ne lui plaisait pas du tout, mais elle ne voulut pas se plaindre devant un agent du FBI.

— Si, si.

Il sourit tant sa déception était évidente.

— Pas autant que la cabane de Tyler, hein ?

— Si, si, répéta-t-elle.

Noah sortait de la voiture lorsque son portable sonna. Soucieux que sa conversation reste privée, il s'éloigna, tandis qu'Avery étirait ses membres engourdis et que John Paul entrait dans le motel. La jeune femme comprit à la mine inquiète de leur ami que quelque chose n'allait pas et patienta avec angoisse.

Il conversa un long moment avec son interlocuteur. John Paul revint pendant ce temps avec les clés des chambres.

— Qu'y a-t-il ?

— Un problème, fit-elle en s'appuyant contre lui.

Noah les rejoignit peu après. Il rassura d'emblée Avery :

— Votre tante et la juge n'ont rien.

— Que s'est-il passé ? s'enquit John Paul.

— Il y a eu une livraison à l'hôpital – des réservoirs destinés à l'aile de kinésithérapie.

— Merde, jura John Paul, qui avait déjà deviné la suite. Ils ont explosé, c'est ça ?

— Oui. Le feu a détruit presque tout le bâtiment.

— Comment Monk a-t-il réussi à déjouer la sécurité ? s'étonna Avery.

— Il a tué le livreur au moment où il déchargeait et piégé ensuite les réservoirs.

— Quelles sont les pertes ? l'interrogea John Paul.

— Deux morts, plus le livreur. Un agent du nom de

Gorman a été blessé aussi, mais il n'a rien de grave. Je n'en sais pas plus.

— Comment tout ça a-t-il pu arriver ?

— J'ai ma petite idée là-dessus. Monk a dû rôder aux abords de l'hôpital et épier les allées et venues. Il se doutait sûrement que l'état de la juge ne lui permettrait pas d'être transférée si vite, et quand les agents sont partis avec des mannequins dans leur voiture, il a deviné le coup monté.

Tout en parlant, Noah les avait précédés jusqu'à leurs chambres, situées à une extrémité du motel et reliées par une porte de communication.

Celle de John Paul et Avery était d'une propreté étonnante. Elle comprenait un lit double et deux chaises séparées par une petite table, juste sous la fenêtre. Il n'y avait pas de placard, mais un portant avec des cintres et, à côté, des étagères encastrées dans un mur.

Noah les suivit à l'intérieur.

— Carrie et la juge n'ont rien ? lui demanda Avery. C'est vrai ?

— Oui. Votre tante venait d'aider Sara à entrer dans sa salle de bains quand l'explosion a eu lieu. Les cloisons se sont effondrées sur elles et les ont empêchées d'être brûlées vives.

Elle en eut la nausée. Le portable de Noah sonna une nouvelle fois. Elle attendit qu'il se soit réfugié dans sa chambre pour s'approcher de John Paul et enrouler ses bras autour de sa taille.

Il la sentit trembler.

— Ce cauchemar sera bientôt fini. Tu as envie de prendre l'air ? lui demanda-t-il devant son silence.

— Oui.

— Où veux-tu aller ?

— Je ne sais pas, murmura-t-elle. Je n'arrive pas à me concentrer… J'aimerais…

— Une balancelle, n'est-ce pas ? dit-il en posant un baiser sur son front.

Elle hocha la tête.

— Et du lilas, ajouta-t-il.

Elle sourit. Il n'avait pas oublié ce détail.

— Je ne peux t'offrir ni l'un ni l'autre, regretta-t-il, mais de l'eau… ça, je peux t'en avoir.

Vingt minutes plus tard, John Paul et elle marchaient main dans la main sur la plage.

Des nuages noirs balayaient le ciel, voilant le soleil. La plage était presque déserte. John Paul ne fit aucun commentaire lorsque Avery s'installa par terre dans sa position fétiche. Il alla retrouver Noah.

— Qu'est-ce qu'elle fabrique ? s'étonna celui-ci au bout d'un moment en ne la voyant pas bouger.

— Elle réfléchit.

— Ah bon.

Quand le soleil fut sur le point de se coucher, John Paul retourna près d'Avery. Elle avait les yeux clos. Il s'accroupit en face d'elle, sachant qu'elle avait conscience de sa présence.

Quelques instants s'écoulèrent avant qu'elle réagisse. Elle plongea alors son regard dans le sien, et une larme roula sur sa joue.

— J'ai un coup de fil à donner, déclara-t-elle.

36

Monk était prêt à passer à l'action.

Un panneau « COMPLET » apparaissait à la fenêtre du bureau du directeur, et un autre indiquait « FERMÉ JUSQU'À NOUVEL ORDRE » à la porte d'entrée.

Ses proies étaient à l'intérieur. Il avait bien étudié le quartier et le connaissait à présent comme sa poche. Des voitures stationnées derrière le motel, deux appartenaient à des agents chargés de protéger Avery, la troisième était celle de Renard.

Monk roula devant le bâtiment afin de montrer à Jilly l'endroit où tout aurait lieu. Elle put à peine contenir sa joie à la vue de la lumière que laissaient filtrer les rideaux tirés.

— Elle est là, exulta-t-elle.

Monk s'engagea dans un parking situé un peu plus loin qui servait à la fois aux fidèles de l'église des Ressuscités et aux spectateurs d'un vieux cinéma à l'architecture espagnole. Il se gara de façon à faire face à la rue, puis tendit ses jumelles à Jilly.

— Tu es maintenant officiellement en mission de surveillance.

— C'est fantastique ! gloussa-t-elle.

Son enthousiasme le ravit.

— Tu t'amuses bien, pas vrai ?

— Et comment ! Ça dépasse tout ce que j'avais imaginé.

Elle baissa vivement les jumelles lorsqu'un véhicule s'avança à son tour dans le parking.

— Tu es sûr qu'on ne craint rien ici ?

— Certain. Je ne te ferai jamais courir le moindre risque.

Ils échangèrent un sourire avant que Jilly reprenne son observation. Faute de distinguer autre chose qu'un simple rai de lumière, elle se contenta d'imaginer la scène à l'intérieur de la chambre.

Une autre voiture s'arrêta trois rangées derrière eux. L'église accueillait ce soir-là une cérémonie évangélique, et le cinéma proposait une soirée à tarif réduit. Le parking était presque plein.

Jilly rendit les jumelles à Monk. Il avait déjà passé une nuit et une journée entières en reconnaissance. Ce n'était pas énorme, mais il lui faudrait s'en contenter. Lui qui suivait d'ordinaire sa proie et notait ses habitudes au moins deux semaines durant justifiait cette entorse à la règle par le caractère exceptionnel de la situation. Le temps pressait, et Jilly s'impatientait. Comme une enfant, elle voulait tout, tout de suite.

— Il y a combien de policiers avec eux ? s'enquit-elle.

— Quatre. Mais ce sont des agents, la corrigea-t-il. Pas des policiers.

— Tu les tueras tous ?

— Oui.

Ils constituaient des proies si faciles. Ce serait un jeu pour lui de les éliminer.

La nuit précédente, Monk avait vu Renard sortir furtivement par une porte à l'arrière du motel et s'éloigner en voiture. Il ne l'avait pas eu assez nettement dans sa ligne de mire pour tirer, mais n'aurait de toute façon pas tenté sa chance dans le cas contraire. Il ne voulait pas que ses principales cibles soient de nouveau déplacées. Il leur réservait un sort particulier. Quel dommage d'ailleurs. Elles ne verraient rien venir.

Renard avait regagné le motel une demi-heure plus tard

avec quatre pizzas et un sac en plastique contenant vraisemblablement des bières ou des jus de fruits.

Tant d'insouciance le dégoûtait. Monk était sûr que son adversaire n'avait pas conscience d'être épié. Péché d'orgueil, voilà tout. Quelle déception ! Dire qu'il l'avait pris pour un professionnel, un égal. Il comprenait à présent qu'il s'était bercé d'illusions. Personne ne pourrait jamais se mesurer à lui, le grand Monk. Jilly avait raison. Il était une légende vivante.

— On devrait se lancer ce soir, à mon avis, déclara Jilly.

— Tu es si pressée ?

— Oui.

— Demain, lui promit-il.

— Je suis à bout.

— Je sais.

— Je me demande si Carrie se sent en sécurité. Avery et elle doivent être claustrophobes depuis le temps. Rester cloîtrées jour et nuit dans une pièce sordide... je suis sûre qu'elles n'en peuvent plus.

— J'ai retardé exprès le moment d'agir pour que les agents commencent à s'ennuyer... et à sombrer dans l'apathie, lui expliqua-t-il. Oui, c'est le mot juste. L'apathie.

— Des heures à tourner en rond et à s'inquiéter, coincées dans une pièce minuscule. Ils ne les ont pas laissées mettre un pied dehors, n'est-ce pas ?

— Pas pendant que j'étais là.

— Je suis contente que Carrie ne soit pas morte dans cet hôpital, finalement. Je me réjouirai d'autant plus cette fois que je serai aux premières loges.

Monk hocha la tête.

— Carrie a exigé d'être emmenée en Floride, déclara-t-il.

— Elle veut mourir avec Avery.

— Elle ignore que tout sera fini pour elle demain. Elle pense encore assister au début du procès.

Jilly saisit les jumelles et sourit.

— La troisième tentative sera la bonne.

Monk réprima un bâillement. Il n'osait pas se plaindre de sa fatigue. Jilly le croyait invincible, surhumain, et il était déterminé à ne pas ternir cette image glorieuse.

Certes, il prenait des risques qu'il n'aurait jamais acceptés auparavant, mais il lui était difficile de demeurer prudent dès lors qu'elle l'incitait à repousser toujours plus loin ses limites. Elle avait en lui une foi si absolue...

De temps à autre, cependant, un doute le rongeait. Il n'avait jamais renoncé à exécuter un contrat. Sa parole revêtait trop d'importance à ses yeux. S'il se mettait à ne plus tenir ses engagements, son avenir serait compromis et sa réputation détruite. Non que cette perspective l'effrayât. Il avait acquis assez d'argent pour offrir à Jilly le style de vie qu'elle méritait. Peut-être pouvait-il laisser tomber, cette fois.

— Tu sais, chérie, on n'a pas besoin de ces diamants, hasarda-t-il.

Elle devina ce qu'il avait en tête.

— Tu veux que je te dise ?

— Quoi ?

— Quand on en aura terminé ici, si on filait se marier à Mexico ? Le procès durera au moins une semaine et Dale n'ira nulle part ensuite. Ça te tente ?

Elle savait combien il désirait l'épouser. Monk sentit aussitôt sa fatigue s'envoler et retrouva son sourire.

— Oui, oui ! s'écria-t-il, tout en rougissant de trahir tant d'enthousiasme. Je connais un endroit parfait... tu l'adoreras, je te le garantis.

— Du moment qu'on se marie, le reste m'est égal.

Elle posa une main sur sa cuisse, se pencha vers lui et l'embrassa tout en le caressant. Puis, satisfaite de sa réaction, elle s'écarta.

— Pourquoi ne pas abréger leur calvaire ce soir ? insista-t-elle en minaudant.

Il fallut un moment à Monk pour saisir ce qu'elle lui demandait et recouvrer ses esprits.

— Non, demain. Ce sera mieux en plein jour. Et puis,

j'ai encore quelques détails à peaufiner avant d'être prêt. Tu veux que tout soit au point, non ?

— Évidemment, mais pourquoi est-ce que ce sera mieux en plein jour ?

— Parce que personne ne voit venir le danger quand le soleil brille. Et comme je me suis toujours efforcé d'opérer de nuit par le passé, les agents du FBI doivent supposer bien connaître mes habitudes.

— Tu crois ?

— Oui. Ils se méfieront davantage la nuit.

— D'accord, soupira-t-elle. Va pour demain. Mais tu m'as promis que j'assisterais au spectacle, n'oublie pas. Tu ne changeras pas d'avis, hein ?

— Non. Tu le suivras bien à l'abri. Et j'ai une surprise pour toi. Je pensais te dévoiler ça demain, seulement…

— Dis-moi, le supplia-t-elle. S'il te plaît.

— Très bien. Je sais que tu as été frustrée en découvrant à la télévision que la maison avait explosé dans le Colorado, mais là, ce sera différent. C'est toi qui appuieras sur le bouton.

Elle éclata de rire, ravie.

— Tu comptes m'en mettre plein la vue ?

— Exactement. Je suis une légende vivante, souviens-toi. Je leur en mettrai tous plein la vue.

37

Après avoir ramené Jilly à leur hôtel, de l'autre côté de Walden Point, Monk se dirigea vers un quartier résidentiel situé à un kilomètre et demi du Milt's Motel.

Il couvrit ensuite au pas de course cette distance et monta dans sa planque en silence. Il lui fallait apporter la touche finale à son installation. Cette tâche lui prit bien plus de temps qu'il ne l'avait escompté – la faute à la fatigue, sans doute –, mais il fut content du résultat. Tout se déroulerait sans accroc, cette fois.

Il était plus de trois heures du matin lorsque, enfin, il put se coucher. Veillant à ne pas réveiller Jilly, il s'assit près d'elle sur le lit pour la contempler. Il aimait cette femme à la folie. Elle était si belle, si exquise... si parfaite. Puis il s'allongea, enroula ses bras autour d'elle et, enivré par son parfum, songea une fois encore qu'il était le plus heureux des hommes. Cette nuit-là, il rêva de leur lune de miel.

Les contes de fées devenaient parfois réalité. Jilly et lui en vivraient un jusqu'à la fin de leurs jours.

Elle s'habilla avec soin le lendemain matin. Elle devait aller à l'autel, après tout, aussi opta-t-elle pour une jupe blanche, un chemisier assorti et des sandales à talons hauts. Monk casa leurs valises dans la voiture pendant qu'elle se brossait les cheveux.

— Tu n'as pas oublié ma cassette ? lui lança-t-elle.

— Bien sûr que non ! répondit-il, alors même qu'elle lui était sortie de l'esprit.

Jilly aurait été furieuse s'il l'avait perdue. Elle nourrissait une telle obsession pour cet objet – cette preuve, comme elle l'appelait – qu'elle la gardait constamment sur elle. Monk s'accommodait de cette bizarrerie tout comme elle s'accommodait des siennes. N'était-ce pas là le fondement d'une relation sérieuse ? Donner et recevoir.

Il retira la cassette du magnétoscope, l'inséra dans son boîtier et la posa sur le lit, à côté du sac de Jilly.

Pendant ce temps, Jilly se maquillait devant son miroir. Il sourit à la vue de son rouge à lèvres, qu'elle ne mettait que pour lui. Elle le lui avait avoué.

Elle rangea son bâton de rouge dans son sac avec la cassette, saisit son chapeau de paille orné d'un ruban blanc et s'avança au centre de la pièce.

— Ai-je l'air d'une future mariée ? s'enquit-elle en tournant sur elle-même.

— Tu es magnifique, la complimenta-t-il, rouge d'excitation. Comme toujours.

Elle s'approcha de lui et ajusta le nœud de sa cravate à la manière d'une tendre épouse.

— Tu es très bien dans ce costume, dit-elle. Tu devrais en porter plus souvent.

— Si ça te fait plaisir, d'accord.

Elle glissa sa main dans la sienne avant de quitter leur chambre. Monk appréciait ces petits détails. Ils lui semblaient témoigner de sa confiance. Et ce regard admiratif qu'elle levait sur lui. Ça aussi, il adorait.

— J'ai déjà garé l'autre voiture au bout de la rue où se trouve l'église, la prévint-il. Juste par précaution. La clé est derrière le pare-soleil.

— On n'en aura pas besoin. Tu as paré à tout.

Parce que lui aussi en était sûr, il opina du chef. Seule une légère inquiétude le tenaillait au sujet du détonateur. Trop épuisé, il ne l'avait soumis qu'à un seul test et tentait de se persuader que cela suffisait.

Le vent souffla plus fort sur le chemin. À l'angle de la rue, Monk jeta un œil vers le clocher qui se dressait au-dessus du cinéma. Puis il entra dans le parking et se gara à une extrémité, juste devant le trottoir. De là, Jilly aurait une vue imprenable sur le motel, et personne ne pourrait se garer devant lui – ce qui lui permettrait de s'échapper en cas de problème.

— Prête ?

— Oh oui !

— La commande est dans la boîte à gants.

Elle s'en empara avec délicatesse.

— On dirait la commande d'ouverture d'une porte de garage.

— C'en est une. Elle a juste été modifiée.

— Quand pourrai-je appuyer sur le bouton ?

— J'ai pensé que ce serait sympa d'attendre que les cloches de l'église se mettent à sonner.

Jilly regarda hommes, femmes et enfants se presser à l'intérieur de l'édifice religieux. Ils avaient peur d'être en retard, présuma-t-elle.

Tant pis pour eux, le spectacle aurait lieu dehors.

— Quelle heure est-il ?

— Encore cinq minutes.

— Non, maintenant !

Monk se baissa et attrapa les jumelles sous son siège.

— Alors tiens.

Elle s'humecta les lèvres et régla les jumelles jusqu'à ce qu'elle distingue nettement la chambre d'où avait filtré de la lumière la nuit précédente.

— Je reprends mon rêve, murmura-t-elle.

Et elle pressa le bouton. Rien. Elle le pressa encore et encore avec plus de force.

— Merde, marmonna Monk. Le vent a dû détacher l'un des fils. Arrête, il faut que j'aille réparer ça. Reste ici, d'accord ? (Il lui ôta doucement la commande.) Si jamais les choses tournent mal…

— Tu t'inquiètes trop. Fonce rebrancher ce fil, lui

intima-t-elle d'un ton plus sec qu'elle ne l'aurait voulu. Désolée. Je ne devrais pas m'alarmer autant. Je peux bien patienter quelques minutes de plus.

— Je reconnais bien là ma petite chérie. Au cas où, tu te souviens de mes consignes ?

— J'entre dans l'église, je ressors par le côté, je monte dans la deuxième voiture.

— Et tu t'éloignes par la ruelle que je t'ai montrée. Ne passe surtout pas devant le motel.

— Je ne partirai pas sans toi.

Sa loyauté lui réchauffa le cœur. Il lui tapota la main, posa la commande sur le sol, près de son siège, puis adopta un air décontracté pour traverser le parking.

Les cloches carillonnèrent au moment où il franchissait le portail de l'église. Trente secondes plus tard, il s'éclipsa par une autre issue, traversa la rue et se dirigea vers le nord jusqu'à ce qu'il soit persuadé que personne ne le suivait. Ses pas le conduisirent alors vers le cinéma.

La porte du fond était fermée – il le savait. Il la crocheta et la tira prestement derrière lui une fois à l'intérieur.

Monk se trouvait dans un hall à l'arrière du bâtiment. Il patienta plusieurs minutes, tapi dans l'ombre derrière un bar, à l'affût du moindre bruit. Convaincu d'être seul, il s'approcha ensuite d'une autre porte située en face de lui. Celle-là bloquait l'accès à l'escalier menant au clocher et à la marquise. Elle aussi était verrouillée, exactement comme il l'avait laissée. Il l'ouvrit et vérifia que la ficelle marron sur la troisième marche n'avait pas bougé. Rassuré, il l'enjamba et, lentement, avec précaution, continua à monter. Bien que personne ne pût l'entendre – le cinéma n'accueillerait pas ses premiers spectateurs avant quatorze heures –, il évita aussi la cinquième marche, qui grinçait un peu.

Un fil tendu lui barrait le passage en haut de l'escalier, si fin qu'il était invisible à l'œil nu. Monk neutralisa le système de levier afin de ne pas être expédié dans l'autre monde.

Encore heureux que le propriétaire du cinéma n'ait pas voulu changer ses affiches ce jour-là, pensa-t-il en souriant. Il ne le faisait que le mercredi, mais Monk lui avait quand même préparé un piège. On n'était jamais trop prudent, quoi qu'en dise sa chère Jilly.

Il entrebâilla la porte donnant sur le clocher et jeta un œil par la fente. Le fusil était toujours dans son coin, appuyé contre le pilier.

Son regard se posa ensuite sur le mécanisme relié à son missile artisanal. Ainsi qu'il le soupçonnait, le vent avait déplacé l'un des fils, rompant ainsi le contact.

Deux secondes lui suffiraient pour y remédier. Il poussa complètement le battant, s'avança d'un pas et mit un genou à terre. C'est alors qu'il se figea. Une voix s'élevait sur sa gauche, de l'autre côté de la cloche.

— Jolie chandelle romaine que tu as là.

Stupéfait, Monk resta immobile. Un cri enflait dans son crâne. *Non, non, non... le fil... le piège... rien n'a été dérangé. Comment...*

— J'ai l'impression qu'il a du mal à l'allumer, déclara une deuxième voix sur sa droite.

Monk bondit vers le fusil, sans qu'aucun des deux hommes tente de le stopper, et roula sur lui-même en faisant feu.

Rien ne se produisit. L'arme n'était pas chargée. Noah surgit alors de l'ombre.

— Toi ! murmura Monk à sa vue. Je te connais !

John Paul apparut à son tour.

— Comment avez-vous su ? fulmina le tueur.

— Facile. Je suis plus intelligent que toi.

Noah braqua son revolver sur la tête de Monk. John Paul devina son intention à la lueur qui brillait dans ses yeux.

— Passe-lui les menottes et récite-lui ses droits, intervint-il.

— Dès que je l'aurai dégommé.

— C'est interdit par le règlement.

— Merde.

Noah rengaina son revolver. Il avait sorti une paire de menottes et se dirigeait vers Monk quand des cris retentirent dans l'escalier.

Le tueur profita de cette diversion pour le déséquilibrer d'un violent coup de pied. Noah trébucha devant lui, empêchant John Paul de tirer.

Des agents arrivaient en courant. Monk essaya d'atteindre le holster qu'il portait à la cheville, mais John Paul anticipa son geste et lui cloua la jambe au sol.

— Arrête de faire le mariole, Noah ! pesta-t-il. Écarte-toi que je puisse le flinguer !

— Non, c'est moi qui le descendrai, répliqua Noah, avant d'envoyer son poing dans la figure de Monk.

Il grogna de plaisir au bruit du cartilage qui se brisait et prit soin de le frapper une seconde fois au même endroit.

La porte s'ouvrit brutalement sur un premier agent. Monk saisit sa chance. Il rassembla toutes ses forces pour se débarrasser de Noah, puis se redressa et sauta du haut du clocher sur un toit pentu en contrebas. Il se récupéra tant bien que mal et rampa jusqu'à ce que son pied droit rencontre un appui. Il en profita pour s'emparer de son arme et la braqua sur John Paul et Noah. Ces derniers s'élancèrent alors à leur tour dans le vide en le mitraillant. Le corps criblé de balles, Monk vacilla en arrière et s'affaissa sur la marquise.

— Vous avez le droit de garder le silence..., commença à déclamer Noah, essoufflé, en rangeant son revolver.

— Et comment ! marmonna John Paul.

Un agent les interpella depuis le clocher.

— Le sujet est en route !

Noah attrapa le talkie-walkie accroché à sa ceinture et transmit l'information.

— Compris, grésilla la voix de son interlocuteur.

— On aurait dit Avery, non ? demanda John Paul.

— Avery ? C'est vous, trésor ? fit Noah.

Il n'avait ajouté ce mot tendre que pour rendre John

Paul fumasse, et ne cacha pas sa joie devant le résultat. Si tant est qu'un regard ait pu tuer, il n'aurait pas tardé à connaître le même sort que Monk.

John Paul lui arracha l'appareil.

— Qu'est-ce que tu fabriques, Avery ? Tu étais censée…

— Tu vas bien ?

— Oui, on est indemnes tous les deux. Où es-tu ?

— Message reçu, terminé !

— Merde ! Elle est dans l'une des voitures.

Étendu à côté de lui sur le toit, Noah éclata de rire.

— Tu as déduit ça de « Message reçu, terminé » ?

John Paul l'ignora et pressa un bouton.

— Kelly ?

— Présent, répondit l'agent en charge des opérations.

— Avery est avec vous ? Bon Dieu, pas la peine de prétendre le contraire ! Je lui avais ordonné de rester sur ce fichu bateau.

— Message reçu, terminé !

Noah rit de plus belle.

— Elle a son caractère ! (Il se pencha au bord du toit pour en évaluer la hauteur.) Comment va-t-on faire pour…

John Paul régla le problème en le poussant sans ménagement, puis le suivit et atterrit avec lui dans des buissons morts.

La voix de Kelly leur parvint du talkie-walkie.

— Vous tenez Monk ?

— Non, monsieur.

— Où est-il, alors ?

John Paul leva les yeux vers la marquise.

— Au cinéma.

38

L'impatience avait gagné Jilly à mesure que le temps s'écoulait sans que Monk réapparaisse. Qu'est-ce qui pouvait bien le retarder ? Elle prit les jumelles pour scruter le clocher. Où était-il ? Il savait pourtant combien elle détestait attendre.

— Répare ce machin, grommela-t-elle. Dépêche-toi !

Monk surgit soudain dans son champ de vision. Jilly laissa échapper un cri d'exclamation incrédule lorsqu'il se jeta du haut du clocher. Il va se briser le cou, pensa-t-elle, avant de l'observer se recevoir sur un toit avec l'agilité d'un chat. Il perdit l'équilibre, glissa, mais trouva un appui juste au moment où elle le croyait sur le point de chuter dans le vide.

Deux hommes sautèrent derrière lui, si vite qu'elle ne distingua pas leur visage.

— Tue-les, murmura-t-elle. Vas-y, tue-les !

Des coups de feu retentirent, et il lui sembla que Monk criait son nom. Ce fut cependant avec détachement qu'elle regarda son amant tomber sans grâce sur la marquise et éclabousser les projecteurs de son sang.

Jilly maudit son incompétence. Comment avait-il osé ? Sa déception était telle qu'elle en eut les larmes aux yeux. La commande. Elle la saisit et en pressa le bouton avec frénésie. Une fois, deux fois, trois fois. En vain.

Comment avait-il pu lui manquer d'égards à ce point ?

Elle lui avait pourtant dit l'importance qu'elle attachait à ses rêves.

Elle tapa du pied en jurant. Il avait tout gâché. Pis, il l'avait contrariée.

— Va au diable !

Par bonheur, Monk avait laissé la clé de la voiture sur le contact ; elle ignora son conseil et se glissa sur le siège conducteur. Des hommes – des agents du FBI, à n'en pas douter – accouraient vers le cinéma, tandis que des fidèles sortaient de l'église pour découvrir la cause de tout ce raffut. On ne la remarquerait pas. Elle s'engagea dans la rue et, afin de ne pas attirer l'attention, veilla à respecter les limites de vitesse en traversant la ville.

Sitôt sur la bretelle d'accès à l'autoroute, elle écrasa l'accélérateur et déchargea sa colère à grands coups de poing rageurs sur le volant.

Elle avait quelqu'un d'autre sur qui compter, bien sûr. Personne ne lui volerait plus jamais ses rêves. Monk cachait des armes dans ses valises, et s'il fallait qu'elle abatte elle-même Carrie et Avery pour obtenir ce qu'elle voulait, elle n'hésiterait pas.

— Sombre imbécile ! gronda-t-elle au souvenir de Monk.

La berline suivait Jilly à bonne distance. Face aux trois agents qui l'accompagnaient – dont Kelly au volant –, Avery luttait pour contenir son anxiété.

Au son des coups de feu, elle avait eu l'impression que son cœur s'arrêtait de battre et n'avait réellement pu respirer qu'en entendant la voix de John Paul. Son soulagement, de courte durée, avait très vite cédé la place à l'angoisse.

— Vous croyez qu'elle nous a repérés ? demanda-t-elle à Kelly.

— Non, je suis sûr que non.

Jilly était à présent si loin devant eux qu'elle la discernait à peine.

— Elle roule de plus en plus vite, on dirait.

— Oui, confirma Kelly. Elle est à cent trente au moins.

— Si jamais elle croise une patrouille...

— Il n'y en a pas.

— Comment le savez-vous ?

— Je le sais, c'est tout.

Elle passa à un autre motif d'inquiétude.

— Vous ne devriez pas lui coller un peu plus ?

— Je ne la perds pas de vue, Delaney. Détendez-vous.

— Elle tourne.

— Je m'en étais rendu compte.

Avery se fit violence pour cesser ses recommandations. Cette histoire serait bientôt terminée. Si elle parvenait à garder son calme jusqu'au bout, elle aurait ensuite tout loisir de craquer. Contrôle-toi, pensa-t-elle.

Jilly avait failli rater l'entrée du Windjammer Motel. Elle ralentit, bifurqua vers le bâtiment et disparut de la vue d'Avery. Kelly accéléra et contourna le motel afin de se garer à côté du restaurant adjacent au parking.

— Elle est garée devant les marches, signala-t-il.

Avery examina les portes des chambres qui faisaient face à la rue, puis se concentra sur l'objet de leur filature en regrettant de ne pas en être plus proche.

— Que fait-elle ?

— Elle se recoiffe, répondit Kelly.

Malgré le soleil qui l'éblouissait, la jeune femme vit que Jilly orientait le miroir de courtoisie.

— Elle se met du rouge à lèvres ?

— Oui.

Avery se cala contre son dossier. L'agent arrêta le moteur et baissa sa vitre.

— Si jamais vous sortez, Delaney, je vous jure...

— Je ne bougerai pas.

Elle contempla une nouvelle fois Jilly, qui, enfin satisfaite de son apparence, descendait de voiture.

— Le spectacle va commencer ! murmura Kelly.

Jilly gravit la première volée de marches et courut le long du couloir extérieur jusqu'au numéro qu'elle cherchait. Là, elle s'immobilisa le temps d'accentuer le décolleté de son chemisier et de lisser sa jupe, puis toqua à la porte.

Le ventre noué, Avery entendit s'élever sa voix.

— Chéri, c'est moi !

Tony Salvetti lui ouvrit.

39

Le procès qui eut lieu à Sheldon Beach ne traîna pas. Compétent et efficace, le procureur n'eut aucun mal à convaincre un second jury que Dale Skarrett s'était introduit chez Lola Delaney dans le but de kidnapper Avery, provoquant ainsi le décès prématuré de la vieille dame.

Skarrett commit quant à lui la grave erreur de vouloir témoigner à la barre. D'abord agité et inaudible, il finit par insulter ce même procureur lorsque celui-ci l'interrogea, et l'accusa de déformer tous ses propos.

Il insista sur le fait qu'il ne s'était pas servi d'Avery comme d'un bouclier. À l'en croire, il ne faisait qu'essayer de l'aider à se remettre debout quand sa grand-mère avait tiré. Justifier le fait qu'il ait auparavant battu la fillette avec sa ceinture lui posa davantage problème, et il prétexta une prétendue volonté de la persuader de rejoindre sa mère avec lui.

Les photos d'Avery prises à l'hôpital prouvèrent qu'il l'avait abandonnée mourante en quittant la maison. En moins d'une heure, le jury rendit son verdict, et Skarrett fut reconduit en prison, là où était sa place.

John Paul resta à Sheldon Beach durant toute la durée du procès et fut rejoint par Carrie la veille du jour fixé pour le témoignage d'Avery. Après ce qu'elle venait de traverser, il n'aurait pas été surpris de rencontrer une femme brisée. Il n'en fut rien. Si elle était anéantie par la trahison de son mari, elle se garda de le laisser paraître.

Il réussit à lui voler un peu de son temps pour l'informer de son intention d'épouser sa nièce. Elle s'y opposa d'emblée. Si Avery se mariait un jour, ce serait avec un homme doté d'un fort potentiel… et d'une grosse fortune. Quelle vie un menuisier aurait-il à lui offrir ?

Oh, oui, Carrie était une dure à cuire… et vacharde comme pas deux quand on ne se pliait pas à ses volontés.

John Paul l'appréciait énormément.

40

— M. Carter va vous recevoir.

— Merci.

Avery arrangea sa jupe et sourit à la réceptionniste.

— Tu veux que je t'accompagne ? demanda John Paul.

— Non, ce n'est pas la peine. Tu m'attends là ?

— Aussi longtemps qu'il faudra.

Elle ouvrit la porte du bureau, vêtue cette fois d'une veste à manches longues en prévision du froid qui régnait à l'intérieur.

— Bonjour, monsieur.

— Asseyez-vous, Delaney.

Il ne semblait pas ravi, mais cela n'avait rien d'exceptionnel chez lui. Impossible donc de savoir si elle était la cause de sa mauvaise humeur.

Elle prit place en face de lui et croisa les mains.

— Monsieur, si vous comptez me renvoyer, j'aimerais pouvoir vous devancer et donner ma démission.

— Pourquoi ?

— Cela présenterait mieux sur mon CV.

— Non, je vous demande pourquoi vous pensez que je vais vous renvoyer ?

— Parce que je n'ai pas respecté les consignes. (Ses mains tremblaient – de froid ou de nervosité, elle l'ignorait. Carter avait le chic pour la déstabiliser rien qu'en la regardant.) Primo, j'aurais dû y voir clair plus tôt dans cette affaire, mais, pour ma défense, monsieur, j'étais trop occupée à ne pas me noyer dans les rapides du Colorado et à éviter des balles. Je n'ai pas eu le temps d'analyser posément le problème. Bien sûr, ce n'est pas une excuse, se hâta-t-elle d'ajouter afin de lui montrer qu'elle assumait la responsabilité de ses erreurs. Secundo, malgré votre interdiction, je me suis servie de votre nom pour obliger l'agent Kelly à me laisser filer Jilly avec lui. Tertio, j'ai commis une faute professionnelle en ne permettant pas aux agents affectés à ma protection de faire leur travail. J'ai pris la fuite. Oh, et je vous ai aussi dérangé au beau milieu d'une partie de poker quand je vous ai téléphoné de Walden Point, alors que ce n'est un secret pour personne au Bureau que ces soirées sont sacrées à vos yeux.

Elle crut voir se retrousser les commissures de ses lèvres. Était-ce l'ébauche d'un sourire ou d'un rictus ?

Carter se pencha et posa les mains à plat sur son bureau.

— Pour votre information, Delaney, j'avais un full dans mon jeu à ce moment-là, et je ne me suis couché que parce que vous avez utilisé le code prioritaire. Pourquoi n'avez-vous pas suivi la procédure officielle ?

Autant être franche avec lui, songea Avery. Elle n'avait rien à perdre.

— Parce que j'étais sûre que vous m'écouteriez, que vous me diriez si j'avais raison ou tort, et aussi que vous m'aideriez. Il fallait faire vite, et ça n'a été possible que parce que vous avez donné votre feu vert.

— Continuez.

— Pendant que les agents préparaient le terrain en Floride, j'ai joint ma tante Carrie pour lui annoncer que John Paul et moi logerions au Milt's Motel, à Walden Point, et qu'elle y serait transférée afin d'attendre avec nous le procès de Skarrett. Je me doutais qu'elle le répéterait à son mari, Tony, et qu'elle lui demanderait de venir. Le temps qu'elle le fasse, Tony était sur écoutes et ses e-mails épluchés.

— Et si elle ne l'avait pas appelé ?

— Alors je m'en serais chargée. Mais je n'en ai pas eu

besoin et, comme prévu, Tony a contacté Jilly pour l'avertir que Carrie et moi devions nous retrouver en Floride. Il a ensuite réservé son billet d'avion. (Avery inspira avant d'enchaîner.) Quand les agents ont découvert où logeait Jilly, Monk et elle avaient déjà disparu. Ça n'avait cependant aucune importance dans la mesure où nous connaissions leur destination.

— Walden Point.

— Oui. Je m'en suis voulu de mentir à ma tante et de la manipuler, seulement, je n'avais pas le choix. Une fois la machine en route, je lui ai appris qu'elle resterait en réalité encore un peu dans le Colorado – en lui expliquant pourquoi cette fois.

— Comment a-t-elle accueilli la nouvelle au sujet de son mari ?

Je lui ai brisé le cœur, se retint-elle de répondre.

— Elle a eu du mal à l'accepter... Mais elle est forte, elle s'en remettra.

— C'est John Paul Renard qui a deviné comment opérerait Monk ?

— Oui. Nous nous sommes installés dans une péniche pendant que les agents lui tendaient un piège au motel en faisant croire à notre présence sur place. Et c'est John Paul aussi qui a repéré le fil dans l'escalier menant au clocher. L'agent Clayborne et lui n'ont plus eu ensuite qu'à lui organiser un comité d'accueil.

— Très bien. Maintenant je veux savoir comment vous avez élucidé cette affaire.

— Grâce aux Politiques, monsieur.

Carter haussa un sourcil.

— Oui, confirma-t-elle. Je réfléchissais sur la plage quand ils me sont revenus à l'esprit. Ces hommes poursuivaient un but précis, vous vous souvenez ? Ils voulaient qu'on leur attribue une noble motivation, alors qu'ils n'agissaient que par appât du gain. J'ai donc abordé le problème sous l'angle du mobile et, comme avec ces braqueurs de banque, j'ai examiné un par un les éléments dont nous disposions. Monk, Jilly, Skarrett, Tony Salvetti – chacun aspirait à quelque chose dans cette histoire. Et l'ambition secrète de Jilly a été la clé de tout. Carrie m'avait parlé de la lettre dans laquelle sa sœur l'accusait de lui avoir volé son rêve. Je n'arrêtais pas de ruminer cette phrase. J'avais lu le journal intime de Carrie et je mesurais de quoi Jilly était capable. J'étais aussi au courant de la patience dont elle pouvait faire preuve. Elle avait attendu tant d'années pour exercer ses représailles. Je me suis alors demandé ce qu'elle désirait le plus. La richesse ? La vengeance ? Et puis j'ai eu un déclic. Jilly voulait être une star. Elle mourait d'envie d'être adulée, entourée d'attentions. Or c'était Carrie et non elle qui avait fait carrière à Hollywood et qui était devenue célèbre. Jilly considérait donc que sa sœur s'était appropriée son rêve et elle lui a imputé tous ses échecs – nous en avons eu confirmation dans ses effets personnels.

— Oui, l'agent Kelly m'a dit qu'il avait trouvé une cassette vidéo dans son sac à main – l'enregistrement d'une publicité que vous aviez tournée étant plus jeune.

— À mon avis, cette pub a fait office de catalyseur. Elle a dû entrer dans une rage folle en la voyant et commencer à planifier sa revanche dès cette époque. À ses yeux, j'avais hérité indûment de ce qui lui était destiné.

— Elle s'est accrochée à son rêve pendant plus de vingt ans ?

— Oh oui. Elle a une très haute opinion d'elle-même. Partant de là, j'ai cherché qui était à même d'exaucer son vœu. Qui pouvait faire d'elle une star ?

— Tony Salvetti.

— Exactement ! Il détenait toujours cinquante pour cent de Star Catcher. Je n'ai d'abord pas voulu croire qu'il était impliqué dans cette histoire. John Paul, lui, m'a assuré que j'avais dû le suspecter dès le début parce que je ne l'ai jamais appelé pour lui dire où j'étais. (Avery baissa les yeux sur sa bague de fiançailles et l'ajusta avec amour à son doigt.) C'était si facile pour Jilly. Quand elle a rencontré

Tony, elle a découvert un homme amer et en colère. Carrie et lui avaient fusionné leurs deux agences au moment de leur mariage en projetant de mener leurs affaires en tant qu'associés. Et puis Carrie a remporté des contrats. Peu à peu, elle a évincé Tony de la direction de Star Catcher, jusqu'à ce qu'il n'ait plus aucun pouvoir de décision. Il a expliqué à l'agent Kelly qu'elle essayait de l'émasculer. Il se doutait qu'il perdrait tout le jour où elle réclamerait le divorce – ce qui était inévitable. Elle se montrait de plus en plus méfiante à son égard après avoir constaté qu'il manquait plus de cent mille dollars sur leurs comptes. Tony lui avait assuré que l'argent était toujours à la banque et qu'il s'agissait d'une erreur comptable, mais elle aurait fini par exiger un audit de leur société. Jilly lui a alors dit qu'elle connaissait quelqu'un en mesure de résoudre son problème – quelqu'un qui purgeait une peine de prison en Floride et qui pourrait les mettre en relation avec un tueur à gages.

— Dale Skarrett ?

— Oui. Elle est allée le voir et lui a juré de l'aider à recouvrer sa liberté. En échange du nom d'un tueur, elle s'est engagée à nous éliminer, Carrie et moi, afin que nous ne puissions pas témoigner à son procès. Elle lui a aussi promis de l'attendre à sa sortie et de liquider la juge qui l'avait condamné. Skarrett était toujours fou d'elle. Je suis certaine qu'elle aurait réussi à le persuader de son amour pour lui jusqu'à ce qu'il la conduise aux diamants.

» Tout cela nous amène à Monk. Jilly a vu en lui un assassin, certes, mais aussi et surtout un homme seul qu'elle n'a eu aucun mal à séduire. Elle n'a même pas eu à lui donner l'argent que Tony lui avait confié pour supprimer Carrie. Il était tellement amoureux d'elle qu'il se pliait à toutes ses volontés. Résultat, c'est elle qui a empoché la somme.

— Qui a eu l'idée de réunir ces trois femmes dans la maison du Colorado ?

— Jilly. Elle aime tout compliquer. Le côté dramatique

de la situation lui plaisait, et faire souffrir Carrie représentait la cerise sur le gâteau. Monk avait déjà accepté de tuer Anne Trapp et de détruire la maison de Dennis Parnell. Celui-ci était convaincu que le juge l'attribuerait à son ex-femme. Je n'ose pas imaginer sa tête quand il a appris qu'il n'en était rien.

— Monk était très occupé, on dirait.

— Oh oui !

— Vous avez vu les infos ? Éric Trapp s'est finalement confessé aux enquêteurs. Il devrait écoper d'une lourde peine. Heureusement que votre tante nous a remis la lettre d'Anne, sinon nous n'aurions eu aucune preuve contre lui. Il a déclaré pendant son interrogatoire que sa femme mettait trop de temps à mourir.

— Comme dans le cas des Politiques, l'argent seul les motivait, lui et les autres.

— Je trouve tout de même étonnante la façon dont Jilly a manipulé Salvetti, Monk et Skarrett. Ils étaient de vrais marionnettes entre ses mains et aucun n'a soupçonné ce qu'elle mijotait. J'ai eu une conversation avec l'agent Kelly. Skarrett nie presque tout en bloc, mais Salvetti se montre plus bavard, lui. Le plus curieux…

— Oui ?

— C'est qu'aucun d'eux ne critique Jilly. Ils chantent tous ses louanges.

Avery n'en fut pas surprise.

— Je parie qu'elle garde le silence, elle.

— Non, elle parle beaucoup au contraire, mais elle ne nous fournit que des réponses évasives. Vous ferez un très bon agent, Delaney.

— Avec un entraînement approprié, peut-être. Sauf que je n'en ai plus envie, monsieur. Plus maintenant. Si j'ai retenu une leçon de ces dernières semaines, c'est que la vie est trop courte, et je refuse de perdre encore une minute à courir après des hommes et des femmes dont on ne peut plus rien espérer. Je préfère intervenir avant qu'il soit trop tard. (À ces mots, elle se leva, puis attendit qu'il s'avance vers elle.) Merci, monsieur, conclut-elle en lui serrant la main.

— Alors c'est sûr, vous démissionnez ? Il n'y a pas moyen de vous fléchir ?

— Non, monsieur.

— Vous avez des projets ?

— Maintenant que le procès est terminé et que la demande de remise en liberté conditionnelle de Skarrett a été rejetée, je compte passer deux ou trois semaines avec ma tante. Je déménagerai ensuite en Louisiane, où je reprendrai mes études pour devenir enseignante.

— Vous me manquerez, Delaney. Bonne chance.

— Merci, monsieur.

Carter l'arrêta toutefois au moment où elle sortait.

— Une dernière chose.

— Oui ?

— Bon travail.

41

L'inspecteur accompagna Avery et John Paul.

— Vous pourrez l'observer à travers la vitre sans qu'elle vous voie, leur expliqua-t-il en les invitant à entrer dans une pièce.

Avery ne bougea pas.

— Elle se trouve dans la salle d'interrogatoire avec deux autres inspecteurs, précisa-t-il.

Elle n'esquissa toujours pas le moindre geste.

L'homme jeta un coup d'œil à John Paul.

— Prenez votre temps, dit-il en s'éloignant.

— Tu n'es pas obligée..., commença John Paul.

— Si, il le faut.

Elle demeura figée sur le seuil un moment encore, avant de se raidir et de pénétrer à l'intérieur de la petite pièce. Là, elle s'approcha de la vitre sans tain, les poings serrés, afin de contempler la femme qui lui avait donné la vie et avait tout fait ensuite pour la lui ôter.

John Paul glissa sa main dans la sienne.

— Tu la reconnais ?

— Non. Je n'avais que cinq ans quand elle est venue à la maison, murmura-t-elle.

Le dos droit et les jambes croisées, Jilly était assise à une table carrée, face à deux inspecteurs. Elle avait déboutonné le haut de son chemisier, de sorte que son décolleté s'accentuait un peu plus à chacun de ses mouvements. Son attention se porta soudain vers la vitre, qu'elle fixa. Avery retint son souffle et, prise de nausée, recula d'un pas.

– Tu as vu ? chuchota-t-elle.

— Jilly ? Oui.

— Non, pas elle. Les inspecteurs. Tu as vu leur réaction ?

Tous deux s'étaient penchés en avant, comme s'ils tentaient inconsciemment de se rapprocher d'elle. L'un d'eux déclara quelque chose, puis lui toucha la main.

— Elle est en train de les charmer.

Un policier vint les interrompre au même instant. Jilly pivota vers lui, s'étira langoureusement, se leva et gagna la sortie sous son escorte. Elle marqua juste une pause, le temps de décocher un sourire aux deux autres hommes. Ils le lui rendirent avec empressement et ne la quittèrent pas des yeux jusqu'à ce que la porte se soit refermée sur elle.

— Je peux aller de l'avant, maintenant, annonça Avery.

Elle précéda John Paul jusqu'à l'extérieur du commissariat, sans se retourner.

Épilogue

Le coucher de soleil était le moment de la journée que préférait Avery. Elle s'installait dehors sur la balancelle que lui avait fabriquée John Paul, écoutait l'eau lécher le ponton à l'arrière de la maison et se concentrait jusqu'à sentir le lilas qu'il avait planté.

La porte-moustiquaire grinça, livrant passage à son mari. Il s'assit à son côté, passa un bras autour d'elle et exerça une poussée sur le sol.

— Prête à reprendre les cours demain, mon chou ?

— Oui.

— À quoi tu penses ? Tu t'apprêtais à te réfugier dans ton paradis ?

Avery nicha sa tête dans le creux de son épaule et sourit.

— J'y suis déjà.

Achevé d'imprimer sur les presses de

BUSSIÈRE

GROUPE CPI

à Saint-Amand-Montrond (Cher)
en septembre 2005

Composition et mise en pages : FACOMPO, Lisieux

N° d'édition : 4089. — N° d'impression : 053648/1.
Dépôt légal : septembre 2005.

Imprimé en France